Une épouse à protéger

La menace aveugle

BEVERLY LONG

Une épouse à protéger

Traduction française de
CHRISTINE BOYER

Collection : BLACK ROSE

Titre original :
HIDDEN WITNESS

HARPERCOLLINS FRANCE
83-85, boulevard Vincent-Auriol, 75646 PARIS CEDEX 13
Service Lectrices — Tél. : 01 45 82 47 47

www.harlequin.fr

ISBN 978-2-2803-4587-3 — ISSN 1950-2753

1

Lorsque la sonnerie de son téléphone portable le tira du sommeil, Chase Hollister enfouit la tête sous son oreiller pour tenter de retrouver les bras de Morphée. Mais, au lieu de laisser un message quand il fut mis en relation avec sa boîte vocale, son correspondant raccrocha pour rappeler aussitôt.

Avec un juron, Chase jeta un coup d'œil à l'écran de son appareil. Reconnaissant le numéro de son frère, il prit la communication.

— Je n'ai pas dormi depuis plus de vingt-quatre heures, dit-il. Alors tu as intérêt à avoir une très bonne raison pour me réveiller.

— Brick est mort, annonça Bray sans préambule.

Chase se mit sur son séant. Il n'avait pas entendu le nom de cet homme depuis huit ans, et ne l'avait pas prononcé lui-même depuis plus longtemps encore.

— Dans quelles circonstances ?

— Accident de voiture. Sa sœur était avec lui. Ils ont été enterrés il y a deux jours.

Chase n'avait rencontré qu'une fois la sœur aînée de son beau-père. Bien qu'adolescent à l'époque, il avait senti quelque chose de bizarre chez cette femme. A croire qu'ils avaient tous un grain, dans cette famille.

— Il y a eu d'autres blessés ? demanda Chase.

— Non. Brick se rendait chez un médecin avec Adelle.

Il allait trop vite, il a mal négocié un virage et a fini sa course contre un platane. Ils étaient seuls dans la voiture.

Chase se rallongea sur son lit. Les détails ne l'intéressaient pas.

— D'accord, je vais me recoucher.

— L'avocat de maman vient de m'appeler, reprit Bray comme s'il ne l'avait pas entendu. La maison est à nous.

Devinant qu'il ne parviendrait pas à se rendormir, Chase se leva d'un mouvement souple et se rendit à la cuisine. Les stores étaient levés et il était nu, mais il s'en moquait. Il avait besoin d'un café.

— A nous ? répéta-t-il. Je ne comprends pas. Brick avait un fils qui doit toujours être de ce monde, non ?

— Qu'il soit vivant ou non ne change rien. Il y a huit ans, quand maman est morte, nous avons hérité de la maison sans le savoir. Nous étions ses seuls héritiers. Mais elle avait donné à Brick l'autorisation d'y vivre jusqu'à son propre décès. L'avocat était surpris que personne n'ait songé à nous mettre au courant de ces dispositions, à l'époque. Un oubli, apparemment.

L'ironic dc la situation n'échappa pas à Chase. Ses frères et lui auraient pu contester en justice cet usufruit, obliger Brick à quitter les lieux. Il se serait alors retrouvé à la rue, comme lui naguère lorsque son beau-père le jetait dehors.

Il versa plusieurs cuillerées de café dans le filtre, remplit d'eau le réservoir et mit la cafetière en route.

Son frère poursuivait :

— Il faut que tu ailles là-bas pour voir comment nous débarrasser au plus vite de cette baraque.

— Pourquoi moi ? Vas-y, toi. Après tout, c'est toi l'aîné.

— Si je le pouvais, j'irais. Mais la mission sur laquelle je travaille depuis deux ans est dans une phase cruciale, et il m'est impossible de m'absenter en ce moment.

— Alors Cal devra s'y coller. Il est le plus jeune, nous allons faire pression sur lui pour l'y obliger.

— Il n'est pas aux Etats-Unis actuellement.

Cal avait passé l'essentiel des huit dernières années à l'étranger, ce qui était normal pour un membre des Forces spéciales de la marine américaine. Six mois plus tôt, il avait quitté l'armée pour devenir entrepreneur. A en croire ses nouvelles cartes de visite, en tout cas. Pour sa part, Chase doutait que le benjamin de la famille exerce réellement ce métier. Peu de chefs d'entreprise étaient entraînés à tuer des terroristes, à désamorcer des bombes, et à infiltrer les lignes ennemies.

— Où il est, je m'en moque. Je suis occupé, moi aussi. Et je ne suis sorti de l'hôpital qu'il y a huit jours.

— Comment va ta jambe ?

Fonctionnelle, mais loin d'être complètement rétablie.

— Ça va. Ça va.

— Je ne comprends pas, reprit Bray. Je pensais que tu bénéficiais d'un congé maladie de six semaines et, finalement, tu es retourné travailler au bout de quatre.

— Nous sommes à court de personnel, aux homicides.

— Tous les flics du pays sont logés à la même enseigne, non ? En tout cas, j'ai été très impressionné en apprenant que tu t'étais comporté en héros le jour même de ton retour.

Chase ne répondit pas. Il avait détesté la photo, l'article, l'intérêt suscité par cette histoire. Pour lui, l'affaire ne méritait pas un tel tapage médiatique.

— « L'inspecteur de police Chase Hollister, l'un des plus fins limiers de la police de St Louis, grâce à qui les rues sont un peu plus sûres… », poursuivit son frère.

Travaillant pour la brigade des stupéfiants, Bray contribuait autant que lui à la sécurité des habitants de cette ville. Et, tout comme lui, il détestait se trouver sous le feu des projecteurs. Il lui lisait le papier relatant ses exploits dans l'espoir que, gêné, il accepterait de s'occuper de la maison familiale afin d'abréger la conversation. Mais il se faisait des illusions.

— Inutile de te fatiguer, Bray. Je ne retournerai pas dans le Missouri, un point c'est tout. Cette baraque peut bien s'écrouler, je m'en moque comme de l'an quarante.

Sur ces mots il raccrocha et jeta son téléphone portable sur la table ; le bruit résonna dans l'appartement silencieux. Il se servit un bol de café et le vida presque d'un trait, se brûlant la langue au passage.

La propriété dont ses frères et lui venaient d'hériter se trouvait à Ravesville, une petite bourgade du Missouri perdue dans la campagne, à deux bonnes heures de route de St Louis. Là-bas, tout le monde se connaissait, discutait avec ses voisins, leur donnait un coup de main si nécessaire. L'été, les enfants enfourchaient leurs bicyclettes au lever du soleil et ne revenaient que pour dîner. Il n'était pas rare que tout le village soit invité à partager un chili con carne chez l'un ou à se régaler de pancakes au petit déjeuner chez l'autre. A la fin du repas, chacun mettait la main à la pâte et faisait la vaisselle. Chase était né et avait grandi à Ravesville, et il y avait connu une enfance plutôt heureuse.

Tout avait changé l'été où son père était mort. Il avait alors quatorze ans et se préparait à entrer au lycée. Mais, si perdre son père avait été une terrible épreuve, le pire pour lui avait été le remariage de sa mère, deux ans plus tard. Brick était alors devenu son beau-père.

Il n'y avait sans doute pas d'homme plus cruel dans tout le pays. La raison qui l'avait poussé à épouser une femme mère de trois adolescents, alors qu'il n'aimait pas les enfants, restait un mystère. Il avait lui-même un fils, un peu plus âgé que les frères Hollister, qui vivait avec sa mère. Chase n'avait rencontré ce garçon qu'une fois.

Lorsque, quelques instants plus tard, le téléphone sonna de nouveau, Chase décrocha, prêt à insulter son frère. Au dernier moment, il se rendit compte que l'appel n'émanait pas de Bray mais de son coéquipier. Pourtant, Dawson aurait dû être en train de dormir. Lui non plus n'avait pas fermé l'œil pendant plus de vingt-quatre heures.

— Oui, répondit Chase.

— Le patron vient de m'appeler à l'instant. Il s'est entretenu longuement avec le chef, expliqua Dawson. Quelqu'un a pris pour cible Lorraine Taylor, la femme de Floride qui doit témoigner au procès de Malone.

Dawson et Chase n'avaient pas travaillé sur l'affaire mais, comme tous les policiers de St Louis, ils s'y intéressaient. Harry Malone était soupçonné d'avoir assassiné trois femmes dans le Missouri. L'une d'elles était la filleule du chef de la police de St Louis. Malone attendait son procès en prison.

— Je ne comprends pas ! s'exclama Chase. Quelqu'un aurait dû veiller sur elle jour et nuit. Son témoignage est capital.

— Je sais, répondit Dawson.

— Elle a été blessée ?

— Non. Elle a eu beaucoup de chance.

Elle était vraiment née sous une bonne étoile, oui. Chase n'avait pas en mémoire tous les détails de l'affaire, mais il se souvenait qu'elle avait miraculeusement réussi à échapper à Malone. Elle avait parlé aux inspecteurs de police des photos des victimes que Malone lui avait montrées. Non seulement il n'avait pas caché qu'il était l'assassin de ces malheureuses, mais il s'en était vanté. Lorraine Taylor avait pu conduire les policiers jusqu'à l'appartement où elle avait été séquestrée. Bien sûr, à ce moment-là, ni Malone ni les photos n'y étaient plus. Mais l'ADN de la jeune femme avait été retrouvé dans l'une des pièces et ses blessures étaient compatibles avec son histoire.

Malone s'était montré prudent. Aucune preuve, aucun indice ne le reliait aux meurtres du Missouri parce qu'il n'y avait pas de cadavres. Pourtant, grâce aux renseignements fournis par Lorraine Taylor, il avait été arrêté et inculpé pour enlèvements et meurtres.

Elle avait sans doute estimé avoir fait son devoir en menant les policiers chez le tueur et pouvoir à présent reprendre le cours de sa vie.

Malheureusement pour elle, elle avait vite compris qu'il n'en serait rien. Six semaines plus tard, alors qu'elle se rendait à pied à son travail, elle avait failli être renversée par un chauffard — un chauffard qui avait évidemment pris la fuite. Plusieurs témoignages attestaient qu'il ne s'agissait pas d'un accident mais d'un acte délibéré. Pourtant, depuis le départ, la police avait veillé à ne pas dévoiler l'identité de Lorraine Taylor. Son nom n'était jamais apparu dans les journaux.

Malheureusement, à l'ère de l'informatique, ces précautions s'étaient avérées inefficaces. Les enquêteurs de Floride comme ceux de St Louis connaissaient l'identité de la jeune femme. Toutes les personnes qui travaillaient au bureau du procureur ou avec le juge avaient également accès au dossier. Malone savait sans doute aussi qui elle était. Son incarcération ne facilitait certes pas la communication avec le monde extérieur, mais il avait malgré tout pu charger des amis d'éliminer ce témoin gênant.

Les policiers s'étaient demandé si l'accident dont Lorraine Taylor avait failli être victime était lié ou non au fait qu'elle devait témoigner contre Malone au procès. Que ce soit le cas ou non, il n'était de toute façon pas question qu'un chauffard prive l'Etat du Missouri d'un témoin qui avait le pouvoir d'envoyer un tueur en série en prison.

Il avait donc été décidé qu'elle séjournerait dans une résidence protégée où elle serait en sécurité. Depuis lors, Chase n'avait plus entendu parler de l'affaire.

Malgré ces mesures de protection, quelqu'un avait donc tiré sur elle, provoquant l'affolement général dans le monde de la police comme dans celui de la justice. Sans Lorraine Taylor, le riche trader new-yorkais risquait d'être innocenté.

Harry Malone n'était pas idiot. Non seulement il n'était

jamais passé aux aveux lorsqu'il avait été interrogé par les enquêteurs, mais il avait engagé les meilleurs avocats pour assurer sa défense. Comme il s'était vu refuser une liberté conditionnelle, il avait fait des pieds et des mains pour avancer la date de son procès.

Et, d'après la rumeur publique, il était certain de sortir libre du tribunal.

Etait-il possible qu'il soit moins confiant qu'il voulait le faire croire et qu'il ait voulu se débarrasser de Lorraine Taylor pour se donner une chance supplémentaire de s'en tirer ?

— Le chef veut qu'elle soit transférée à St Louis, reprit Dawson.

Le chef avait toujours envie de tout contrôler et, compte tenu de ses liens personnels avec l'une des victimes, il était sans doute inutile de chercher à l'en dissuader. Cela dit, Chase comprenait sa réaction. L'enjeu était important. Ils avaient vraiment besoin du témoignage de cette femme.

— Il a dit au patron qu'il voulait nous mettre sur le coup, reprit Dawson.

— Pourquoi nous ?

Ils n'étaient pas les inspecteurs les plus expérimentés de St Louis. De plus, depuis qu'il était aux homicides, Chase n'avait pas dû échanger plus de dix mots avec le chef. Faire des ronds de jambe pour progresser dans la hiérarchie n'était pas son genre. D'ailleurs, rien ne disait qu'il travaillerait dans la police sa vie durant. S'il trouvait mieux, il n'hésiterait pas à changer son fusil d'épaule.

— D'après le patron, le chef a trouvé que nous avions fait un boulot formidable dans l'affaire Brodger.

Hamas Brodger, un trafiquant de drogue, avait assassiné trois adolescents sous prétexte qu'ils avaient tenté de le rouler de deux cents dollars.

Un quatrième avait réussi à s'enfuir. Chase et Dawson avaient veillé sur lui pendant six semaines, jour et nuit, comme des nounous. La mission n'avait pas été une partie de plaisir, loin de là. Le gamin refusait de se laver et ne connaissait pas les bonnes manières. Et, plus grave, il avait été incapable de se déconnecter des réseaux sociaux, ce qui avait permis aux complices de Brodger de remonter sa piste. Chase avait ainsi reçu une balle dans la jambe.

Mais au final l'adolescent avait pu témoigner au procès, et Brodger allait passer de nombreuses années au pénitencier.

— Tu aurais dû laisser ces voyous descendre ce gamin, dit Dawson, pince-sans-rire. A cause de lui, nous allons avoir un surcroît de travail.

— Peut-être la prochaine fois, répondit Chase sur le même ton. Mais écoute, je vais sans doute être obligé de prendre un jour ou deux de congé. Une affaire de famille à régler…

— Tes frères vont bien ? demanda Dawson, soudain grave.

— Oui, oui, merci. Mon beau-père vient de mourir.

Dawson lui épargna ses condoléances et autres platitudes habituelles. Il en savait assez sur Brick pour s'en dispenser.

— Puis-je t'aider en quoi que ce soit ?

— Je dois juste m'occuper de mettre en vente la maison familiale. Le chef ne nous attend pas tout de suite, n'est-ce pas ?

— Il a dit que demain serait parfait. Lorraine Taylor sera alors arrivée. Entre nous, je me demande ce que nous allons bien pouvoir faire d'elle…

Raney Taylor avait l'impression que le cauchemar qui avait commencé le soir où Harry Malone était entré à Next Steps et lui avait proposé son aide n'en finirait jamais.

N'était-il pas suffisant qu'elle soit obligée de témoigner à un procès et de revivre à cette occasion chaque horrible moment des cinquante-quatre heures qu'elle avait passées avec lui ? Pourtant, même si cette épreuve s'annonçait douloureuse, elle ne s'y déroberait pas, elle ferait son devoir. Il fallait mettre cet homme hors d'état de nuire.

Une fois que son ravisseur avait été incarcéré, elle s'était imaginé qu'elle ne courait plus aucun danger. Elle était retournée travailler, refusant d'écouter ses collègues qui lui conseillaient de prendre une semaine ou deux de congé. Elle espérait seulement être un jour capable de faire de nouveau confiance à quelqu'un. Et, au fond, elle était sûre d'y parvenir.

Mais quand un 4x4 avait essayé de l'écraser, non loin de chez elle, elle avait compris que les choses seraient plus difficiles que prévu.

Les policiers lui avaient alors promis de veiller sur elle.

« Ne vous inquiétez pas, lui avaient-ils dit en lui tendant les clés d'une petite maison dans la banlieue de Miami. Il s'agit d'une résidence protégée. Nous y logeons en permanence des témoins. Rien ne leur est jamais arrivé. Vous serez en sécurité. »

Malgré cet optimisme, la veille au soir — et moins de dix jours après son emménagement dans cet endroit prétendument « ultra-sécurisé » —, quelqu'un l'avait prise pour cible alors qu'elle sortait la poubelle sur le trottoir.

Si elle ne s'était pas baissée opportunément pour ramasser un mouchoir tombé de sa poche, elle serait morte, à l'heure qu'il est.

Dès l'alerte donnée, elle avait appris qu'elle allait être transférée ailleurs. Elle s'y attendait, mais elle n'avait pas imaginé devoir plier bagage sur-le-champ pour embarquer dans le premier avion en partance pour St Louis.

Elle avait toujours su que, tôt ou tard, il lui faudrait se rendre dans cette ville. Non seulement le procès de Harry Malone s'y tiendrait le mois prochain, mais les trois autres victimes du tueur étaient toutes originaires du Missouri.

Bien qu'elle n'ait jamais rencontré ces malheureuses, elle les *connaissait* pour avoir partagé la même terreur, les mêmes souffrances. Après avoir réussi à échapper à ce monstre, elle n'avait pu s'empêcher de lire les journaux, de chercher les détails de leur existence. Elle avait eu envie de voir ces femmes lorsqu'elles étaient vivantes, d'apprendre quel métier elles avaient exercé, où elles avaient habité, qui elles avaient aimé. Elle avait éprouvé le besoin de remplacer les horribles images qu'elle avait gardées en mémoire par d'autres, plus heureuses.

Maintenant, elle avait peur de se retrouver dans la même ville que Malone. En lui faisant confiance, elle avait commis une terrible erreur ; elle avait failli le payer de sa vie.

Elle se frotta les côtes. Il lui en avait brisé trois d'un violent coup de pied après l'avoir jetée sur le sol de son appartement. Le médecin lui avait dit que les fractures se résorberaient rapidement, mais qu'il lui faudrait plusieurs mois pour guérir de ses meurtrissures. Chaque nuit, lorsqu'elle roulait sur elle-même dans son sommeil, la douleur la réveillait.

De toute façon, elle ne dormait plus beaucoup.

Le plus difficile pour elle avait été de renoncer à son travail de conseillère d'orientation. Elle adorait son métier. Ses clients, issus pour la plupart de milieux défavorisés, avaient envie de travailler mais, pour une raison ou pour une autre, ils avaient du mal à trouver un emploi et à le garder. Elle les aidait à mieux cerner leurs envies, leurs aptitudes et leur personnalité pour leur permettre de se former et de s'insérer dans un projet professionnel viable. Elle s'investissait complètement dans ses fonctions, les accompagnant sur tous les plans, apprenant à certains à s'habiller, à d'autres à développer leur sens de l'organisation ou encore à gérer les conflits.

Chaque fois que l'un de ses protégés revenait la voir en brandissant son premier bulletin de salaire, elle était contente. S'il occupait toujours son poste trois mois après avoir été embauché, elle était aux anges. Et lorsqu'il fêtait sa première année dans une entreprise, elle se sentait euphorique.

Aider les autres était sa raison de vivre, et Harry Malone lui avait volé ce bonheur. Ainsi que beaucoup d'autres choses.

Elle sursauta quand un petit coup fut frappé à sa porte.

— Etes-vous prête, mademoiselle Taylor ? demanda l'officier de police.

Luis l'escortait depuis le premier jour de sa « mise en résidence protégée ». Non seulement il jouait les gardes du corps avec sérieux, mais il se montrait toujours extrêmement poli.

— Je ne comprends vraiment pas pourquoi je dois me rendre à St Louis, répéta-t-elle pour la vingtième fois. Miami est une grande ville, et je suis sûre que vous y avez d'autres résidences protégées.

Il haussa les épaules.

— Tout ce que je sais, c'est que vous devez embarquer sur le vol de 9 h 16 pour St Louis. Peut-être aurez-vous moins chaud là-bas.

En cette fin septembre, les températures étaient encore caniculaires, à Miami. Cela dit, elle n'était pas beaucoup sortie ces derniers temps.

— Très bien. Alors finissons-en, dit-elle.

Chase retrouva Dawson devant le siège de la police et tous deux entrèrent dans l'ascenseur en silence.

— Comment va Mary ? demanda Chase comme ils arrivaient au dernier étage.

— Elle a l'impression que ses chevilles ont triplé de volume et que quelqu'un lui envoie en permanence des coups de couteau dans le dos.

— Dur ! Veux-tu rester quelques jours chez moi ?

Dawson secoua la tête.

— Non, bien sûr que non. Mary a besoin d'être entourée,

soutenue. Et dès que notre princesse sera née, nous oublierons ces petits désagréments, j'en suis sûr.

Chase poussa la lourde porte menant aux bureaux de leurs supérieurs.

— Je n'aime pas venir ici, murmura-t-il.

— Alors cesse de faire des trucs fous qui attirent l'attention de nos chefs.

— Je n'ai rien fait de fou !

— Il y a cinq semaines, tu as pris une balle dans la cuisse et, malgré tout, tu es parvenu à riposter et à protéger le gamin dont tu étais chargé. Tu t'es rétabli plus vite que prévu, tu as supplié le médecin de t'autoriser à quitter l'hôpital et à reprendre ton travail. Et le premier jour, alors que tu venais au commissariat, tu n'as pas hésité à entrer dans une voiture en flammes pour en tirer le conducteur, qui aurait grillé vif sans ça. Bien sûr, tes exploits ont été filmés par des téléphones portables, et les images ont été projetées aux JT. Maintenant, tu es considéré comme un héros national… Et tu n'avais même pas pointé, ce jour-là, ajouta Dawson avec un soupir exaspéré.

Le matin en question, tous deux se hâtaient vers le poste de police lorsqu'ils avaient été témoins de l'accident. Chase avait à peine sorti le premier type de sa voiture que la seconde explosait, piégeant le jeune conducteur à l'intérieur.

— Tu n'aurais pas laissé mourir ce gamin non plus, répliqua Chase.

Dawson sourit à la réceptionniste.

— Nous sommes les inspecteurs Roy et Hollister, et nous avons rendez-vous avec le chef Bates.

Lorsqu'elle décrocha son téléphone, il se tourna vers Chase.

— Je n'aurais pas voulu qu'il meure, répondit-il avec gravité. Mais je ne suis pas sûr que j'aurais eu le courage de faire ce que tu as fait. Tu devais quand même bien être conscient que tu allais peut-être y laisser ta jambe.

Chase avait envisagé cette éventualité, oui, puis refusé d'y penser. Ces deux jeunes gars devaient vivre, le reste importait peu.

Le chef ne les fit pas attendre. Agé d'une soixantaine d'années, il était grand, large d'épaules, et doté d'une poignée de main énergique.

Il salua Dawson.

— Heureux de vous voir, inspecteur Roy.

Il se tourna vers Chase.

— Comment va votre jambe, inspecteur Hollister ?

— Ça va, merci.

— J'ai lu le récit de vos exploits dans la presse, l'autre jour. Du bon travail.

Dawson, qui se trouvait derrière leur supérieur, leva les yeux au ciel. Chase l'ignora.

— Asseyez-vous, je vous en prie, poursuivit le chef en leur désignant des chaises devant son bureau. Vous connaissez la situation, n'est-ce pas ?

Chase opina.

— Lorraine Taylor a de nouveau été prise pour cible.

— Exactement. Malone est un homme puissant, nanti de ressources considérables. Il est possible qu'il ait organisé cette tentative de meurtre avec un acolyte avant que la police de Floride l'arrête. Mais il n'est pas exclu qu'il l'ait commanditée depuis sa prison…

Il n'insista pas. Les policiers intègres détestaient reconnaître qu'il y avait des ripoux dans leurs rangs, mais c'était un fait. Certains gardiens se faisaient graisser la patte pour transmettre des informations à l'extérieur. Il était également fréquent que des visiteurs servent d'intermédiaires.

Chase se pencha en avant.

— Malone pourrait-il avoir un complice ? Quelqu'un qui connaîtrait Lorraine Taylor ? Il fallait l'avoir rencontrée, pour la prendre pour cible. Elle n'a pas été victime d'un accident. Peut-être avait-elle été repérée depuis longtemps…

Quand Malone a été arrêté, son acolyte serait alors passé à l'action.

— C'est possible, mais Taylor n'a vu personne d'autre quand elle était séquestrée chez Malone. Et elle ne l'a jamais entendu faire la moindre allusion à un tiers.

Malone était intelligent, tout le monde s'accordait à le dire. Il avait réussi à tuer trois femmes et à faire disparaître leurs cadavres.

Le chef soupira.

— Il n'est pas exclu non plus que nous ayons affaire à un malade qui serait parvenu, je ne sais comment, à découvrir l'identité de Taylor et qui aurait décidé de finir ce que Malone avait commencé.

Chase hocha la tête.

— En définitive, notre seule certitude est la nécessité de protéger la vie de Lorraine Taylor pour qu'elle puisse témoigner au procès de Malone.

— Il est très important qu'elle reste en vie, mais aussi qu'elle soit en confiance, corrigea le chef. Je finis par craindre qu'elle n'ose plus témoigner par peur de s'exposer au danger. Nous avons besoin qu'elle se sente rassurée, détendue, dit-il avant d'ajouter avec une petite grimace : Si tant est qu'on puisse l'être au procès d'un assassin…

— En quoi pouvons-nous nous rendre utiles ? demanda Dawson.

Le chef consulta sa montre.

— L'avion de Lorraine Taylor va atterrir dans quarante-cinq minutes, et personne ne m'a proposé quoi que ce soit qui me satisfasse.

Chase glissa un regard de biais à Dawson. Il y avait bon nombre de résidences protégées en ville et dans les environs. Il en connaissait certaines ; leur chef en connaissait sans doute d'autres.

— Sa présence a été repérée à Miami, reprit le chef Bates, et je ne veux pas qu'il se produise la même chose ici. Elle n'est déjà pas très contente de venir dans la ville où Malone est incarcéré… Je me demandais si je n'allais pas l'installer en périphérie, peut-être à Springfield.

Chase devinait l'inquiétude de Dawson. Son coéquipier n'avait certainement aucune envie d'être à des heures de route de sa femme alors qu'elle pouvait accoucher d'un jour à l'autre. Il attendit de voir si Dawson allait répondre quelque chose, mais celui-ci resta silencieux. Chase comprit pourquoi. Refuser une mission que le chef en personne vous confiait serait suicidaire, professionnellement parlant.

Il se pencha en avant. Il allait regretter ce qu'il s'apprêtait à dire, il le savait.

— Mes frères et moi possédons une maison à Ravesville. Elle est inoccupée pour le moment. Elle se trouve en dehors de la ville, et nous n'avons pas beaucoup de voisins. Brick, euh… mon beau-père vient de mourir.

Le regard du chef s'éclaira.

— Vous avez grandi là-bas ?

Chase hocha la tête.

— Quand en êtes-vous parti ?

Il était parti le jour où Calvin avait eu dix-huit ans, le jour où ses frères et lui avaient été enfin tous majeurs. Il avait alors vingt et un ans.

— Il y a treize ans, chef. Je n'y suis retourné qu'une fois, il y a huit ans.

Le chef réfléchit un instant avant de planter son regard dans celui de Chase.

— C'est parfait. Nous allons inscrire dans votre dossier que vous êtes actuellement en congé, pour raisons personnelles. Si quelqu'un vous interroge, ajouta-t-il à l'adresse de Dawson, vous direz que l'inspecteur Hollister est retenu loin de St Louis pour régler des affaires familiales. Mis à part vous et moi, personne ne doit savoir la vérité.

Il se tourna alors vers Chase.

— Félicitations, inspecteur Hollister. Vous venez de vous marier. Lorraine Taylor va se faire passer pour votre légitime épouse.

2

Dès que l'avion atterrit, Luis entraîna Raney hors de l'aéroport. Elle souffrait d'une épouvantable migraine, et la chaleur ambiante n'arrangeait rien.

— Je croyais qu'il faisait plus frais dans le Missouri qu'en Floride ! s'exclama-t-elle.

Occupé à lire ses SMS sur son téléphone portable, Luis ne répondit pas. Quand il leva enfin le nez, ce fut pour héler un taxi.

— Où allons-nous ? demanda-t-elle.

— Je n'en sais rien, dit-il d'un ton irrité. Mon contact m'a juste transmis une adresse.

— Voilà qui me semble particulièrement rassurant, remarqua-t-elle avec ironie.

La sueur perlait sur son front et le soleil brûlant lui donnait des nausées.

— Ils auraient quand même pu nous envoyer une voiture, non ? ajouta-t-elle.

De nouveau, Luis ne répondit pas, ce qui la surprit. En Floride, il s'était toujours montré extrêmement poli, prévenant, et bavard comme une pie. Dans l'avion, il était devenu silencieux et, à présent, il paraissait nerveux. Ses changements de comportement incompréhensibles la désarçonnaient.

Le taxi roula une bonne demi-heure avant de s'engager dans une petite rue et de s'arrêter derrière une camionnette.

Les portières arrière étaient ouvertes, et un livreur empilait des boîtes en carton sur un diable.

Raney avait l'impression d'être, elle aussi, un paquet. Comme un colis, elle avait été envoyée à l'autre bout du pays pour être confiée à quelqu'un d'autre. Elle serait déposée dans un coin et y resterait jusqu'à la date du procès.

Elle regarda l'enseigne du magasin que l'homme livrait. Il s'agissait d'une boutique de yaourts glacés. Voilà qui était prometteur.

— C'est ici ?

Luis ne répondit pas. Il inspectait attentivement les alentours. Comme ils descendaient du taxi, un grand blond d'une soixantaine d'années, bâti comme une armoire à glace, vint à leur rencontre.

Il la salua d'un bref signe de tête et serra la main de Luis. Ce dernier se chargea des présentations.

— Le chef de la police Bates va prendre le relais. Vous êtes désormais sous sa responsabilité.

— Formidable.

— Bienvenue à St Louis ! s'exclama Bates. Merci, officier Vincenze.

Luis opina avant de reporter son attention sur elle.

— Bonne chance, mademoiselle, dit-il avant de s'éloigner.

Il remonta dans le taxi à bord duquel ils étaient arrivés. Le chef Bates attendit que la voiture disparaisse au coin de la rue pour se pencher vers elle.

— Soyez assurée que vous serez en parfaite sécurité avec nous. Mais, avant toute chose, nous avons deux ou trois petits détails à régler.

— Quels petits détails ?

— Je répondrai à toutes vos questions. Mais plus tard.

Ils passèrent devant le magasin de yaourts glacés, tournèrent au coin de la rue, remontèrent jusqu'à un carrefour. Après quelques détours, Bates s'arrêta enfin devant une boutique.

Il en poussa la porte et l'invita à entrer dans ce qui se révéla être un petit salon de coiffure. Mais les lumières étaient éteintes, et il n'y avait pas de clientes. Uniquement une femme debout près des bacs à shampooing.

— Bonjour, Marvin, dit-elle.

— Mademoiselle Taylor, je vous présente ma sœur, Sandy. Je te la confie, ajouta-t-il à l'intention de cette dernière.

La dénommée Sandy fit asseoir Raney, de plus en plus perplexe, devant un grand miroir.

Deux heures plus tard, Raney considéra son reflet avec étonnement. Ses cheveux bruns, qu'elle portait depuis toujours aux épaules, avaient été coupés et teints en blond platine. Une fois raccourcis, ils bouclaient naturellement et leur nouvelle blondeur donnait un éclat extraordinaire à ses yeux bleus. Avec cette coiffure, elle se sentait autre, plus belle, plus assurée, plus légère. Elle se regarda longuement, ravie de sa métamorphose.

— Mission accomplie ! conclut Sandy.

C'était les premiers mots qu'elle prononçait depuis qu'elle lui avait expliqué qu'elle allait éclaircir et couper sa chevelure. Sandy était manifestement la reine de la formule lapidaire.

Le chef de la police, qui avait patienté assis dans un fauteuil, se leva et consulta sa montre.

— Parfait. Les autres ne devraient plus tarder.

En voyant trois hommes s'arrêter devant la vitrine du salon, Raney comprit qu'il s'agissait des « autres ». L'un d'eux, âgé d'une cinquantaine d'années, portait un appareil photo au cou et une grande housse de pressing dans les bras. Le deuxième, un Afro-Américain, était vêtu d'un élégant costume gris. Quant au troisième, il était en smoking et tenait une petite valise à la main. Grand et brun, il lui parut très séduisant.

Si Sandy avait prévu de lui couper les cheveux, à lui aussi, elle n'aurait pas grand-chose à faire. Il avait une coupe quasi militaire qui mettait en valeur la beauté de son visage.

Le chef leur ouvrit la porte et la referma soigneusement derrière eux. Le salon parut soudain rempli de testostérone. Raney, qui était toujours assise dans son fauteuil, se sentit désavantagée.

Elle voulut se lever, mais le talon de sa sandale se coinça sous son siège et elle bascula en avant.

Le beau brun en smoking la rattrapa au vol, avant qu'elle ne s'étale de tout son long sur le sol, et la remit d'aplomb avec douceur.

Il sentait bon, remarqua-t-elle. Cette odeur lui fit penser à une forêt tropicale après la pluie.

— Ça va ? demanda-t-il d'une voix rauque, sexy.

Il était hâlé, et ses yeux avaient une teinte originale d'ambre brun.

— Oui, oui, merci.

Qui est cet homme ?

— Mademoiselle Taylor, dit le chef Bates, vous allez vous changer.

Ah bon ?

Le quinquagénaire avec l'appareil photo lui tendit la grande housse. Elle la prit machinalement et fut surprise par son poids.

Mais, quand Sandy lui désigna une porte, elle refusa de bouger.

— Maintenant, ça suffit ! J'en ai assez d'être traitée comme un paquet. Vous croyez peut-être que quelqu'un m'a expliqué ce qui se passait, mais personne n'en a trouvé — ou pris — le temps. Et tant que je n'aurai pas compris le pourquoi du comment, il n'est pas question que je fasse quoi que ce soit.

Le Noir regarda le chef Bates comme s'il craignait de le voir exploser de colère tandis que le beau brun en smoking l'observait, elle, d'un air appréciateur.

— Bien sûr, bien sûr, répondit le chef d'un ton apaisant. Je suis désolé de ne pas l'avoir fait plus tôt, mais je tenais avant tout à vous mettre en sécurité. Laissez-moi vous présenter l'officier Henderson. Il travaille dans la police comme photographe. Et voici l'inspecteur de police Roy et son coéquipier, l'inspecteur Hollister.

— D'accord, merci, fit-elle. Maintenant, expliquez-moi pourquoi je dois changer de vêtements. J'ai empaqueté quelques affaires ; j'ai donc tout ce qu'il me faut, ajouta-t-elle en désignant sa valise du doigt.

— Cette housse contient une robe de mariée, poursuivit Bates. Vous devez la passer puis l'officier Henderson prendra plusieurs photos de vous au bras de l'inspecteur Hollister. Des photos de mariage. La date qui apparaîtra sur les clichés a été trafiquée afin que si quelqu'un s'intéresse au sujet tout lui prouve que la cérémonie a eu lieu il y a quelques semaines, le 15 août dernier, pour être précis. Bien entendu, nous avons pris soin d'inscrire cette union dans les registres à cette même date. Sous un autre nom, évidemment.

Lorraine sentit son visage s'empourprer. Que signifiait cette mascarade ? Cet homme en smoking ? Cette robe de mariée ? Ce mariage inscrit dans les registres ?

— Il n'en est pas question ! répliqua-t-elle. Je n'ai aucune envie de me marier.

Elle avait déjà convolé en justes noces, mais les choses ne s'étaient pas bien passées et le mariage s'était conclu par un divorce. La vie conjugale n'avait pas été ce qu'elle avait espéré.

Le chef Bates fronça les sourcils. Manifestement, il n'avait pas l'habitude que l'on discute ses ordres.

L'inspecteur Roy intervint.

— Bien sûr que non, dit-il. Rassurez-vous, il ne s'agit que d'une couverture, et elle est évidemment provisoire. Pour vous protéger jusqu'au procès de Malone, vous allez faire semblant d'être la femme de l'inspecteur Hollister. Vous vous installerez dans la maison familiale de Chase. Elle se trouve à la campagne, à deux heures de route de St Louis.

Raney eut l'impression d'être prise de vertige. Elle se tourna vers l'homme en smoking.

— Nous allons donc nous marier… Ou plutôt, nous le sommes déjà puisque notre mariage a été célébré le 15 août dernier, ajouta-t-elle bêtement.

— Voilà, fit-il.

— Et nous vivrons chez vos parents ?

Il secoua la tête.

— Non, ils sont morts. La maison est vide.

Elle se massa les tempes.

— Et comment vais-je m'appeler ?

Le chef Bates s'avança.

— Dans ce genre de situation, mieux vaut, lorsque c'est possible, garder le même prénom pour éviter des risques de confusion, d'erreur. En cas d'urgence, vous réagirez mieux. Quand nous avons inscrit votre mariage dans les registres du Missouri, nous avons choisi Smith pour votre nom de jeune fille. Smith est un patronyme assez commun qui conviendra très bien. Et, bien entendu, puisque vous êtes désormais mariée, vous serez Lorraine Hollister pendant la durée de cette mission.

— Quelque part dans le Missouri, dit-elle.

— Oui, madame, confirma le chef Bates.

Elle serra la housse contenant la robe de mariée contre elle.

— Je jure devant Dieu que si je recroise Harry Malone je le tuerai de mes propres mains !

La nouvelle coupe de cheveux de Lorraine Taylor et surtout leur nouvelle couleur déstabilisaient complètement Chase. Blonde, elle n'avait plus rien à voir avec la photo qu'il avait étudiée en route. Sa métamorphose était spectaculaire.

Sur le cliché, elle avait des cheveux bruns et ternes qui lui tombaient aux épaules, un visage pâle et des yeux cernés. La photo avait été prise lors de son premier interrogatoire par la police de Miami, alors qu'elle venait d'échapper à Malone.

Aujourd'hui, elle était belle à tomber par terre. Ses cheveux blonds et bouclés lui allaient à ravir, sa peau rayonnait, ses yeux bleus pétillaient. Elle ferait une très jolie mariée.

Quand le chef Bates leur avait exposé son plan, Chase et Dawson avaient dû passer à l'action sans perdre de temps. Tandis que Bates sautait dans un taxi pour aller prendre en charge Lorraine Taylor, Chase était rentré chez lui faire sa valise avant d'aller louer un smoking pour la séance de photos. Il avait ensuite retrouvé Dawson au poste et tous deux étaient passés prendre Gavin Henderson chez lui, où le chef l'avait envoyé récupérer la robe de mariée de sa fille. Tous, y compris Bates, avaient assisté à la noce deux mois plus tôt.

Au moment où tous trois montaient en voiture, Dawson avait glissé à l'oreille de Chase :

— Merci, vieux. Je sais pourquoi tu as proposé au chef la maison de Ravesville. Et j'apprécie le geste.

— De rien, avait répondu Chase.

Il mentait. L'idée de retourner dans sa ville natale lui faisait horreur.

— Tu vas devoir jouer les jeunes mariés, avait insisté Dawson. Ça ne te pose pas de problème ?

Dawson savait qu'il n'avait aucune envie de convoler. Etant marié et en adoration devant son épouse, son coéquipier ne cessait de l'encourager à sauter le pas à son tour, à s'engager, mais il ne voulait pas en entendre parler. Depuis quelque temps, il ne lui racontait même plus ses histoires avec ses copines du moment car, chaque fois, Dawson l'imaginait leur passant la bague au doigt.

Et, bien sûr, il craignait à présent de le voir finir dans la peau d'un moine.

— Tu ne rajeunis pas, lui répétait-il à la moindre occasion. Marie-toi pendant que tu es encore dans la force de l'âge. Bientôt, aucune fille ne voudra plus de toi.

La force de l'âge... Chase n'allait sûrement pas lui avouer que sa jambe le faisait souffrir comme s'il était un vieillard de quatre-vingt-dix ans perclus de rhumatismes.

Le mois à venir n'allait pas être drôle, mais il était décidé à faire contre mauvaise fortune, bon cœur. Il était certain que Lorraine Taylor réagirait de la même façon. Lorsqu'elle avait prononcé le mot « Missouri », il avait senti que, pour elle, il n'y avait pas pire endroit au monde. Et quand elle s'était retirée pour aller passer la robe de mariée, elle n'avait pas claqué la porte, malgré son envie manifeste de le faire.

Quoi qu'il en soit, même s'il détestait l'idée, il devait reconnaître que le plan du chef Bates était loin d'être mauvais. Personne ne s'interrogerait sur sa présence dans cette maison. Après tout, ses frères et lui y avaient vécu de nombreuses années et, comme Brick venait de mourir, les habitants du village s'attendaient forcément à ce que l'un des membres de la famille revienne à Ravesville pour s'occuper de la propriété.

Dès la fin de la séance de photos, Dawson allait télécharger des clichés du mariage sur les réseaux sociaux et sur plusieurs sites de médias, raconter à droite à gauche qu'il avait dernièrement été témoin aux noces de Chase et de sa ravissante épouse. Ainsi, si quelqu'un menait une petite enquête sur Chase Hollister, il tomberait obligatoirement sur son mariage. Le chef Bates avait recommandé à Dawson de poser un portrait du jeune couple sur son bureau, au poste de police, et de servir la même fable à tous les collègues qui l'interrogeraient. Une fois le procès terminé, Chase pourrait rétablir la vérité.

Finalement, tout le monde y trouvait son compte. Chase

serait là pour veiller sur Lorraine et, dans le même temps, il aurait la possibilité de préparer la maison familiale à être mise en vente. L'Etat du Missouri, quant à lui, aurait l'assurance que son principal témoin au procès de l'année serait en sécurité. Il suffisait que Lorraine et lui jouent leur rôle avec conviction.

La porte s'ouvrit et, dans un bruissement de soie et de dentelle, Lorraine apparut, vêtue de la robe de mariée. Elle rougit.

— J'ai besoin d'aide avec la fermeture Eclair, dit-elle.

Aucun des hommes ne bougea. Chase avait cessé de respirer.

Finalement, Sandy lui prêta main-forte, et Chase entendit le léger bruit du zip.

Lorraine était ravissante, constata-t-il, la gorge sèche.

Une fois bien fermée, la robe moulait ses courbes à la perfection, et le décolleté laissait deviner une poitrine généreuse, des seins rebondis, que personne n'aurait pu deviner sous son T-shirt.

Dawson le regardait fixement d'un air interrogateur, mais il l'ignora.

— Finissons-en, ordonna le chef Bates.

Il alla ramasser un sac en plastique posé dans un coin et leur prouva qu'il n'avait pas perdu son temps en attendant que l'avion de Lorraine atterrisse. Il en tira d'abord un bouquet de roses blanches, enveloppé d'une fine feuille de plastique. Chase reconnut le type de bouquet que vendaient tous les supermarchés. Le chef le tendit à Lorraine mais elle ne le prit pas, se contentant de le regarder.

— Attendez…, fit Sandy.

Elle sortit d'un tiroir une paire de ciseaux, coupa l'emballage et arrangea le bouquet pour le rendre plus présentable.

Le second article qu'avait acheté le chef Bates était un gâteau d'anniversaire. Orné de ballons roses et jaunes en sucre.

— Ils n'avaient rien d'autre, grommela-t-il d'un ton d'excuse.

Chase vit un petit sourire passer sur les lèvres de Lorraine.

— Ça ira, assura Gavin. J'en fais mon affaire. Je retoucherai la photo pour en faire une pièce montée, plus appropriée. Chase et Lorraine, j'aimerais que vous vous mettiez tous les deux devant ce mur.

Chase se rendit à l'endroit que lui désignait Gavin. Après un instant d'hésitation, Lorraine l'imita. Si près d'elle, il se rendit compte qu'il la dépassait d'une bonne tête, ce qui lui donnait une vue imprenable sur son décolleté.

Il sentit une étrange chaleur l'envahir.

Redressant les épaules, il regarda Gavin qui avait sorti son appareil. Mais, très vite, le photographe leva les yeux de l'objectif et lança d'un ton irrité :

— Grâce à Photoshop, je pourrai ajouter une église en arrière-plan, une foule d'amis autour de vous… Mais c'est à vous d'avoir l'air heureux. Aidez-moi un peu ! N'oubliez pas que c'est le plus beau jour de votre vie !

Chase s'humecta les lèvres et prit une profonde inspiration. Enlaçant les épaules de Lorraine, il se pencha vers elle et lui décocha son plus beau sourire.

Il pensait qu'elle allait l'envoyer au diable mais après l'avoir longuement regardé, les yeux dans les yeux, elle lui rendit son sourire.

Pendant un quart d'heure, Lorraine et lui jouèrent le jeu. Gavin les mitrailla dans toutes les positions, face à face, enlacés, dansant un rock endiablé, partageant la même part de gâteau…

Clic, clac, clic, clac !

Finalement, il demanda à Chase de sortir du champ et à Lorraine de se tourner vers une foule imaginaire.

— Faites semblant de jeter votre bouquet, dit-il.

Elle s'exécuta et il la photographia sous tous les angles.

— Merci, une dernière et c'est bon, dit-il enfin.

Lorraine lança alors réellement le bouquet en l'air. Sans réfléchir, Chase se précipita pour le rattraper. Quand elle s'en aperçut, ses yeux bleus pétillèrent de malice.

— Félicitations, inspecteur ! s'exclama-t-elle. Vous allez sans doute vous marier pour de vrai dans un avenir proche.

Chase laissa tomber les fleurs par terre. Tout le monde les regardait.

Gavin s'éclaircit la voix.

— Bon, finissons-en avec le baiser traditionnel des jeunes mariés.

Chase sentit s'accélérer les battements de son cœur, et regarda Lorraine. Soudain, il n'avait plus l'impression d'être un animal de cirque, mais un poisson hors de l'eau.

— Prête ? demanda-t-il.

— Prête, murmura-t-elle.

Il l'enlaça et se pencha vers elle, déterminé à se contenter de lui effleurer les lèvres.

— Montrez que vous aimez vous embrasser, recommanda Gavin.

Quand elle entrouvrit les lèvres, Chase se surprit à l'embrasser vraiment. Sa bouche était chaude, elle avait le goût du gâteau au chocolat. Voilà longtemps qu'un baiser ne l'avait pas mis à genoux !

Il se reprit. Pas question de laisser voir son trouble à Dawson !

— Ce sera tout ? demanda-t-il, veillant à s'exprimer d'un ton nonchalant.

Il fit mine de ne pas entendre le faible gémissement de Lorraine.

— Il ne faut pas tarder à prendre la route, ajouta-t-il. J'aimerais arriver à Ravesville avant la nuit.

Indéniablement, l'inspecteur Hollister savait embrasser. Ses lèvres étaient chaudes, son souffle léger, et ses mains douces et assurées lorsqu'elles avaient encerclé son visage. Raney avait eu l'impression d'une décharge électrique traversant son corps, la laissant pantelante.

Voilà longtemps qu'elle ne s'était pas sentie aussi vivante.

Elle avait eu la bêtise de croire que ce baiser l'avait bouleversé autant qu'elle mais, bien sûr, il n'en était rien. Elle se félicitait qu'il lui ait montré qu'il se moquait de cette brève étreinte, parce qu'elle avait été à deux doigts de se ridiculiser en s'effondrant dans ses bras.

Le nommé Henderson aurait pu ainsi faire la photo du siècle !

Ils n'auraient plus l'occasion de s'embrasser, et Chase ne s'en plaindrait sans doute pas. Bien qu'il ait joué son rôle de jeune marié avec conviction, elle devinait que se prêter à cette comédie ne l'avait pas vraiment amusé.

A la fin de la séance de photos, il avait troqué son smoking contre un jean et un T-shirt. En tenue décontractée, il était encore plus sexy.

Son comportement ne correspondait cependant pas à son physique de jeune premier.

Il se montrait poli, mais elle avait perçu son agacement lorsqu'ils avaient été obligés de perdre une demi-heure supplémentaire dans le salon de coiffure, le temps pour le photographe d'aller chercher un permis de conduire au nom de Lorraine Hollister. Pour passer le temps, elle avait feuilleté des magazines pendant que lui jouait avec son smartphone.

Quand Henderson était revenu avec le précieux document, ce dernier ressemblait tellement à un vrai qu'elle s'était demandé si Bates n'avait pas chargé le service qui les fabriquait d'en faire un authentique avec un faux nom.

Elle regarda la photo de son permis. Qui était cette blonde ?

La nouvelle Raney…

Elle le glissa dans son sac et ils s'en allèrent sans plus tarder.

Avant de les laisser partir, Bates leur avait recommandé de se tutoyer pour être crédibles en jeunes mariés et de commencer tout de suite afin de le faire avec naturel.

Une fois sorti du salon de coiffure, Chase avait continué à jouer les garçons bien élevés. Il avait porté sa valise, lui avait ouvert sa portière, puis attendu qu'elle soit assise et ait bouclé sa ceinture avant de s'installer au volant.

— La température te convient-elle ? avait-il demandé après quelques instants.

Après cela, il n'avait plus dit un mot.

Si le silence lui convenait, à lui, il ne l'aidait pas, elle, à se préparer à sa nouvelle existence.

— J'imagine que la situation t'est aussi désagréable qu'à moi, dit-elle finalement.

Il haussa les épaules, sans quitter la route des yeux.

— J'ai pour mission de veiller sur toi et sur ta sécurité pendant un mois. Et je m'en acquitterai, répondit-il avec assurance.

— Y a-t-il quelque chose de prévu pour notre arrivée à Ravesville ? Dois-je me préparer à une grande réception de mariage ? demanda-t-elle, tentant de plaisanter.

Il se tourna vers elle.

— As-tu déjà vécu dans une petite ville de province ?

— Jamais. J'ai passé une grande partie de ma vie à Manhattan, l'autre à Miami.

Il reporta son attention sur la route.

— Alors je vais t'expliquer comment les choses se passent dans les villages. En arrivant, nous allons nous arrêter dans le restaurant du coin pour dîner. Je ne suis pas sûr qu'il porte le même nom qu'autrefois mais, depuis toujours, il y a une brasserie à Ravesville, à l'angle de la rue principale et de la voie express. Je suis certain qu'elle est toujours là. Sans avoir l'air d'y attacher d'importance, je glisserai mon nom à la serveuse et lui expliquerai que je suis revenu au pays pour vendre la maison familiale et que je suis accompagné de ma jeune épouse. Avant que j'aie demandé l'addition, l'histoire aura fait le tour de la moitié du village et, demain matin, tous les habitants de Ravesville seront au courant.

— Fascinant…

— Après cela, Lorraine, j'espère que tu passeras le plus clair de ton temps dans la maison, où il me sera plus facile d'assurer ta protection.

— Raney, dit-elle. Je m'appelle Raney, pas Lorraine. Lorraine est mon deuxième prénom.

Il parut y réfléchir.

— Harry Malone te connaissait sous quel nom ?

— Il m'appelait Lorraine, le prénom écrit sur mon badge. J'utilisais mon deuxième prénom pour éviter les confusions, car il y avait une autre Raney. Et comme il n'était venu à Next Steps qu'une fois ou deux avant de… auparavant, il n'a sans doute jamais entendu quiconque s'adresser à moi autrement.

Chase resta un moment silencieux avant de se tourner vers elle.

— Alors, va pour Raney.

Elle fut soulagée qu'il ne lui demande pas les détails de ce qu'elle avait subi avec Harry Malone. Même si elle avait dû raconter son histoire plusieurs fois, elle détestait en parler. Repoussant ces horribles souvenirs, elle ferma les yeux et se concentra sur la façon dont Chase avait prononcé son nom.

Raney.

Comme s'il la connaissait. Ce qui n'était bien sûr pas le cas. Pas plus qu'elle ne le connaissait, lui. Il faisait son travail, voilà tout.

Et comme quelqu'un avait tenté à deux reprises de la tuer, elle espérait qu'il était bon dans sa partie. Il semblait confiant en lui disant qu'il veillerait sur elle, qu'il la protégerait.

— Depuis combien de temps travailles-tu dans la police ? demanda-t-elle.

— La plupart du temps, quand les gens me posent cette question, ils veulent savoir en réalité depuis combien de temps je suis inspecteur de police. Je travaille dans la police depuis treize ans, mais je ne suis inspecteur que depuis cinq ans. Et, depuis cinq ans, je suis aux homicides.

— Mais as-tu déjà été chargé de la protection des témoins ? insista-t-elle.

— Absolument. Ne t'inquiète pas, je sais ce que je fais.

Elle sentit qu'elle l'avait blessé.

— Je suis désolée, dit-elle. Je ne voulais avoir l'air de… C'est juste que…

— Je sais, répondit-il avec douceur.

— Et donc, tu vis à St Louis ?

— Oui.

Après cela, ils roulèrent un long moment sans rien dire. Le silence qui régnait dans le 4x4 finit par devenir oppressant.

— Dans une maison ? reprit-elle comme s'ils n'avaient pas interrompu leur conversation.

Depuis quelque temps, elle rêvait d'habiter une maison.

Il secoua la tête.

— Non, dans un studio dans le Central West End. J'ai un bail de six mois renouvelable. M'endetter pour trente ans afin de devenir propriétaire d'un bien immobilier n'est pas mon genre.

— Et que se passera-t-il au bout des six mois ?

Il haussa les épaules.

— Je renouvellerai mon bail. Ou pas.

— Depuis combien de temps vis-tu là ?

— Cinq ans.

Il travaillait dans la police depuis treize ans et vivait dans le même appartement depuis cinq ans, mais il préférait signer des baux de six mois. Curieux, se dit-elle. Ou peut-être était-ce habituel à St Louis.

Elle ignorait tout de Central West End, mais sans doute s'agissait-il d'un quartier huppé. En tout cas, Chase portait une belle montre, des chaussures de cuir de qualité, il était bien élevé et lui avait paru très à l'aise en smoking.

— Pour ma part, j'économise pour m'offrir un jour une maison, reconnut-elle. J'aime beaucoup mon appartement mais, dernièrement, j'ai pensé qu'il était temps pour moi d'acheter une maison. Cela dit, maintenant… je ne sais plus. Peut-être serais-je plus rassurée d'avoir toujours des voisins à proximité.

Une fois de plus, il détacha les yeux de la route pour les poser sur elle.

— Tu as connu quelques mois difficiles. Ne prends aucune décision définitive maintenant. Attends, réfléchis, et n'agis que lorsque tu seras prête à le faire.

D'autres personnes lui avaient donné le même conseil, et elle ne se sentait toujours pas prête. Elle laissa échapper le soupir qu'elle retenait depuis leur départ. Peut-être à Ravesville y parviendrait-elle. Elle devait réapprendre à se détendre.

Le nœud au creux de son ventre se desserra un peu. A présent, le silence n'avait plus rien d'oppressant. Au contraire, il devenait rassurant, agréable. Elle ferma les yeux et ne les rouvrit que lorsqu'elle sentit quelqu'un lui presser doucement l'épaule.

— Nous sommes arrivés, annonça Chase.

Elle fut surprise de voir que la nuit tombait. L'horloge du tableau de bord indiquait un peu plus de 20 heures. Son estomac se mit tout à coup à gargouiller, et elle pressa la main dessus pour le faire taire.

— Je suppose que tu as faim…

Depuis sa tartine du petit déjeuner, elle n'avait rien avalé d'autre qu'une bouchée de gâteau pendant la séance de photos.

— Oui, répondit-elle en tournant la tête pour soulager sa nuque ankylosée. Nous y sommes donc ?

Ils se trouvaient dans une grande rue, avec de vieux immeubles en brique rouge alignés de part et d'autre. La plupart ne dépassaient pas trois ou quatre étages. Elle remarqua que les fenêtres et des balcons étaient ornés de jardinières. Les fleurs lui parurent particulièrement colorées, très printanières.

Le Wright Here Wright Now Café était éclairé, et plusieurs voitures stationnaient devant. Lorraine vit qu'il y avait un autre établissement en bas de la rue.

— Et là-bas ?

— C'est un bar. Tous les autres restaurants de la ville sont fermés le soir.

Elle avait grandi à Manhattan puis, sa mère ayant décroché un nouvel emploi au sein d'une compagnie d'assurances, déménagé pour Miami lorsqu'elle avait seize ans. Cela n'avait pas posé de problème à son père, qui était écrivain et travaillait à la maison. Quatre ans plus tard, ses parents avaient été tués par un chauffard. Ne sachant trop où aller, elle était restée en Floride. Miami était moins animé que Manhattan, mais les commerçants ne tiraient pas leur rideau à 6 heures du soir.

— J'espère que la cuisine est bonne, murmura-t-elle.

— Ne t'attends pas à un restaurant gastronomique. Mais nous avons besoin de dîner, et je ne suis pas sûr qu'il y ait grand-chose dans les placards de la maison.

Ils descendirent de voiture. Comme Chase traversait la rue, elle s'aperçut qu'il boitait légèrement. Elle ne l'avait pas remarqué plus tôt.

— Tu t'es blessé à la jambe ?

Il haussa les épaules.

— Conduire longtemps me provoque parfois des crampes.

— Comment est mort ton beau-père ? demanda-t-elle tout à coup.

— Dans un accident de voiture.

— Je suis désolée. Y a-t-il eu des funérailles importantes ?

Il ne répondit pas et lui ouvrit la porte du restaurant. L'intérieur était bien éclairé. Trois tables étaient occupées par des clients ; les neuf autres étaient recouvertes de nappes blanches et de couverts en argent.

Une femme d'une trentaine d'années, dotée d'une magnifique chevelure rousse, sortit de la cuisine, les bras chargés d'assiettes. Elle les salua d'un sourire mais, quand son regard se posa sur Chase, son sourire s'envola.

Elle posa si brusquement son chargement sur une desserte qu'un couple de personnes âgées sursauta et se retourna pour voir ce qu'il se passait.

— Chase Hollister ! s'exclama-t-elle. A cause de toi, je viens de perdre dix dollars. J'avais parié cette somme que tu ne reviendrais jamais ici.

3

Raney regarda Chase fouiller dans sa poche et en tirer un billet de dix dollars qu'il tendit à la rousse.

— Maintenant, nous sommes quittes.

Renversant la tête en arrière, la femme éclata de rire.

— Comment va ton bon à rien de frère ? demanda-t-elle.

— Il croit encore qu'il a des ordres à me donner, répondit Chase.

De nouveau, elle s'esclaffa.

— Personne n'a jamais pu te donner d'ordres. Sais-tu que les gens du coin parlent encore de tes frasques d'autrefois ?

Raney dressa l'oreille. L'inspecteur Hollister serait-il plus fantaisiste que son comportement professionnel le laissait penser ?

Chase se tourna vers elle.

— Laisse-moi te présenter ma femme, Raney, dit-il avec douceur comme s'ils étaient réellement mariés et qu'il avait l'habitude de la présenter comme sa légitime épouse. Chérie, voici Trish Wright.

— Wright-Roper, rectifia Trish.

— Oh, pardon ! J'ignorais que tu étais mariée, fit Chase.

— Veuve. Je suis veuve.

— Je suis sincèrement désolé, dit-il comme s'il l'était vraiment.

La rousse haussa les épaules, mais Lorraine sentit que le chagrin était toujours là. Courageusement, Trish releva le menton et lui tendit la main.

Il y avait quelque chose entre Chase et Trish, devina Raney, sans parvenir à déterminer de quoi il s'agissait. Ils n'avaient pas été amants, elle en avait l'intuition, mais ils avaient été proches. Elle serra la main tendue.

— Avez-vous déjà vu la maison ? demanda Trish.

— Pas encore. Nous venons d'arriver, expliqua Chase.

— Tu vas avoir du travail, je te préviens. Cette baraque n'est plus entretenue depuis des années, et elle tombe en ruine, à présent.

Chase haussa les épaules comme si la nouvelle ne l'inquiétait pas. Cependant, Raney le vit déglutir avec difficulté.

— Nous n'avons pas l'intention de rester longtemps, précisa-t-il.

— Essaie de repasser ici pendant ton séjour, reprit Trish. Summer sera contente de te voir. Elle assure le service de midi, et moi celui du soir.

Elle les conduisit vers une table installée dans un coin. Raney remarqua que Chase veillait à ne croiser le regard de personne en traversant la salle.

Ils s'assirent et Trish leur tendit des cartes avant de s'éloigner.

Raney se pencha alors vers lui.

— Trish et toi, vous êtes de vieux amis ? demanda-t-elle.

Il hocha la tête.

— Je la connais depuis toujours. Bray, mon frère aîné, sortait autrefois avec sa sœur, Summer. J'ai toujours cru qu'ils finiraient par se marier mais, après le lycée, Bray s'est enrôlé dans les marines et elle a épousé quelqu'un d'autre.

— Depuis combien de temps n'étais-tu pas revenu à Ravesville ?

— Je suis parti d'ici il y a treize ans et ne suis revenu qu'une fois, il y a huit ans, à la mort de ma mère. Pour son enterrement. Qu'est-ce qui te ferait plaisir pour dîner ? demanda-t-il, désireux de toute évidence de changer de sujet.

Il n'avait donc pas fait le déplacement pour assister à

l'enterrement de son beau-père, en déduisit Raney. Voilà pourquoi il ignorait si la cérémonie avait été intime ou non. Comme il ne semblait pas avoir envie d'en parler, elle essaya de se convaincre qu'elle s'en moquait. Elle n'avait pas besoin de connaître l'histoire de sa vie, après tout, mais de vivre dans un endroit où elle serait en sécurité. Pourquoi pas une maison en ruine au fin fond du Missouri ?

Lorsque Trish revint, un petit bloc et un stylo à la main, elle referma la carte.

— J'aimerais une salade avec un…

Elle vit tout à coup son reflet dans le miroir mural, et faillit crier de saisissement. Son changement de look était si radical qu'elle avait du mal à se reconnaître. Sandy avait vraiment fait un travail remarquable.

En tout cas, le résultat lui plaisait beaucoup. Elle aimait sa nouvelle tête, sa nouvelle coupe, la nouvelle couleur de ses cheveux. Elle n'avait jamais pensé se teindre un jour en blonde mais, à présent, elle n'avait aucune envie de redevenir brune.

Voilà enfin quelque chose de positif qu'elle pouvait retirer de sa mésaventure avec Harry Malone.

— Non, en fait, pas de salade, reprit-elle. Je prendrai un cheeseburger avec des frites.

Chase commanda du rôti de bœuf. Il la regarda quand Trish se fut éloignée.

— Tu as trop faim pour te contenter d'une salade ? demanda-t-il, cherchant manifestement quelque chose à dire.

Elle s'apprêtait à hausser les épaules sans répondre puis se ravisa. Ils allaient passer un mois comme mari et femme, alors autant se montrer honnête avec lui.

— Avant de croiser la route de Harry Malone, j'aurais à coup sûr commandé une salade. Mais depuis cette histoire j'ai décidé de ne plus jamais rien me refuser et de prendre ce qui me fait plaisir quand j'en ai envie, et sans culpabiliser.

Voilà sans doute pourquoi elle allait sûrement garder

ce nouveau look par la suite. Il allait bien avec la nouvelle Raney Taylor, celle qu'elle était en train de construire.

Chase l'observa un long moment en silence avant de dire avec conviction :

— Tu as bien raison mais ne t'inquiète pas, ce fils de pute paiera pour ses crimes. Il finira sa vie en prison, et je suis certain que, lorsqu'il y sera, quelqu'un lui pourrira son quotidien.

Elle y comptait bien.

Quand Trish leur apporta leurs assiettes, leur contenu lui parut délicieux.

Elle prit son cheeseburger et y mordit à pleines dents.

Un délice, songea-t-elle.

— Alors, raconte-moi ce que tu as fait à Ravesville pour mériter ta réputation de mauvais garçon, dit-elle.

Il se gratta la tête.

— Un peu de tout…

— Es-tu devenu ensuite policier pour expier ? Pour te racheter ?

— Je suis entré dans la police de St Louis parce qu'elle embauchait à tour de bras, à l'époque, et que j'avais besoin de gagner ma vie ainsi que celle de mon petit frère. Heureusement pour moi, ce métier me convenait. Peut-être à cause de ma jeunesse de fauteur de troubles, oui.

— Si je comprends bien, tu as fait les quatre cents coups.

Avec un sourire, il secoua la tête.

— Les habitants de Ravesville en disent peut-être beaucoup sur mon compte, mais les bêtises dont je me suis rendu coupable quand j'étais enfant ou adolescent n'étaient que des blagues de potache comparées à ce que j'ai vu dans les rues de St Louis dès mon incorporation.

— Tu voulais donc seulement faire enrager tes parents.

Les beaux yeux de Chase s'assombrirent.

— On peut dire ça.

Ils finirent leurs plats en silence. Quand Trish revint

prendre leurs assiettes vides, Chase demanda l'addition. Il tira quelques billets de sa poche et les posa sur la table.

— Prête ? demanda-t-il.

Comme elle hochait la tête pour lui signifier qu'elle était, en effet, prête à partir, il faillit regretter de l'y avoir invitée. Il eut soudain envie de lui proposer de se rasseoir, de commander un dessert, un café, n'importe quoi pour retarder le moment où il serait obligé de replonger dans ses souvenirs, dans le passé.

Mais chercher à gagner du temps ne faciliterait pas les choses, il le savait ; il l'entraîna donc vers la voiture. Il prit la voie express, et roula sur une dizaine de kilomètres avant de s'engager sur Mahogany Lane. En passant devant la maison des Fitzler, il vit qu'il y avait de la lumière. Se pouvait-il que le vieux Fitzler et sa femme y habitent toujours ? Il était plus probable qu'ils vivent à présent dans une maison de retraite et que l'une de leurs filles ait hérité de la demeure.

Depuis toujours, il enviait les filles de Fitzler.

Il n'avait jamais vu leur père crier, encore moins lever la main sur elles.

Ralentissant, il s'engagea dans l'allée menant à la maison familiale dont, bientôt, ses phares éclairèrent la façade.

Bâtie il y a plus de cent ans, la ferme paraissait encore solide. Comme toutes les constructions traditionnelles, elle était composée à l'origine de quatre pièces au rez-de-chaussée — une cuisine, une salle à manger, un salon et une salle de bains — et de quatre pièces à l'étage — trois chambres et une salle de bains. Mais dans les années 1960, le propriétaire de l'époque avait agrandi le bas pour ajouter une grande chambre et une autre salle de bains. Le travail avait été bien fait. L'extension s'intégrait harmonieusement au reste de la maison, et l'ensemble était à la fois beau et fonctionnel.

Quand les parents de Chase avaient cherché un toit, la

vieille ferme avait paru idéale pour le jeune couple sur le point de fonder une famille qu'ils étaient alors. Chase était persuadé que sa mère avait été soulagée de pouvoir installer ses trois garçons à l'étage dès qu'ils avaient été assez grands pour s'éloigner un peu d'elle.

Chase remarqua plusieurs changements. Au cours des huit dernières années, Brick avait installé des volets aux fenêtres. Ils ne s'y trouvaient pas quand ses frères et lui étaient revenus pour les obsèques de leur mère.

Le porche, en revanche, n'avait pas changé et un hamac s'y balançait toujours. Il y avait souvent dormi. Certains soirs d'été, lorsqu'il trouvait qu'il faisait trop chaud à l'intérieur et qu'il préférait dormir à la belle étoile. Mais il avait aussi dû passer beaucoup de nuits dehors alors qu'il faisait froid parce que Brick l'avait banni de la maison. La rage au ventre, il avait alors eu envie de s'enfuir, de marcher, marcher, de ne jamais revenir. Pourtant, chaque fois, il avait renoncé à son rêve. Il ne pouvait pas faire ça à sa mère ni à Cal. Il était incapable de les abandonner à leur triste sort.

Avec les années, les buissons avaient envahi la cour et, comme il se rapprochait de la vieille bâtisse, il constata que la façade avait bien besoin d'être ravalée et que certaines marches du perron étaient cassées.

Il glissa un regard de biais vers Raney. Les yeux écarquillés, elle voyait tout.

Sans doute avait-elle envie de partir en courant.

— Espérons que l'intérieur est en meilleur état, dit-il.

— C'est certain. A l'époque où cette ferme a été construite, les maisons étaient solides, bâties pour durer. Cela se voit. Cette demeure a beaucoup de cachet, avec son porche et ses hautes fenêtres.

Une nuit d'hiver, Brick avait poussé Calvin à travers l'une de ces fenêtres. Après cet épisode, Chase avait conclu un pacte avec son beau-père.

Il coupa le contact, éteignit les phares, et mesura à quel point la nuit était noire.

— Fais attention, dit-il comme Raney ouvrait sa portière.

Ils prirent leurs valises et traversèrent la cour envahie d'herbes folles. Bray lui avait envoyé un texto pour lui dire que l'avocat avait laissé la clé dans la boîte aux lettres. Elle s'y trouvait bien.

Il guida Raney vers le perron.

— Fais attention, répéta-t-il.

Lorsqu'il ouvrit la porte, il tendit l'oreille en cherchant l'interrupteur à tâtons. Tout était silencieux. Il ne s'attendait pas à être confronté à un quelconque danger dans la maison mais, quand la lumière inonda la pièce, il dut s'avouer qu'il se sentit mieux.

Sur la droite se trouvait le salon, meublé d'un canapé et de deux fauteuils qu'il ne reconnut pas. En revanche, la grande table en bois de sa mère trônait toujours au centre de la salle à manger. L'arrière de la maison était encore plongé dans le noir, mais il savait que la vaste cuisine était là. Une fenêtre avait été percée au-dessus de l'évier, et il se souvint que sa mère adorait se poster là pour regarder les cerfs et les dindons sauvages passer dans la cour.

Brick avait repeint les boiseries en blanc, mais il avait dû utiliser une peinture de mauvaise qualité car elle s'écaillait déjà par endroits. Plus inquiétant, de grandes fissures zébraient le plafond. Visiblement, le toit fuyait et la pluie avait traversé l'étage jusqu'au rez-de-chaussée. Ce n'était pas bon signe.

Tout en faisant faire à Raney le tour du propriétaire, il alluma d'autres lumières. Lorsqu'ils entrèrent dans la cuisine, il remarqua tout de suite le journal ouvert sur la table près d'une tasse dans laquelle flottait encore un sachet de thé. Une assiette sale traînait dans l'évier. Brick avait pris des œufs brouillés pour son dernier repas.

Il ouvrit le réfrigérateur et y découvrit des restes de

fromages et de viande froide, des bouteilles de vinaigrette, de lait et de ketchup. Quelque chose s'était renversé sur la clayette du haut et dégoulinait.

Apparemment, avec l'âge, Brick s'était laissé aller. Mais peut-être avait-il toujours vécu comme un porc, et Sally Hollister avait-elle passé son temps à nettoyer derrière lui pour le cacher au reste du monde.

Quand il se retourna, il s'aperçut que Raney s'aventurait vers la chambre du bas. Il la suivit, avec l'impression qu'un étau lui comprimait les côtes. Il n'avait pas envie de voir le domaine de Brick ; il n'avait pas envie de pénétrer dans l'intimité de ce type.

Elle s'arrêta à la porte. Il la rejoignit et se tint derrière elle. Le lit était fait, recouvert d'un affreux jeté de lit vert. Les rideaux, assortis, étaient tirés. La peinture jaunâtre des murs donnait une impression de saleté, et la porte de la salle de bains était ouverte. L'ensemble était fidèle à ses souvenirs.

Pour rien au monde il ne dormirait dans cette chambre.

— Allons jeter un œil là-haut, proposa-t-il.

Comme autrefois, les marches de l'escalier grinçaient sous les pas.

Lorsqu'il vit Raney porter la main à ses cheveux, il s'aperçut qu'elle était passée à travers une grande toile d'araignée. A l'étage, la moquette du couloir était usée jusqu'à la corde et toutes les portes fermées.

— Je ne pense pas que ton beau-père montait souvent ici, remarqua-t-elle.

— C'est peu probable, en effet.

Il ouvrit la première porte, l'ancienne chambre de Bray. Il chercha l'interrupteur et, quand la lumière jaillit, il fut surpris de trouver la pièce totalement vide.

Il fit quelques pas dans le couloir jusqu'à sa propre chambre et actionna la poignée en vain. La porte était verrouillée.

Pour une raison obscure, ne pas pouvoir entrer dans son

ancienne chambre le mit en fureur. Sans réfléchir, il leva sa jambe indemne et frappa avec force le battant de bois. Puis il prit son élan pour finir de le briser d'un violent coup d'épaule. Derrière lui, il entendit le petit cri que poussa Raney, mais il l'ignora. Quand il pressa l'interrupteur, rien ne se produisit. Il recula alors pour laisser la lumière du couloir éclairer l'intérieur.

La pièce était totalement vide, encore plus vide que celle de Bray, puisque même l'ampoule du plafond avait été retirée.

— Crois-tu qu'il y a un matelas gonflable rangé quelque part ? demanda Raney d'un ton léger.

Restait la chambre de Cal. La porte s'ouvrit sans difficulté et le plafonnier s'alluma. Au centre de la pièce, posé directement sur le plancher, se trouvait un matelas pour deux personnes, encore dans son emballage plastique, sans sommier ni literie, sans même un cadre de lit. Il y avait également une table de chevet et une lampe.

Pourquoi Brick avait-il acheté un matelas et l'avait-il monté dans la chambre de Cal ? Sans jamais y mettre de draps ou une couverture ? A en juger par l'épaisse couche de poussière qui recouvrait le plastique, il se trouvait là depuis un bon moment. Ce n'était pas comme si Brick en avait fait l'acquisition récemment et n'avait pas eu le temps de mener son projet d'ameublement à bien.

Quelle que soit la raison qui avait poussé son beau-père à l'installer là, ce matelas allait se révéler utile.

— Tu dormiras ici, dit-il à Raney.

Tirant un couteau de sa poche, il découpa le plastique. La poussière vola et Raney éternua.

— Désolé…, fit-il. Nous trouverons des draps demain.

— Et toi, où vas-tu dormir ? demanda-t-elle.

— En bas, sur le canapé. Il n'y a aucune raison de penser que quiconque sait que Lorraine Taylor est dans cette maison. Mais si quoi que ce soit te fait peur, crie. Je ne dors jamais que d'une oreille. Je t'entendrai.

Elle promena les yeux autour d'elle avant de soupirer d'un air un peu dramatique.

— Et dire que, toutes ces années, je n'ai jamais imaginé que ma nuit de noces se déroulerait ainsi !

Pour la première fois depuis que le chef Bates lui avait annoncé que Lorraine et lui allaient faire semblant d'être de jeunes mariés, Chase se surprit à sourire. Raney était sympa, et elle faisait contre mauvaise fortune bon cœur. Il ne faisait pas de doute que la résidence sécurisée où elle avait séjourné auparavant était plus confortable que cette masure, mais elle ne se plaignait pas.

Il eut envie de lui jurer que tout aurait meilleure figure à la lumière du jour mais, d'après ce qu'il venait de voir, il était probable que ce serait plutôt pire…

S'il s'était douté que la maison serait dans un tel état, jamais il n'aurait proposé à son supérieur d'emmener leur témoin à Ravesville.

— Bonne nuit, dit-il.

Avant de descendre, il alla jeter un coup d'œil dans la salle de bains. Il ouvrit le robinet et fit couler l'eau jusqu'à ce qu'elle soit claire. Comme il n'y avait pas de serviettes, il alla en chercher des propres dans le placard du bas et les remonta à l'étage.

Ce n'était pas du camping, mais cela y ressemblait.

Finalement, il retourna dans le salon et s'allongea, tout habillé, sur le canapé. Celui-ci était trop petit pour lui ; ses pieds dépassaient. Il se sentait épuisé. Lorsqu'il avait dit à son frère qu'il n'avait pas dormi depuis plus de vingt-quatre heures, il ne plaisantait pas. Après avoir discuté avec Dawson, il avait pu somnoler une heure ou deux, mais cela avait été loin de suffire.

Et maintenant, bien qu'il soit exténué, il ne parvenait pas à trouver le sommeil. Il fixa le plafond, essayant de surmonter l'appréhension qui l'étreignait à l'idée d'être de nouveau à

Ravesville, dans cette maison qu'il avait quittée treize ans plus tôt en jurant de n'y jamais plus remettre les pieds.

En roulant vers sa ville natale, il s'était demandé s'il sentirait la présence de Brick entre ces murs. Ou celle de sa mère. En fait, la vieille ferme donnait seulement l'impression d'être vide, totalement vide, comme si elle n'avait jamais abrité la moindre vie.

Pourtant, ce n'était pas la réalité. A l'époque où Jack Hollister, son père, était encore de ce monde, il y avait eu de la vie et de l'amour dans cette maison. Son père aurait méprisé Brick, il aurait détesté ce qu'était devenue sa famille.

Aussi étrange que cela puisse paraître, Chase sentit soudain la présence de son père dans la vieille demeure. Il n'y était jamais arrivé lorsque Brick habitait ici, mais maintenant tout était différent. Il revoyait son père devant les hautes fenêtres, lui faisant signe ainsi qu'à ses frères pour leur demander de rentrer dîner. Il le revoyait marcher dans la maison, une canne à pêche à la main, un panier à poissons dans l'autre, criant à ses fils de se dépêcher.

Comme s'il avait réveillé des fantômes, il perçut un bruit. Un petit bruit. Dehors.

Il dressa l'oreille. Après un moment, il se leva et se rendit à pas de loup jusqu'à la fenêtre. De la main, il écarta les épais rideaux et balaya la cour des yeux.

Rien ne bougeait dans l'obscurité. Il attendit, sans cesser de regarder, et vit alors une petite silhouette sombre passer furtivement sur le gravier, au ras du sol.

En reconnaissant une marmotte, il poussa un soupir de soulagement.

J'ai eu peur d'un rongeur, songea-t-il, dépité.

Il se recoucha, frotta sa cuisse endolorie et ferma les yeux. Il entendit une porte s'ouvrir et se refermer à l'étage, puis le bruit de l'eau dans les canalisations lorsque Raney actionna la douche. Elle avait eu une rude journée. Quelqu'un l'avait prise pour cible hier ; ce matin, elle avait dû quitter la Floride en catastrophe, puis se déguiser en jeune mariée dans l'après-midi, avant de finir ici ce soir, dans une ancienne ferme en ruine. Mais elle semblait bien gérer la situation.

Demain, il nettoierait la maison de fond en comble. Il commencerait par la dépoussiérer, après quoi il récurerait le réfrigérateur et irait en ville pour faire des courses. A en juger d'après ce que Raney avait pris pour le dîner, elle avait bon appétit. Ce qui était surprenant, vu qu'elle était plutôt mince.

Cela dit, elle avait des courbes là où il le fallait. Il avait eu l'occasion de le voir quand elle avait mis sa robe de mariée. Cette image l'avait hanté pendant tout le trajet de St Louis à Ravesville. Cette image, et le souvenir de la chaleur de sa bouche…

En l'entendant couper l'eau, il se laissa aller au plaisir coupable de l'imaginer entièrement nue, sortant de la vieille baignoire pour s'enrouler dans l'une des serviettes-éponges.

Quand la porte s'ouvrit, le parquet craqua sous ses pas. Il se demanda si elle portait un pyjama ou si elle dormait en tenue d'Eve.

Il poussa un soupir, heureux de laisser cette image envahir son esprit.

Lorsque Chase se réveilla, le soleil se levait à l'horizon. Il consulta sa montre. Bientôt 7 heures. Il s'étira et se leva pour partir à la recherche de café.

Il n'y avait pas de cafetière sur le comptoir ni de café dans les placards, constata-t-il. Pas même de l'instantané. Encore une raison de mépriser Brick.

Il monta à l'étage, évitant les marches qui grinçaient, surpris de si bien se rappeler où mettre les pieds pour ne pas faire de bruit. La chambre de Raney était fermée. Il hésita à frapper, puis y renonça.

Elle avait besoin de dormir.

Il entrouvrit la porte et s'immobilisa, pétrifié. Raney dormait, couchée sur le ventre, en travers du matelas. Elle n'était pas nue, mais son joli petit corps lui parut très sexy dans ce short de coton vert et ce T-shirt rayé vert et blanc. Elle respirait profondément.

Les vêtements qu'elle portait la veille étaient pliés et soigneusement empilés. Sur le dessus se trouvaient un soutien-gorge et une petite culotte en dentelle.

Il sentit son visage s'empourprer et, quand elle s'étira, il ne put réprimer un gémissement.

Dawson avait raison. Il avait besoin de relations sexuelles plus régulières.

Il recula, et referma la porte sans bruit. Il allait se précipiter en ville, acheter en vitesse du café et des viennoiseries, et revenir avant qu'elle se réveille. Lui préparer un bon petit déjeuner pourrait peut-être compenser l'état de la maison.

Il sortit donc et verrouilla soigneusement la porte. Il ne lui fallut qu'une dizaine de minutes pour rejoindre le centre-ville et, lorsqu'il entra dans la boulangerie, il vit tout de suite des pâtisseries sur les présentoirs.

Par association d'idées, il se souvint à quel point le gâteau d'anniversaire/mariage avait amusé Raney. Il hésita à en acheter un autre pour voir sa réaction puis, finalement, opta pour six beignets aux pommes et trois grands cafés.

Il en sirota un sur le chemin du retour. Lorsqu'il entra dans la cour, il ne remarqua rien d'anormal. Voilà pourquoi, quand il ouvrit la porte de la maison et se rendit dans la cuisine, il fut pris de court.

Il vit le type de dos, son jean crasseux, sa chemise sombre, les cheveux sales qui pendaient sur ses épaules.

Mais il vit surtout le couteau. Un couteau à la lame effilée, qu'il brandissait en direction de Raney.

Toujours en pyjama, elle était le dos au mur. Son visage était pâle et ses yeux écarquillés.

Quand l'homme bondit vers elle, Chase tira son arme de sa poche.

Mais il savait qu'il était trop tard pour empêcher le drame.

4

Raney frappa son agresseur d'un coup de genou à l'entrejambe avant de le repousser de toutes ses forces.

Elle ne parvint évidemment pas à le neutraliser, mais sa réaction donna à Chase la possibilité d'agir. Il se jeta en avant, fit valser le couteau et envoya le type à terre. Un pied sur sa poitrine, le canon de son revolver pointé sur son crâne, il le tenait à sa merci.

Il se tourna alors vers elle.

— Tu es blessée ? demanda-t-il.

Elle secoua la tête.

— Non.

Les yeux étincelant de colère, Chase reporta son attention sur l'intrus.

— Qui êtes-vous ? demanda-t-il d'un ton dur.

L'homme plissa les paupières.

— Lâchez-moi, geignit-il. Vous m'écrasez.

Raney regarda de plus près son agresseur. Il l'avait surprise. Alors qu'elle était descendue à la cuisine se remplir un verre d'eau, elle avait entendu un bruit derrière elle. Elle s'était retournée et, à la vue de l'inconnu sur le seuil de la porte arrière ouverte, elle avait compris qu'elle était dans de sales draps.

C'est alors que Chase était arrivé.

D'une main, il plaqua le visage du type contre le lino sale de la cuisine.

— Répondez d'abord à ma question.

— Je n'ai aucun compte à vous rendre. Que faites-vous ici ? Vous n'avez aucun droit d'y être ! Vous êtes chez moi. Alors partez. Partez tout de suite !

Raney vit une lueur passer dans les yeux de Chase et devina qu'il venait de comprendre quelque chose. Une chance, parce que, pour sa part, elle nageait en plein brouillard.

Il relâcha légèrement la pression sur le torse de son adversaire, mais sans pour autant le laisser se lever.

— Lloyd ? fit-il.

— Comment savez-vous mon nom ?

— Je suis Chase. Chase Hollister.

— En effet, on se connaît, répondit le type en souriant.

Chase se tourna vers elle.

— Je te présente Lloyd Doogan, le fils biologique de mon beau-père.

— Vous êtes donc de la même famille ? demanda-t-elle.

— Pas vraiment, non.

Il reporta son attention sur Lloyd.

— Lloyd, tu peux te mettre debout, mais je ne te rends pas ton couteau tout de suite. Nous allons d'abord discuter un peu, tous les deux. D'accord ?

Il s'était exprimé à haute et intelligible voix et ne bougea pas avant que Lloyd ait hoché la tête pour signifier qu'il avait compris.

Lloyd se releva et se laissa choir sur l'une des chaises de la cuisine. Il regarda Raney, les sourcils froncés.

— Qui êtes-vous ?

— Elle s'appelle Raney, répondit Chase. C'est ma femme.

Lloyd digéra un instant l'information.

— Je pensais qu'elle faisait partie de ces bandes de jeunes mal élevés qui traînent en ville et sèment la pagaille partout où ils passent.

Il l'avait prise pour une adolescente ! songea Raney, sidérée. D'accord, vêtue d'un short et d'un T-shirt, elle n'avait rien d'une dame patronnesse, mais elle n'avait pas non plus l'air d'avoir seize ans.

Chase tourna la tête, mais elle eut le temps de le voir sourire.

— Hé ! s'exclama-t-elle, indignée. Tu trouves ça drôle ?

— Prends-le comme un compliment, répondit-il, penaud.

Il reporta son attention sur Lloyd.

— Cette maison n'a jamais été celle de ton père. Après la mort de ma mère, Brick a continué à y vivre, mais il n'en était pas propriétaire. Seulement usufruitier. A présent, c'est à mes frères et à moi qu'elle appartient. Pas à toi. Nous en avons hérité.

Lloyd ne répondit pas mais fronça les sourcils.

— Comprends-tu, Lloyd ? insista Chase.

— Il m'avait dit que je pouvais vivre ici, répliqua Lloyd. Il y a deux ou trois ans, il m'avait dit qu'il m'avait acheté un lit et tout ce qu'il fallait pour moi. Mais après, quelque chose l'a contrarié. Je ne sais même pas quoi. Et à partir de ce moment-là, il m'a interdit de revenir ici. Ce ne sont pas des façons de traiter son fils.

Chase ne répondit rien.

— Je le détestais. Je le détestais plus que tout ! ajouta Lloyd.

— J'imagine, oui, dit Chase tranquillement.

Raney commençait à comprendre. Les deux hommes n'étaient peut-être pas frères de sang, mais ils avaient quelque chose en commun.

Chase la regarda par-dessus son épaule.

— Lloyd, reprit-il, sans la quitter des yeux. J'ai besoin de parler un instant en tête à tête avec Raney. En attendant, tu vas rester assis sur ta chaise, c'est bien compris ?

Chase l'entraîna à l'écart. Du coin de l'œil, il surveillait Lloyd pour s'assurer qu'il obéissait.

— Je ne connais pas très bien ce garçon, murmura-t-il. Mais je suis certain qu'il pensait en effet que tu étais entrée chez lui par effraction. Ce qui ne lui donnait en aucun cas le droit de t'agresser avec un couteau, ajouta-t-il, le regard dur. Et s'il t'avait blessée, nous aurions eu une autre conversation. Maintenant, nous avons un choix à faire. Soit nous prévenons la police et nous portons plainte, soit nous faisons comme si rien ne s'était passé.

Appeler la police attirerait l'attention sur eux, ce qu'ils ne voulaient surtout pas. De plus, Chase demanderait sans doute que Lloyd aille en prison. Et, à en juger d'après son apparence, ce type n'avait pas les ressources suffisantes pour demander à être libéré sous caution.

— Il ne m'a pas blessée, répondit-elle. J'ai eu plus de peur que de mal, non ? Oublions cet incident. L'important est de récupérer sa clé, pour qu'il ne puisse pas revenir. Mais laisse-le partir, ajouta-t-elle.

— Tu en es sûre ? demanda-t-il en cherchant ses yeux.

Elle hocha la tête.

— Merci, dit-il simplement.

Il retourna s'asseoir en face du fils de Brick.

— Lloyd, comprends-tu que je pourrais appeler les flics ? Et que tu aurais alors beaucoup d'ennuis parce que cette maison est la nôtre ?

Lloyd hocha la tête.

— J'ai besoin de t'entendre le reconnaître, insista Chase.

— Je ne reviendrai pas.

Il se tourna vers Raney et ajouta :

— Je suis désolé de vous avoir fait peur, madame.

« Madame » ? Elle préférait encore qu'il la prenne pour une fille de seize ans !

— Raney, corrigea-t-elle.

Chase ramassa la clé.

— Lloyd, est-ce la seule clé de la ferme que tu aies en ta possession ?

— Oui. Il n'a jamais su que j'en avais une. Un jour, il y

a presque un an, je suis entré sans qu'il me voie, et je l'ai prise dans le tiroir de la commode.

Chase déglutit avec difficulté.

— Lloyd, je ne vais pas appeler la police. Je vais te rendre ton couteau, tu vas t'en aller et ne plus revenir. D'accord ? Et si tu retombes un jour sur Raney, tu te montreras gentil avec elle, compris ?

Chase posa le poignard sur la table, pas trop loin de Lloyd pour que ce dernier puisse le prendre. Il regardait son interlocuteur avec attention, et Raney comprit qu'il se demandait encore s'il avait raison de le laisser filer.

— Au revoir, Lloyd, dit-elle.

Lloyd se leva et ramassa son couteau.

— Au revoir, madame.

Il ne dit rien à Chase, se contentant de gagner la porte.

Par la fenêtre, ils le virent enfourcher une vieille moto. Il la fit démarrer et s'en alla sans un regard en arrière. Quand il contourna la maison, il sortit de leur champ de vision mais ils l'entendirent accélérer et se diriger vers la voie express.

Lorsque le bruit cessa enfin, la cuisine leur parut très silencieuse.

— Le connaissais-tu quand il était petit ? demanda-t-elle.

— Je l'avais rencontré une fois. Il vivait avec sa mère. Brick se fichait de lui comme d'une guigne. Je ne sais pas si c'était son choix ou si c'était son ex-femme qui le tenait à distance. La seule fois où il est venu ici, Brick et lui se sont disputés comme des chiffonniers. Je me souviens que ma mère hurlait contre Brick, en lui répétant que Lloyd ne comprenait pas un mot de ce qu'il essayait de lui dire.

— Habite-t-il dans le coin ?

Chase haussa les épaules.

— Je n'en sais rien.

Il pivota sur ses talons, sortit un torchon d'un tiroir et se dirigea vers le couloir.

— Je mènerai une petite enquête sur lui pour découvrir où il vit et où il travaille. Il ne nous prendra plus par surprise.

— Je ne m'inquiétais pas, répondit Raney en lui emboîtant le pas.

Chase lui jeta un regard par-dessus son épaule.

— En tout cas, tu as très bien réagi. Tu sais te défendre, et tu as de la poigne.

Elle haussa les épaules.

— Tu ne te défends pas mal non plus…

En découvrant le parquet trempé, elle faillit fondre en larmes.

— C'était le café ?

Chase ramassa les deux gobelets qu'il avait laissés tomber en arrivant. Leur contenu s'était répandu par terre, mouillant au passage le sac de viennoiseries. Il en inspecta le contenu.

— Les beignets sur le dessus ont l'air d'avoir survécu, dit-il en les lui tendant.

Elle mordit dans l'un d'eux avec appétit, mais murmura :

— J'ai besoin d'un café…

— Va t'habiller, reprit-il. Nous allons prendre notre petit déjeuner en ville.

Chase espérait ne pas avoir commis une erreur en laissant Lloyd s'en aller. Le fils de Brick semblait vraiment penser qu'il avait le droit d'occuper cette maison. Et il ne s'était manifestement pas rendu compte du fait que Chase avait été à deux doigts de l'abattre en voyant qu'il était sur le point de poignarder Lorraine.

Avant de le reconnaître, il avait eu l'intention de le faire parler parce qu'il voulait savoir si, d'une façon ou d'une autre, Harry Malone avait réussi à les retrouver et avait envoyé un autre sbire pour s'en prendre à Raney.

Puis les pièces du puzzle s'étaient mises en place et,

lorsque Lloyd avait dit qu'il détestait son père, Chase avait compris qu'il avait souffert à cause de Brick, lui aussi.

Il se rappela une réflexion de sa mère à propos de ce garçon. Elle trouvait triste de voir un homme adulte doté du cerveau d'un enfant de huit ans. A l'époque, Chase finissait le lycée. Même en sachant que Lloyd était un peu limité intellectuellement, il l'avait jalousé parce que lui avait la chance de ne pas vivre avec Brick Doogan.

Il frottait sa cuisse endolorie quand il entendit Raney descendre l'escalier. Il cessa aussitôt. Sa jambe avait été malmenée lorsqu'il avait sauté sur Lloyd et, à présent, elle le lui faisait savoir.

Raney portait une jupe beige et un corsage turquoise, couleur qui mettait ses yeux en valeur. Elle était très belle, et sacrément courageuse, aussi. Il l'avait compris depuis le départ. Non seulement elle avait réussi à échapper aux griffes d'un fou, mais elle avait survécu à deux autres tentatives de meurtre. Ce matin, la voir en action, en train de se battre contre son agresseur, lui en avait fait pleinement prendre conscience.

Pendant qu'elle était à l'étage, il avait envoyé un texto à Dawson pour lui demander de sortir tout ce qu'il pourrait trouver sur Lloyd Doogan. Son coéquipier le rappellerait sans doute en fin de journée.

Ils montèrent dans le 4x4 et prirent la direction du centre. Il ne restait qu'une seule place libre sur le parking du Wright Here Wright Now Café. A cette heure-ci, le village bourdonnait d'activité. Les gens allaient et venaient, faisaient leurs courses, bavardaient à tous les coins de rue. Il n'y avait pas de feux rouges, mais des stops à chaque carrefour. Dans une ville plus grande, la circulation aurait été un cauchemar. A Ravesville, le système était gérable.

Près du restaurant se trouvait une planche sur tréteaux qui n'y était pas la veille au soir. Cette table de fortune était couverte de barres chocolatées, et un panneau en carton indiquait qu'elles étaient à deux dollars l'unité. Deux adolescentes habillées en pom-pom girls les proposaient aux gens. Personne ne passait devant elles sans s'arrêter pour leur en acheter. Quand Raney ouvrit son sac pour en tirer un billet de cinq dollars, Chase lui chuchota à l'oreille :

— Ne te sens pas obligée de prendre quelque chose.

— Tu plaisantes ? C'est du chocolat !

Lorsqu'ils s'éloignèrent, Raney se rendit compte qu'il s'agissait en réalité de caramels enrobés de chocolat. Ce qui devait être encore meilleur parce qu'elle revint sur ses pas pour en demander trois supplémentaires.

Comme elle en tendait un à Chase, il se pencha vers elle.

— Dans le Missouri, si tu es mariée, tu es légalement tenue de tout partager fifty-fifty avec ton conjoint, dit-il à voix basse mais assez fort pour qu'elle l'entende.

— Lorsque cette loi a été votée, personne ne pensait aux barres chocolatées, j'en suis sûre. Sinon une exception aurait été prévue.

Chase souriait en ouvrant la porte du restaurant. Il se rappela ce que Trish lui avait dit la veille au soir : Summer travaillait le jour, assurait le service du déjeuner. Il n'eut aucune difficulté à identifier la femme que son frère avait failli épouser. Elle était à la caisse, occupée à rendre la monnaie à un client.

— Elle ressemble incroyablement à Trish, murmura Raney.

— C'est normal, elles sont jumelles.

Les deux rouquines se ressemblaient comme deux gouttes d'eau au lycée et encore beaucoup à présent, à ceci près que Trish avait les cheveux aux épaules alors que Summer les avait coupés au carré sous les oreilles.

Chase conduisit Raney à une table et s'assit de façon à pouvoir voir l'entrée. Elle posa ses barres chocolatées à côté de son assiette tandis qu'il fourrait la sienne dans sa poche comme s'il craignait qu'elle la lui vole s'il commettait l'erreur de la laisser à sa portée.

Alors qu'ils attendaient que Summer vienne prendre leur commande, une vieille femme s'approcha et s'adressa à Raney.

— Bonjour. J'ai remarqué que vous aviez acheté des barres chocolatées…

Raney hocha la tête.

L'inconnue posa deux barres chocolatées près d'elle.

— Prenez celles-ci aussi. Je ne peux pas les manger, mais nous avons tous envie de soutenir les écoles, n'est-ce pas ? Bonne journée à tous les deux.

— Mais…

La vieille femme s'éloigna sans se retourner. Soit elle n'avait pas entendu Raney, soit elle préférait l'ignorer.

Quand Chase s'empara des friandises, Raney lui donna une tape sur la main.

— Elle me les a données à moi. Pas à toi.

Il leva les yeux au ciel.

— Très bien.

Elle en prit une et poussa l'autre vers lui.

Summer vint à leur table. Elle sourit à Raney et se pencha vers Chase pour l'embrasser sur la joue.

— Trish m'a dit que tu étais revenu. Je suis contente de te voir !

— Moi aussi. Je te présente ma femme, Raney.

Summer lui tendit la main.

— Bienvenue à Ravesville.

— Merci, dit Raney. Cela sent délicieusement bon, dans votre restaurant.

— Nous faisons nous-mêmes nos pains et nos muffins. Aimeriez-vous commencer par un bon café ?

— Nous t'en serions éternellement reconnaissants, répondit Chase. Les affaires marchent bien, on dirait, ajouta-t-il en montrant la salle pleine.

— Oui, et Trish et moi, nous adorons notre métier.

La porte du restaurant s'ouvrit soudain et Summer se retourna pour voir qui arrivait. Aussitôt, son attitude changea. Elle se raidit.

Chase regarda avec plus d'attention le nouveau venu. Agé d'une trentaine d'années, il était chauve et portait un uniforme de policier.

— Il a l'air d'être un habitué, remarqua Chase.

— C'est Gary Blake, mon ex-mari. Excusez-moi un instant. Je reviens.

— Le connais-tu ? murmura Raney dès que Summer se fut éloignée.

Chase secoua la tête.

— Je l'ai déjà vu, mais il y a une éternité. Il a deux ou trois ans de plus que moi.

— C'est donc l'homme que Summer a épousé quand ton frère aîné s'est enrôlé dans l'armée.

— Oui, et j'ai l'impression que ce mariage n'a pas été très heureux. Dommage. C'est une fille adorable. Bon, ajouta-t-il en prenant la carte. Que prends-tu ?

Raney se pencha vers lui.

— Ton frère est-il marié ?

Chase secoua la tête.

— Non. Bray est toujours célibataire.

— Peut-être devrais-tu l'appeler… Pour lui dire que tu es tombé sur Summer, et qu'elle est libre.

Chase referma la carte. Il était content de voir les yeux de Raney pétiller de nouveau.

— Ne me dis pas que tu es du genre à jouer les marieuses !

— Pas du tout ! Je dis juste que, peut-être, il aimerait le savoir.

— Tu me fais penser à Dawson, mon coéquipier. Il est tellement heureux en ménage qu'il tient à convaincre le reste de l'humanité de suivre son exemple, de convoler en justes noces.

— Tu as un côté cynique, chuchota-t-elle.

— Lucide.

Raney ne répondit pas parce que Summer revenait avec deux grandes tasses de café fumant. Ses joues étaient rouges. Chase avait suivi des yeux la conversation avec son ex. Cela n'avait pas duré plus de dix secondes.

— Tout va bien ? demanda-t-il.

— Comme toujours, répondit-elle laconiquement. Que puis-je vous servir ? ajouta-t-elle en tirant un calepin de sa poche, leur montrant clairement qu'elle n'avait pas envie de parler de ses problèmes.

Chase commanda des pancakes, des œufs et du bacon, Raney une omelette végétarienne. Summer nota le tout avant de se rendre à la table voisine.

— Quel est le programme pour aujourd'hui ? demanda Raney.

— Nous avons besoin de faire les courses, d'acheter de quoi nous restaurer ainsi que des produits d'entretien. Il nous faut aussi des draps pour ton lit et de la peinture.

— Pouvons-nous trouver tout cela à Ravesville ?

— Il y a un petit supermarché à la sortie de la ville. Mais pour les draps et la peinture, nous devrons nous rendre au centre commercial de Hamerton, à une trentaine de kilomètres d'ici. Hamerton n'est pas un village comme Ravesville. Il y a deux ou trois mille habitants.

— J'ai longtemps vécu à New York, répliqua-t-elle. Là-bas, les habitants se comptent par dizaines de millions.

— Je détesterais vivre dans une métropole aussi peuplée, dit Chase.

Elle haussa les épaules.

— Tu as choisi un bon compromis. St Louis n'est pas New York mais pas Ravesville non plus.

— Ce juste milieu me convient très bien, pour le moment.

— Envisages-tu de partir ? demanda-t-elle comme si elle s'attendait à ce qu'il se précipite vers la porte.

Il sourit.

— Pas en plein milieu de cette mission, mais j'aime l'idée que tout est possible.

Il recevait régulièrement des coups de fil de chasseurs de têtes spécialisés dans le recrutement des membres des forces de l'ordre. Le mois dernier, l'un d'eux lui avait offert de prendre la direction de la sécurité d'un grand hôtel de Chicago, son nom lui ayant été recommandé par quelqu'un. Il avait écouté le message avec attention, mais n'avait pas rappelé son correspondant. Peut-être répondrait-il favorablement à une autre proposition. Tout était possible.

Elle sirota son café.

— Tu as de la chance d'avoir le choix, dit-elle. Beaucoup de gens ne l'ont pas, surtout dans les petites villes comme celle-ci.

Il hocha la tête.

Elle resta quelques instants silencieuse.

— En tout cas, Ravesville étant une toute petite ville, j'espère que la personne qui a tenté de me tuer l'autre jour ne soupçonne pas son existence.

— Tu es en sécurité ici, je te le garantis.

Summer arriva alors avec leurs assiettes. Leur contenu semblait très appétissant, et Chase sourit en voyant Raney saliver.

Elle attendit que Summer se soit éloignée pour chuchoter :

— En tout cas, grâce à Summer et à Trish, je suis sûre de ne pas mourir de faim. C'est déjà ça ! Au fait, sais-tu quelles couleurs de peinture tu vas acheter ?

— Du blanc. Rien que du blanc.

— Pour quelle pièce ?

— Pour toutes les pièces. En bas et à l'étage.

A son expression, il comprit que ce n'était pas la réponse qu'elle espérait.

— Pour vendre une maison, mieux vaut la peindre d'une couleur neutre, poursuivit-il.

— Mais les boiseries de cette ancienne ferme sont superbes. En tout cas, elles le seront lorsqu'elles auront été décapées. De même, la cheminée du salon est magnifique. Si tout est peint en blanc, cette belle demeure ne sera pas mise en valeur. Ce serait dommage.

Il se frotta la tête.

— Que ferais-tu, à ma place ?

— Eh bien, pour la salle à manger, j'opterais pour un vert sauge, les fenêtres restant en bois naturel. Dans le salon, je peindrais le mur de la cheminée et celui qui lui est perpendiculaire en rouge. Un joli rouge brique. Et les deux autres murs d'une couleur taupe. Bien sûr, les fabricants de peintures donnent des noms plus chics à leurs productions, mais c'est pour te donner l'idée générale.

Il comprit qu'elle voulait embellir l'ancienne ferme, la décorer, comme si elle allait y vivre le restant de ses jours, alors que lui avait simplement envie de la rendre présentable, pour ne pas faire fuir un acheteur potentiel.

Sa mère ne s'était jamais souciée de la décoration de la maison. Peut-être se disait-elle qu'avec trois garçons l'entreprise était vouée à l'échec et qu'il était donc inutile de s'en préoccuper. Et, visiblement, Brick n'était pas un lecteur assidu du magazine *Maisons & Jardins*.

Chase n'aspirait qu'à se débarrasser au plus vite de cette baraque. Il n'avait pas envie de consacrer son énergie à la mettre en valeur, ni même à en discuter.

— Un blanc cassé me paraît préférable, dit-il.

La supérette locale n'était pas très grande mais elle offrait tous les produits de base. Chase se dirigea vers le rayon du café pour prendre des filtres et du café moulu.

— Je ferai l'emplette d'une cafetière là où nous achèterons tes draps, dit-il.

Raney s'empara du Caddie et le poussa jusqu'au rayon

des produits frais, où elle choisit des fruits et des légumes. A contrecœur, Chase ajouta un sachet de salade prête à l'emploi pour faire bonne mesure. Quand elle eut fini de peser, il consulta ostensiblement sa montre, mais elle l'ignora.

Peut-être n'avait-elle pas eu le dernier mot dans la discussion à propos des peintures, mais elle était décidée à tenir bon au sujet de l'alimentation.

Elle prit du pain complet, des céréales, du lait écrémé. Chase ajouta des chips et des cacahuètes. Au rayon viande, elle mit des ailes de poulet dans le Caddie, et Chase des steaks hachés.

— Je commence à comprendre comment tu te nourris, dit-elle.

— Moi aussi. Lorsque tu as commandé un cheeseburger avec des frites, hier soir, et quand tu as englouti un stock de barres chocolatées, tout à l'heure, j'ai cru comprendre que tu appréciais ce qui était bon. Mais je vois que je me suis trompé…

— J'apprécie ce qui est bon, mais je préfère la qualité à la quantité. Je suis une gourmande, pas un goinfre.

Au rayon des condiments, elle prit de l'huile d'olive, Chase de la moutarde, de la mayonnaise et du ketchup.

— Je vais balancer à la poubelle tout ce qu'il y avait dans le réfrigérateur et dans les placards, dit-il.

Elle ne pouvait que s'en féliciter ; la cuisine était dans un état épouvantable. Elle était d'ailleurs en train de se demander par où commencer le grand nettoyage quand Lloyd avait surgi derrière elle.

Ils ajoutèrent de l'eau de Javel, de l'ammoniaque et d'autres produits d'entretien ainsi que des éponges, des serpillières et des gants de caoutchouc.

Puis Chase se tourna vers elle.

— C'est bon ? Pouvons-nous y aller ?

— Oui.

Mais, alors qu'ils se dirigeaient vers la caisse, elle se souvint qu'il leur fallait du jus d'orange.

— Je te retrouve à la caisse, dit-elle.

Lorsqu'elle rejoignit enfin son « mari », il étreignait une autre femme.

Pour être honnête, c'était plutôt elle qui l'embrassait. Pendue à son cou, une belle brune le serrait avec force, écrasant ses seins contre son torse, alors qu'il restait les bras ballants. Elle le vit se détacher de l'inconnue, reculer, rompre le contact. Mais, coincé par un Caddie poussé par une vieille dame appuyée sur une canne qui attendait son tour derrière lui, il ne put aller loin.

Il parvint toutefois à profiter du peu d'espace dont il disposait pour prendre ses distances et s'arranger pour que cette femme ne le touche plus.

Un petit sourire aux lèvres, la jeune caissière, vêtue d'un T-shirt noir et d'un jean, ne perdait rien de la scène.

L'inconnue qui avait embrassé Chase avec effusion ne souriait pas. Elle était jolie, pensa Lorraine. Peut-être un peu trop maquillée pour aller faire des courses au supermarché. Fond de teint, blush, ombre à paupières, eye-liner, rouge à lèvres, elle n'avait rien oublié. Ses cheveux noirs étaient parfaitement coiffés et encadraient avec art son ravissant visage. Elle portait avec élégance un pantalon de lin beige, une veste noire bien coupée et de si hauts talons qu'elle pouvait presque regarder Chase dans les yeux.

A côté, Raney se sentit minable, avec sa jupe de coton et son corsage tout simple.

— N'ai-je pas droit à un baiser, après tout ce temps ? demanda l'inconnue.

Au même moment, Chase la vit et l'invita d'un geste à le rejoindre. S'excusant auprès de la vieille dame, Raney se faufila derrière le Caddie pour l'atteindre. Chase lui passa le bras autour des épaules.

— Sheila, laisse-moi te présenter ma femme, Raney.

Raney chérie, Sheila Stanton est une vieille amie. Nous nous sommes connus au lycée.

Sheila changea de couleur.

— Ta femme ? répéta-t-elle. Terri, la boulangère, m'a dit que tu étais revenu, mais elle n'a pas fait la moindre allusion à une épouse.

— Raney dormait encore quand je suis passé acheter des beignets, ce matin, répondit Chase.

— Tu ne portes pas d'alliance.

— Nous allons nous en occuper. Nous venons de nous marier.

Sheila finit par se tourner vers elle et la détailla de la tête aux pieds d'un regard froid avant de marmonner :

— Félicitations.

Mais elle n'avait vraiment pas l'air de se réjouir de leur mariage.

— Bon, j'y vais, ajouta-t-elle en s'emparant du sac contenant ses emplettes.

Elle franchissait les portes vitrées quand la caissière éclata de rire, un rire nerveux qu'elle eut du mal à maîtriser.

— Qu'y a-t-il ? demanda Chase.

Pliée en deux, la caissière hilare finit par expliquer entre deux hoquets :

— Quand je suis arrivée pour prendre mon service, il y a plus d'une heure, je l'ai vue assise dans sa voiture sur le parking. Je me demandais ce qu'elle fabriquait. Je pense qu'elle vous attendait, parce que vous n'étiez pas dans le magasin depuis trois minutes qu'elle a brusquement fait irruption.

Tandis que Chase sortait son portefeuille, Raney se souvint de ce qu'il lui avait expliqué la veille sur la façon dont les nouvelles se répandaient dans un village. Sheila avait entendu dire que Chase était de retour. Avec logique, elle avait pensé qu'il aurait tôt ou tard besoin de se ravitailler, et elle l'avait attendu devant la supérette.

Chase n'ajouta pas un mot avant de quitter le magasin. Les mâchoires toujours serrées, il déposa dans le coffre du 4x4 tout ce qu'ils avaient acheté. Ce n'est qu'une fois qu'ils eurent pris place dans l'habitacle qu'il se tourna vers elle.

— Désolé pour cet incident, dit-il.

— Est-ce quelqu'un que tu connaissais bien, dont tu étais très proche ?

— Sheila et moi sommes sortis ensemble quelques années après le lycée. J'ai même été arrêté avec elle, un soir, ajouta-t-il en souriant.

— Arrêté ? Pourquoi ? Qu'avais-tu fait ?

— L'imbécile. La course en voiture contre un camarade. Le but du jeu était d'accélérer pour atteindre deux cents kilomètres à l'heure le plus vite possible. Heureusement, le flic nous a laissés repartir dès qu'il a reconnu Sheila. C'était la fille du maire de la ville.

Elle se mit à rire.

— La réputation que tu t'es forgée lorsque tu vivais à Ravesville n'est donc pas usurpée. Si je comprends bien, tu étais le bad boy local.

Il lui sourit.

— Et comme tu m'as épousé, tu es du coup devenue la nouvelle bad girl, non ?

Au moment où sa plaisanterie franchissait ses lèvres, il parut se rendre compte à quel point cela pouvait être mal interprété.

— Excuse-moi.

L'ancienne Raney, celle qui portait aux épaules des cheveux d'un brun terne, aurait fait mine de ne pas avoir entendu, et détourné le regard. Mais la nouvelle Raney, la blonde platine, n'allait certainement pas réagir de la même façon. Elle se demanda soudain ce qu'elle pourrait faire pour se forger une réputation de bad girl.

Et dans tous les scénarios qui lui vinrent alors à l'esprit,

Chase Hollister tenait le rôle principal. Elle sentit son visage s'enflammer.

— En tout cas, une telle réputation ne me déplairait pas, répondit-elle.

Il la dévisagea avec étonnement. Ses yeux s'assombrirent. Qu'il était sexy…

Mais, comme sa coupe de cheveux, le courage de Raney était nouveau, et manifestement éphémère. Elle déglutit avec difficulté.

— Nous devrions rentrer à la maison. Pour mettre au frais les fruits et légumes que nous venons d'acheter.

Les fruits et légumes n'étaient pas les seuls à avoir besoin de se rafraîchir, songea Chase tout en conduisant vers l'ancienne ferme familiale. Parfois, il parlait vraiment sans réfléchir. Donner à penser qu'il aimerait bien qu'elle devienne une bad girl à son contact en était la preuve. Il lui fallait apprendre à tourner sept fois la langue dans sa bouche avant de parler pour ne pas dire de bêtises.

Il était censé la protéger.

Mais qui allait le protéger, lui, de la folle attirance qu'il ressentait chaque fois qu'elle était près de lui ? En vérité, cette attirance n'avait rien à voir avec une quelconque proximité physique. La nuit précédente, elle avait dormi à l'étage, lui en bas, sur le canapé, et il n'avait cessé de songer à elle, de la désirer. Même sa douleur à la jambe n'avait pas suffi à détourner son attention de Raney.

Il la connaissait depuis moins de vingt-quatre heures, mais il avait l'impression qu'ils étaient amis depuis toujours. Il n'avait jamais éprouvé une telle osmose avec une femme.

Ce matin, Sheila l'avait surpris. Lorsqu'ils étaient ensemble, leur liaison avait été intensément physique. Mais s'il voulait être sincère avec lui-même, il devait reconnaître qu'ils n'avaient partagé que du sexe. Pour le garçon de dix-neuf ans qu'il était alors, leurs relations étaient parfaites. Il avait toujours été persuadé que, comme lui, elle n'attendait rien d'autre que du plaisir. Lorsqu'il avait quitté la maison et Ravesville avec Cal, elle n'avait pas fait de drame. Pourtant, après leur installation à St Louis, Cal lui avait dit avoir croisé à plusieurs reprises Sheila, traînant dans leur quartier. Certain que son frère avait rêvé, il n'en avait pas tenu compte.

Mais, quelque temps plus tard, il avait reçu une lettre anonyme, le gratifiant de tous les noms d'oiseaux de la terre. Et alors que rien ne reliait cette lettre à Sheila, à la tournure des phrases, au vocabulaire employé, il avait tout de suite pensé à elle.

Il avait jeté cette missive au panier sans y accorder d'importance. A l'époque, il était très occupé à courir après les criminels de la ville, et il n'avait pas de temps à perdre avec ce genre de courrier.

A présent, en se remémorant le fou rire de la caissière, il se demanda s'il n'était pas passé à côté de quelque chose avec Sheila.

Mieux valait que Raney et lui gardent leurs distances avec elle.

Lorsqu'ils arrivèrent, il demanda à Raney de rester dans la voiture pendant qu'il faisait le tour de la maison pour vérifier que personne ne s'y était introduit en leur absence. Il ne pensait pas que Lloyd reviendrait, mais il ne voulait pas courir de risques inutiles.

Il n'y avait personne, mais la vieille maison semblait en plus piteux état à la lumière du jour que la veille au soir. Il porta les paquets à l'intérieur. Avant d'y mettre quoi que ce soit, il vida le réfrigérateur et le nettoya à fond à l'eau de Javel.

Comme il finissait sa tâche, il se rendit compte que Raney s'était attaquée à la cuisinière et qu'elle récurait le four avec énergie.

— Ce n'est pas à toi de faire ça, dit-il. Je vais m'en occuper.

— Ne sois pas stupide ! répliqua-t-elle. Que vais-je faire pendant ce temps-là ? Te regarder, les bras croisés ?

— Ce n'est pas ta crasse.

— Peut-être, mais c'est la maison dans laquelle je vais vivre pendant plusieurs semaines.

Il se passa la main dans les cheveux.

— J'imagine que la dernière résidence où tu as vécu était en meilleur état.

Elle regarda la table de bois jonchée de vieux papiers et de vaisselle sale, le comptoir crasseux, le lino collant de graisse.

— C'est exact, mais tu as un vrai « plus » par rapport à la situation antérieure.

— Vraiment ? Et lequel ?

— Personne ne m'a tiré dessus aujourd'hui.

Il la dévisagea un long moment en silence avant qu'un petit sourire passe sur ses lèvres.

— La journée est loin d'être finie, lui fit-il remarquer.

Elle lui colla une éponge dans la main.

— Je vois que tu es d'un optimisme à toute épreuve !

5

En fin d'après-midi, ils se rendirent à Hamerton. Ils roulaient depuis un moment sur la voie express quand Raney dit :

— Je ne m'attendais pas à découvrir une si belle région. Hier, quand nous sommes arrivés, il faisait nuit et je n'avais pas mesuré à quel point la campagne alentour est magnifique.

Chase promena les yeux autour d'eux. De part et d'autre de la route s'étendaient des champs de maïs récemment labourés. Çà et là, des chênes séculaires se dressaient avec majesté, comme pour annoncer la luxuriante forêt qui se devinait à l'horizon. Les feuillages commençaient à jaunir.

— Dans quelques semaines, ces arbres seront vraiment superbes, répondit-il. Les gens viennent de loin pour admirer la forêt aux couleurs de l'automne.

— Lorsqu'on m'a appris que j'allais être transférée dans le Missouri, je croyais que, comme beaucoup d'Etats du Midwest, il était plat et sans aucun intérêt. J'avais tort. J'avoue que je suis tombée sous le charme de ce terroir.

— Il est très boisé.

— Et il abrite de nombreux lacs, apparemment. As-tu déjà fait de la randonnée par ici ?

— Oui.

Du vivant de son père, Chase venait souvent camper dans les bois avec ses frères. Encore une chose qui avait changé à sa mort.

— Je n'ai jamais eu l'occasion de dormir à la belle

étoile ou sous une tente, reprit-elle. Je le regrette. Ça doit être sympa.

Il l'observa du coin de l'œil.

— Au risque de généraliser et de passer pour un affreux macho, je dois dire que les femmes associent souvent le mot « camping » au froid, à l'humidité, et aux moustiques. Sans parler des serpents.

— Je n'ai pas les mêmes associations d'idées, bien au contraire. J'idéalise peut-être, mais je m'imagine plutôt sur des chemins de randonnée, chaussée de godillots et vêtue d'une de ces vestes pleines de poches qui te donnent le sentiment d'être une véritable aventurière. Avec, bien sûr, un bâton à la main. Et la nuit, après avoir dressé ma tente, je me verrais bien assise près d'un feu de bois, enroulée dans une couverture et m'empiffrant de marshmallows. Et dans mon imaginaire, il n'y a aucun serpent alentour.

Il se mit à rire.

— Quand cette affaire sera terminée, que Malone aura été jugé, peut-être que tu pourras prendre une semaine de vacances et venir camper ici.

— Quand cette histoire sera terminée…, répéta-t-elle. Cela paraît presque irréel.

— Dans un mois, Malone aura sans doute été lourdement condamné, et tu pourras retrouver ta vie.

— Un mois… J'ai l'impression d'une éternité.

— Ça passera plus vite que tu le crois, dit-il en espérant ne pas se tromper.

Dans l'immédiat, un mois à Ravesville lui semblait très long à lui aussi, mais il comptait profiter de chaque instant pour préparer la maison à être mise en vente.

Ils roulèrent jusqu'à la périphérie de Hamerton, où se trouvait le centre commercial. Ils se promenèrent dans les boutiques, choisissant des draps, une cafetière, et divers produits ménagers. Finalement, ils se rendirent au magasin de bricolage. Lorsque Chase prit six pots de « blanc coquille d'œuf » et les empila dans le Caddie, Raney ne fit aucun commentaire.

— Ne me regarde pas comme cela, dit-il.

— Comment ?

— Comme si tu venais de perdre ton chien.

Elle secoua la tête.

— Je n'ai pas de chien.

— Il faut une couleur neutre. Demande à n'importe qui. Tout le monde te confirmera que pour vendre un bien immobilier, les couleurs neutres sont toujours préférables.

— Peut-être est-ce vrai lorsqu'il s'agit d'une maison récente, mais une vieille ferme pleine de cachet comme la tienne mérite d'être mise en valeur.

Elle continua à marcher.

Il arrêta le Caddie.

— Tu ne vas pas me ressortir les mêmes arguments pendant un mois, n'est-ce pas ?

Elle pivota pour le regarder en face.

— Ce n'est pas moi qui ai remis le sujet sur le tapis.

Avec un soupir, il fit tourner le Caddie pour repartir au rayon peinture. Il remit les pots de peinture blanche à leur place et désigna d'un geste les pots de couleur.

— Tu as cinq minutes.

— Pour choisir les couleurs ou pour les choisir et demander que certaines teintes soient mélangées ?

— Cinq minutes.

Il lui fallut dix-sept minutes, mais ils sortirent du magasin avec deux pots de « meringue dorée », deux autres d'« amande douce » et deux de « coucher de soleil ».

— Quels noms ridicules ! Pourquoi ne pas les appeler simplement jaune, vert pâle ou rouge orangé ?

— Parce que ces noms ne feraient pas rêver.

— Mouais.

Il empila les pots dans le coffre et ils reprirent place dans l'habitacle.

— As-tu faim ? demanda-t-il.

— Un peu. Récurer la cuisine cet après-midi m'a ouvert l'appétit.

Elle avait travaillé dur et bien avancé dans la cuisine, qui ressemblait enfin à quelque chose. Quand ils avaient fini, elle était montée nettoyer la salle de bains à l'étage pendant qu'il s'activait dans le jardin.

Dans un coin de la galerie, il avait remarqué une tronçonneuse. Sans doute Brick avait-il prévu de tailler les haies en revenant de son rendez-vous médical. Le destin en avait décidé autrement.

Il avait donc entrepris de s'en charger, après quoi il avait impitoyablement arraché les broussailles qui envahissaient la cour. Cela éviterait aussi que quelqu'un de mal intentionné ait la possibilité de s'approcher de la maison sans être vu.

Il s'était retrouvé avec un amas de branchages dont il se demanda que faire. Sans doute devait-il les brûler. S'il attendait un jour de grand vent pour y jeter une allumette, il avait de grandes chances de réduire la maison en cendres par la même occasion, ce qui épargnerait beaucoup d'ennuis à tout le monde.

Mais il lui faudrait alors chercher un autre endroit pour accueillir Raney, et il n'était pas du tout certain d'en dénicher un. Même si l'idée paraissait idiote, elle avait trouvé sa place dans la vieille ferme familiale.

— Il y a un restaurant, là-bas, qui sert le meilleur bœuf de la région, dit-il en désignant un établissement sur sa gauche. Aimerais-tu y dîner ou as-tu eu ta dose de viande avec ton cheeseburger d'hier ?

— J'adore le bœuf !

— Parfait, fit-il en se garant. Laisse-moi y entrer d'abord.

— Si tu veux, répondit-elle d'un ton qui laissait entendre qu'elle estimait que ces précautions étaient inutiles. Mais j'ai vraiment du mal à imaginer quelqu'un attendant à l'intérieur, au cas fort improbable où nous viendrions dîner là.

Elle s'immobilisa et prit un air soucieux.

— Attends, je retire ce que je viens de dire ! Vu la possessivité de tes ex-petites amies et leur agressivité à mon égard, il n'est pas absurde de penser que l'une d'elles patiente sur ce parking depuis des heures, certaine que tu vas t'arrêter ici.

— Très drôle, répliqua-t-il sèchement.

Il ouvrit la porte du restaurant, et l'invita à l'attendre dans le vestibule tandis qu'il entrait dans la salle.

Rapidement, il balaya les lieux du regard. C'était stupide, mais il détestait laisser Raney seule, même pour un court instant. Il avait toujours eu beaucoup d'intuition, et quelque chose lui soufflait qu'elle était toujours en danger.

Il revint la chercher.

— Tout semble tranquille. Allons-y.

Dès que l'hôtesse les eut installés à une table, un serveur s'approcha. Agé d'une vingtaine d'années, il dévorait littéralement Raney du regard ; visiblement, elle lui plaisait. Elle lui rendit son sourire.

Le jeune homme les salua, sans la quitter des yeux.

— Bonsoir mademoiselle, bonsoir monsieur. Nous comptons beaucoup d'habitués parmi notre clientèle, mais je ne crois pas vous avoir déjà vus. Habitez-vous la région ?

« Mademoiselle » ? Peut-être devrait-il lui acheter une alliance sans tarder, songea Chase.

— Ma femme et moi venons d'emménager à Ravesville, répondit-il, saisissant la balle au bond.

Le jeune homme porta enfin son attention sur Chase, qui devina ce qu'il pensait comme s'il lisait dans un livre ouvert. « Votre femme ? Quelle chance vous avez ! »

— Je vis moi-même là-bas, dit le serveur.

Tirant un briquet de sa poche, il alluma la petite bougie posée sur la table.

— Que puis-je vous servir à boire ? ajouta-t-il.

Raney commanda un verre de chardonnay et Chase un

thé glacé. Il n'allait pas prendre d'alcool alors qu'il était en mission. Il avait déjà tendance à perdre ses moyens lorsque Raney était à proximité de lui… Il était certain que son trouble était lié à son parfum et à la façon dont elle croisait les jambes. Quelle qu'en soit la cause, il était totalement tombé sous son charme.

— Je vais me laver les mains, dit-elle en repoussant sa chaise.

Il faillit dire qu'il préférait inspecter les toilettes d'abord, mais il estima que ce serait exagéré.

— D'accord.

Pendant son absence, il reçut un texto de Dawson. Son coéquipier n'avait pas chômé. Il apprit ainsi que Lloyd vivait à l'autre bout de Ravesville, à une douzaine de kilomètres de leur maison. Quelques années plus tôt, il avait été arrêté à plusieurs reprises pour vol à l'étalage et ivresse sur la voie publique. Il avait passé quelque temps derrière les barreaux parce qu'il avait oublié de se présenter au tribunal le jour de sa convocation, et qu'un mandat d'arrestation avait alors été lancé contre lui. Il n'avait jamais été marié, n'avait pas d'enfants. Professionnellement, il avait exercé beaucoup de petits boulots mais, depuis deux ans, il travaillait comme couvreur pour l'entreprise Fitzler Roofing.

Voilà qui répondait à l'une de ses interrogations. L'entreprise de M. Fitzler était toujours prospère. Soit il l'avait vendue à quelqu'un qui avait gardé le nom de la société, soit l'une de ses filles avait repris le flambeau.

Lorsque Raney revint, ils passèrent leur commande. La viande était savoureuse à souhait et cuite à la perfection. Ils ne prirent ni dessert ni café et, quand ils sortirent du restaurant, la nuit tombait.

— Fatiguée ? demanda-t-il comme ils remontaient en voiture pour une demi-heure de route.

— Un peu, reconnut-elle. Je ne dors pas très bien, ces derniers temps.

— Tout sera bientôt fini, dit-il, songeant au procès de Malone.

— Sans doute, oui.

Il se tourna vers elle.

— Tu ne sembles pas très convaincue.

— Je me sens déchirée.

— Déchirée ? répéta-t-il sans comprendre. Pourquoi ? Témoigner contre Harry Malone est la seule chose à faire, ajouta-t-il d'un ton catégorique.

— Je le sais bien ! Je me sens déchirée parce que je ne peux pas m'empêcher de penser que si j'ai réussi à lui échapper, c'est qu'il y avait une raison. Trois autres femmes sont mortes… En tout cas, nous savons qu'il a tué au moins trois femmes. Mais, moi, je ne suis pas morte. Moi, j'ai survécu et j'ai réussi à m'enfuir. Et j'ai maintenant la possibilité de témoigner contre lui.

Elle se tourna vers lui.

— Pourquoi moi ?

Son ton émut Chase, qui sentit un poids tomber sur sa poitrine.

— Je n'en sais rien, répondit-il avec sincérité.

— Peut-être ai-je quelque chose à faire sur terre. Peut-être dois-je accomplir quelque chose de significatif, quelque chose qui fera la différence.

— Peut-être.

— Mais ça n'a aucun sens ! Je n'ai aucune chance de mettre au point un traitement contre le cancer ou de résoudre le problème de la faim dans le monde. Je ne suis qu'une banale conseillère d'orientation, c'est tout.

— Ce n'est pas rien. Professionnellement, tu aides des gens en permanence, non ? Tu exerces un métier important, ajouta-t-il un peu maladroitement.

— Je l'exerçais, tu veux dire. Je n'en ai plus la possibilité et, d'ailleurs, je ne retrouverai jamais mon poste. Quelqu'un a certainement été embauché pour me remplacer.

Elle paraissait davantage résignée qu'en colère.

— Tu retrouveras sûrement un poste, tu ne crois pas ?

— Sans doute, mais j'adorais mon travail à Next Steps. Je travaillais presque exclusivement avec des jeunes. Beaucoup avaient abandonné l'école avant de s'apercevoir trop tard qu'il y a très peu de débouchés pour quelqu'un qui n'a aucune formation.

— Le monde du travail n'est pas celui des Bisounours, c'est certain.

— Mais il y a toujours plusieurs facteurs en jeu. Dans mon métier, j'ai été confrontée à toutes sortes de problèmes… Ça allait des difficultés d'apprentissage aux grossesses non désirées d'adolescentes, en passant par la clochardisation ou la prison.

— Tu as travaillé avec des ex-taulards ?

— Bien sûr. Il m'est même arrivé de travailler avec des détenus, lorsqu'ils arrivaient au bout de leur peine et qu'ils devaient préparer leur réinsertion.

— Et tu leur rendais visite en taule ?

Elle se mit à rire.

— Bien obligée ! Ils n'avaient pas vraiment la possibilité de venir jusqu'à moi.

— Ça aurait pu être dangereux. Ceux qui sont en prison ne sont pas des enfants de chœur. C'est d'ailleurs pourquoi ils se sont retrouvés derrière les barreaux…

— Je sais.

Elle se tourna vers lui pour le regarder en face.

— Dans mon cas, ajouta-t-elle, cela a été tout le contraire. Chaque fois que je me rendais au pénitencier, j'étais consciente de rencontrer des délinquants. Et, finalement, le danger a surgi de là où je ne l'attendais pas. Harry Malone n'avait jamais été incarcéré, et il avait très bonne réputation.

— Les choses vont changer pour lui, dit-il.

Il ne voulait pas qu'elle se focalise sur Malone.

— Parle-moi de ton travail, ajouta-t-il. En quoi consiste-t-il exactement ?

— Tout dépend du client. Certains, les nouveaux en particulier, ont besoin de prendre confiance en eux et de développer des compétences qui leur permettront de réussir. Je leur propose donc une batterie de tests d'évaluation et des entretiens pour mieux cerner leurs possibilités. Pour ceux qui cherchent du travail, je m'efforce de leur montrer leurs atouts et leurs faiblesses, et de leur enseigner ce que la plupart des gens savent intuitivement lorsqu'ils entrent sur le marché du travail.

— Comme quoi ?

Se rendait-elle compte de l'intonation passionnée qu'elle avait lorsqu'elle parlait de son métier ?

— Comme le fait d'avoir une conversation, une véritable conversation. Beaucoup des jeunes parlent *à quelqu'un*, mais pas *avec quelqu'un*. Ils n'écoutent pas leurs interlocuteurs, ce qui ne les aide pas beaucoup au cours d'un entretien d'embauche. Ils ont également besoin qu'on leur apprenne comment s'habiller pour aller travailler, ou encore qu'on les aide à expliquer les « trous » dans leur CV parce qu'ils étaient alors en prison. Ce genre de choses.

— Je parie que tu es très bonne dans ta partie.

— Je le suis. Ou plutôt, je l'étais, corrigea-t-elle après un moment.

— Tu le seras de nouveau bientôt, assura-t-il.

Elle ne répondit pas. Le mal que ce fumier de Malone lui avait fait le rendait fou. Il l'avait tourmentée plusieurs jours, et maintenant le cauchemar continuait. Ce n'était pas juste.

Mais la vie l'était rarement.

Lui-même l'avait appris de la pire des façons la première fois que son beau-père lui avait donné des coups de ceinture. Et quand il était devenu assez fort pour se défendre, pour lui résister, Brick avait eu l'intelligence de changer de tactique.

Chase avait vraiment eu peur que sa mère ou Cal ne

survivent pas à la violence de Brick. Alors il avait accepté de se sacrifier pour les protéger.

Lorsqu'ils arrivèrent à la maison, tout semblait tranquille. Il se rendit compte que Raney s'était endormie et la secoua doucement par l'épaule.

— Nous sommes arrivés.

Elle battit des paupières.

— Je vais dormir ici, marmonna-t-elle avant de refermer les yeux.

— Ça ne me paraît pas une bonne idée.

Il sortit, contourna la voiture pour lui ouvrir la portière et il lui tendit la main. Quand elle y posa la sienne, sa peau était si chaude, si soyeuse, si féminine, qu'il frissonna. Il tira doucement sur son bras pour l'encourager à se lever. Comme elle semblait ne pas bien tenir sur ses jambes, il lui enlaça la taille.

Ses cheveux sentaient la framboise et, sans y penser, il leva la main pour les caresser.

— Ta nouvelle coiffure m'a surpris, reconnut-il. Mais je la trouve très sexy.

Elle leva le visage vers lui. Ses lèvres étaient tout près des siennes, et il mourait d'envie de l'embrasser.

Il pencha la tête et s'apprêtait à le faire quand un ronflement de moteur rompit le silence. Des phares balayèrent l'obscurité, et il vit une voiture s'engager dans l'allée menant chez les Fitzler.

Il reprit brutalement ses esprits.

Avait-il perdu la tête ? Il avait le devoir de la protéger, il avait assuré à ses supérieurs qu'il pouvait la garder en sécurité.

— Chase ? murmura-t-elle, les yeux écarquillés.

— Je suis fatigué, Raney. Rentrons maintenant.

Raney avait rapidement sorti les draps de leur emballage et fait son lit avant de se mettre en pyjama, sans parvenir à chasser de son esprit ce qui venait de se passer entre eux.

Chase avait failli l'embrasser… et elle aurait bien aimé qu'il le fasse. Comment allait-elle pouvoir faire demain comme si rien n'avait changé ?

Elle était exténuée et avait besoin de dormir.

Il était plus difficile de reconnaître qu'elle avait également besoin de faire l'amour.

Bien que fatiguée à l'extrême, elle se tournait et se retournait dans son lit, lorsqu'elle entendit du remue-ménage en bas. Son cœur se mit à battre plus vite. Identifiant des bruits d'eau dans les canalisations, elle se leva. Aussi silencieusement que possible, elle traversa la chambre, ouvrit la porte et s'avança vers l'escalier.

Le rez-de-chaussée était éclairé et Chase, vêtu d'un simple jean, armé d'un balai-brosse et d'une serpillière, lavait avec énergie le plancher du salon. Elle le regarda s'activer un moment, admirant le jeu des muscles de ses bras et de ses épaules.

Il s'arrêta un instant pour essuyer d'un revers du bras la sueur qui perlait sur son front.

Une douce chaleur l'envahit.

Il était possible que Chase nettoie le sol avec autant de détermination parce qu'il ne supportait pas la crasse, mais elle devinait que la véritable raison qui l'animait était autre. Il était plus probable que, comme elle, il avait du mal à trouver le sommeil et qu'il tentait de traiter son insomnie en s'activant.

Sans faire de bruit, elle retourna dans sa chambre, se coucha, et fixa le plafond. Que se passait-il donc entre elle et Chase Hollister ?

L'ancienne Raney aurait été intriguée mais trop timide

pour creuser la question. Qu'en était-il de la nouvelle Raney ? Elle n'aurait pu répondre avec certitude.

Quoi qu'il en soit, elle trouvait curieusement réconfortant de savoir que Chase dormait mal à cause d'elle.

Le lendemain, Chase était assis à la table de la cuisine quand elle descendit. Comme la veille au soir, il était en jean mais, ce matin, il portait une chemise. Il sirotait un bol de café et s'était servi des céréales.

— Bonjour, dit-il.

— Bonjour.

— Bien dormi ?

— Pas mal, oui, merci. Et toi ?

Il haussa les épaules.

— Très bien.

Ah oui ?

Elle versa du café dans un bol et s'assit en face de lui.

— Le sol du salon est métamorphosé. L'as-tu passé à la serpillière ?

Il fixa la boîte de céréales comme si ce qui était écrit dessus était passionnant.

— Oui, je me suis levé ce matin avec une énergie du tonnerre.

Elle hésita à lui faire remarquer qu'il mentait, mais elle n'avait pas grand-chose à y gagner. S'il voulait faire croire que le petit moment de flottement entre eux la veille n'avait jamais existé, elle préférait ne pas revenir dessus.

— Je vais nettoyer à fond les chambres à l'étage, aujourd'hui, dit-elle.

— Ça m'ennuie vraiment que tu te sentes obligée de faire le grand ménage de cette maison.

— Ne t'inquiète pas à ce sujet, ça m'occupe. Dans la résidence protégée où j'étais hébergée le mois dernier, je passais mes journées à regarder la télévision. Je sens que, si je vois encore un épisode de *Friends*, je finirai par casser le poste. Et toi, que comptes-tu faire aujourd'hui ?

— Travailler à l'extérieur. Je vais commencer par tondre, puis j'irai jeter un œil sur le toit.

— Tu saurais réparer un toit ?

Il était policier, pas couvreur.

— Je suis assez doué de mes mains.

Elle laissa ses mots flotter dans l'air.

— Vraiment ? fit-elle en regardant ses belles mains qui serraient le bol.

Ses ongles étaient coupés court.

Des mains capables…

Capables de quoi ? Son imagination s'enflamma. Elle les vit se poser sur ses seins, les caresser, en exciter la pointe du bout du pouce.

Une douce chaleur l'envahit soudain.

Elle devait battre en retraite.

C'est ce qu'elle aurait fait *avant* sa mésaventure avec Malone.

Mais la nouvelle Raney, la blonde Raney, le regarda en face.

— Je suis ravie de l'apprendre, ajouta-t-elle d'un ton posé.

Puis elle finit son café et monta à l'étage.

Dix minutes plus tard, quand Chase démarra la vieille tondeuse, il pensait toujours au regard qu'elle lui avait lancé avant de quitter la cuisine. Tout en sillonnant la cour, il se repassait mentalement la scène en boucle.

Il était fatigué. Vers 2 heures du matin, renonçant à trouver le sommeil, il avait entrepris de passer la serpillière dans le salon. Il avait veillé à ne pas faire de bruit et, à cette heure-là, Lorraine dormait profondément.

Dans son lit.

Seule.

La veille, il avait été à deux doigts de l'embrasser. Près de la voiture, sous le clair de lune. Le désir qui l'avait soulevé avait été impérieux. Si un véhicule n'était pas passé sur la route à ce moment-là, il aurait sans doute commis une grave erreur.

Désormais, il allait garder ses distances.

Ils devaient cohabiter pendant un mois. Serait-ce difficile ? Ce n'était pas comme s'il n'avait rien à faire. Dans la nuit, après avoir fini de passer la serpillière dans le salon, il avait dressé une liste de ce qu'il avait à faire dans la maison, en s'efforçant de classer les tâches par priorité. Puisqu'il lui fallait passer un mois ici, autant en profiter pour retaper la ferme afin qu'elle soit présentable et puisse être mise en vente.

Tant qu'il ferait beau, il travaillerait à l'extérieur. Il serait ainsi moins soumis à la tentation. Il restait encore des broussailles à arracher dans la cour, des haies à tailler, sans compter les arbres à élaguer. S'ajoutaient à cela la réparation des marches du perron et la remise en état du toit. En fait, le toit était une priorité, une urgence. Il n'était pas question de repeindre les murs tant qu'il ne se serait pas assuré que la pluie ne risquait pas de s'infiltrer dans la maison et de tout ruiner.

Lorsqu'il avait dit à Raney qu'il allait réparer le toit, il ne se vantait pas. C'était ainsi qu'il avait fait la connaissance de Gordy Fitzler. Son voisin était couvreur, le seul de Ravesville. Le jour où il lui avait proposé de travailler avec son équipe pendant l'été, il lui avait fait un vrai cadeau.

Il lui avait appris à marcher sur un toit sans perdre l'équilibre, à se servir d'un pistolet à clous, à porter des tuiles, à les placer. Et aussi à monter et à descendre le long d'une échelle chargé d'outils sans se retrouver dans les rosiers, dix mètres plus bas.

Pendant deux étés de suite, Chase avait affronté le soleil de plomb, intensifié par l'humidité ambiante de la région.

Mais, en cette fin septembre, le temps était idéal pour travailler sur le toit. Le ciel était limpide, il ne faisait ni trop chaud ni trop frais.

Il se dirigea vers le garage bâti non loin de la maison. Quand il ouvrit la porte, une odeur de moisi le prit à la gorge, une odeur qui contrastait avec l'air vif de l'extérieur. Comme il l'espérait, des outils étaient rangés dans un coin, une ribambelle de pelles, de bêches. Des boîtes de toutes tailles étaient alignées sur les étagères. Alors qu'il levait le nez pour les examiner de plus près, il se rendit compte que le toit du bâtiment fuyait comme celui de la maison.

Il y avait des piles et des piles de vieux journaux partout, dans lesquelles de nombreux rongeurs avaient probablement élu domicile. Des bouts de ficelle emmêlés remplissaient un tiroir, comme si Brick avait récupéré chaque morceau utilisé au cours des sept dernières années. D'anciens pots de café étaient pleins de clous rouillés, de vis, de boulons, d'écrous. A part la tondeuse, rien ne semblait en bon état. Apparemment, Brick avait laissé les choses aller à vau-l'eau.

Comment avait-il occupé ses journées, ces dernières années ?

En secouant la tête, Chase s'empara d'une échelle posée contre l'un des murs et sortit. Il s'attaquerait aux réparations du garage un autre jour.

Un quart d'heure plus tard, il était sur le toit, à évaluer les dégâts. Rien de surprenant à ce qu'il y ait des infiltrations dans la maison. Les tuiles étaient vieilles, beaucoup d'entre elles cassées. Çà et là, certaines manquaient, sans doute arrachées par des vents violents.

Il se rendit compte, non sans découragement, que quelques petites réparations ne suffiraient pas.

Une décision s'imposait. Il pouvait aller acheter des tuiles dans une grande surface spécialisée, en poser là où il en manquait et remplacer celles qui étaient cassées ou trop usées. Les nouvelles tuiles risquaient de ne pas être assorties aux anciennes et le résultat serait affreux mais, au moins, le toit ne fuirait plus. Raney et lui auraient ainsi la possibilité de vivre dans de bonnes conditions durant le mois à venir. Et quand ses frères et lui mettraient la maison en vente, ils en baisseraient le prix pour tenir compte du fait que le nouveau propriétaire aurait la couverture à refaire.

Ou alors il pouvait s'en charger, lui. Cela représentait beaucoup de travail et, comme il était seul, il lui faudrait des semaines pour en venir à bout.

Ce faisant, il serait sur le toit, Raney à l'intérieur.

Il pourrait ainsi prendre des distances avec elle. Depuis des heures, il se répétait qu'il le devait…

Il descendait l'échelle lorsqu'il entendit un véhicule approcher. Il se tourna vers la route, la main en visière, pour tenter d'identifier leur visiteur.

6

En voyant une vieille estafette marron arriver dans la cour, il sourit. Il se souvenait très bien de cette camionnette. Il l'avait connue flambant neuve, et lui-même conduite à deux ou trois reprises en sachant qu'il aurait des ennuis s'il la ramenait avec la moindre égratignure.

Chase attendit que le vieil homme au volant en descende. A présent, Gordy Fitzler avait les cheveux blancs, et il semblait plus maigre que dans son souvenir. Il s'approcha de Chase, la main tendue.

— Bonjour, monsieur, dit Chase en la lui serrant.

Le vieillard se mit à rire.

— Voilà longtemps que je ne t'avais pas vu, Chase, mais à présent laisse tomber le « monsieur » et appelle-moi Gordy, ou « le vieux », comme tu le faisais autrefois.

— J'ignorais que vous connaissiez le surnom que vos hommes vous donnaient, reconnut Chase.

— Il me faisait rire chaque fois que je l'entendais. Vous étiez tous beaucoup plus jeunes que moi, mais j'abattais autant de travail que vous. Pour un « vieux », je ne me défendais pas trop mal. L'autre soir, il m'avait bien semblé voir de la lumière et ce matin, quand je suis allé prendre un café en ville, j'ai appris que tu étais revenu.

— Je ne suis pas revenu pour toujours, mais uniquement pour réparer la maison afin de la mettre en vente, corrigea Chase.

— Alors du travail t'attend, dit Gordy en regardant

l'échelle posée contre la maison. Elle est dans un sale état. Brick aurait dû refaire le toit il y a des années.

— Vous avez raison. Je viens d'y monter et d'évaluer les dégâts. Ils sont importants. Vous ne vous promenez plus sur les toits, n'est-ce pas ?

— Voilà des années que j'ai pris ma retraite ; mes vieilles jambes ne me portaient plus. Mais Jonah, mon gendre, a pris ma suite. Si tu as besoin de tuiles ou de quoi que ce soit d'autre, il peut te le procurer et te le livrer dans la journée.

Chase ne demanda pas le prix. Il savait que la facture serait honnête.

— Comment va votre femme ? reprit-il.

Le vieillard soupira.

— Glenda nous a quittés il y a presque deux ans.

— Je suis désolé, je l'ignorais.

— Je m'en doute, oui. J'imagine que Brick ne se donnait pas la peine de vous transmettre les nouvelles des uns et des autres. Sais-tu que son fils, Lloyd Doogan, travaille pour mon gendre ?

— Comment s'en sort-il ?

— Il n'a pas inventé l'eau chaude, mais quand il est là il se donne à fond. Parfois, pourtant, il est repris par de vieux démons et il s'absente plusieurs jours sans explication.

Il était difficile de dire si Lloyd avait beaucoup souffert lorsqu'il était enfant, mais si quelqu'un à Ravesville connaissait la vérité au sujet de Brick Doogan, c'était Gordy. Il avait vu, naguère, les marques de coups qui zébraient le corps de Chase. Voilà sans doute pourquoi il lui offrait l'hospitalité et lui proposait de dormir sur le canapé chaque fois qu'il en était réduit à frapper à sa porte.

— Parlez-moi de ces démons.

Gordy haussa les épaules.

— Je ne connais pas les détails, mais je sais que de temps en temps il passe la nuit à boire. Ensuite, il reste plusieurs jours à cuver. Ou s'il vient au travail, il est trop ivre pour grimper sur un toit. Mais toi, raconte-moi. J'ai appris que tu t'es marié.

— Avec une charmante Raney, oui.

Il s'en voulait de mentir à Gordy, mais la sécurité de Raney était plus importante que le reste.

— Elle est à l'intérieur, ajouta-t-il.

— Je serais heureux de faire sa connaissance.

— Bien sûr. Venez.

Ils gravirent les marches du perron, Chase lui montrant les marches cassées à éviter. Il ouvrit la porte. Raney n'était nulle part en vue.

— Raney ? appela-t-il. Un vieil ami est passé nous voir, et il aimerait te rencontrer.

Elle sortit de la cuisine, un torchon sur l'épaule. Elle avait mis un vieux jean qui moulait ses longues jambes fuselées et un T-shirt gris. Elle le regarda avant de tendre la main à Gordy.

— Bonjour, monsieur.

— Bonjour, madame. Je suis Gordy Fitzler, et je voulais vous féliciter. Vous avez épousé un homme bien, je peux en témoigner.

Raney sourit.

— Je le sais, répondit-elle, jouant sa partition à la perfection. Je suis ravie de faire votre connaissance.

— Je suis votre plus proche voisin. Si vous avez besoin de quoi que ce soit, n'hésitez pas à passer me le demander.

— D'accord, merci beaucoup.

— L'état du toit est pire que je le pensais, poursuivit Chase. Je vais le refaire. Le gendre de Gordy va me livrer des tuiles dans la journée afin que je puisse commencer à y travailler sans tarder.

— C'est un énorme travail, non ? demanda-t-elle.

— Il sait ce qu'il fait, intervint Gordy. C'était le meilleur couvreur que j'aie jamais eu. Bon, je vous laisse. J'espère à bientôt, ajouta-t-il.

Chase le raccompagna jusqu'à sa camionnette et l'aida à manœuvrer pour repartir. Lorsqu'il revint à l'intérieur, Raney se tenait près de la fenêtre.

— Chic type, dit-elle.

Gordy avait été un patron exigeant ; il n'aurait pas supporté un tire-au-flanc, mais il avait prouvé à Chase qu'un homme n'avait pas besoin de hurler pour se faire obéir.

Il se surprit soudain à avoir envie de parler à Raney de Brick Doogan, de sa violence, de ce qu'il lui avait fait endurer dans sa jeunesse. Devait-il lui avouer qu'il avait souvent rêvé d'avoir Gordy Fitzler comme beau-père au lieu de ce pauvre type ?

Il avait pardonné à sa mère. D'avoir laissé cette catastrophe se produire. D'avoir fermé les yeux sur ce qui se passait, d'avoir préféré ne rien voir, ne rien entendre. De ne pas avoir été plus forte. Il lui avait pardonné parce qu'elle le lui avait demandé sur son lit de mort, et qu'il voulait qu'elle parte en paix.

Mais il n'en avait jamais parlé. A personne. Et surtout pas à quelqu'un qui n'était que de passage dans sa vie.

— Bon, je vais commencer à retirer les tuiles, dit-il en ressortant.

Deux heures plus tard, il était toujours perché sur le toit à travailler quand il entendit la porte s'ouvrir. Il se pencha pour regarder. Raney s'était changée. Elle portait à présent une jupe qui montrait ses jolies jambes et un corsage qui mettait en valeur ses autres atouts.

Garde tes distances, se rappela-t-il.

La main en visière, elle l'appela.

— Chase ? J'ai envie de cuisiner des spaghettis pour le dîner, mais j'ai oublié d'acheter de la sauce tomate, hier. Puis-je t'emprunter ton 4x4 pour faire un saut en ville ?

— Je viens avec toi, répondit-il en commençant à descendre.

— Penses-tu que ce soit indispensable ? Tu as dit toi-même que personne n'avait de raison de croire que Raney Hollister et Lorraine Taylor ne faisaient qu'une et même personne. Il ne m'arrivera rien.

Alors qu'il était presque arrivé en bas de l'échelle, il s'arrêta. Elle avait raison, elle ne risquait rien. Et ils avaient intérêt à se comporter le plus normalement possible. Ce qui signifiait que Raney devait pouvoir aller faire une petite course en ville sans qu'il soit forcément avec elle.

— D'accord, dit-il. Les clés sont sur la commode.

— As-tu besoin de quelque chose ?

— Oui, du pain. Du vrai pain de boulanger. Je déteste celui du supermarché.

— D'accord. Essaie de ne pas tomber du toit en mon absence, ajouta-t-elle sur le ton de la plaisanterie.

Elle semblait plus légère. Il prit conscience qu'elle était sans doute très heureuse d'avoir la liberté de quitter la maison, de faire quelque chose d'aussi banal qu'une course, après avoir été enfermée pendant deux mois dans une résidence sécurisée à Miami.

Quelques instants plus tard, la voiture sortit de la cour. Il la suivit des yeux tandis qu'elle remontait l'allée avant de s'engager sur la route. Quand elle disparut de son champ de vision, il consulta sa montre et retourna sur le toit pour continuer à retirer les tuiles.

Lorsqu'il regarda de nouveau l'heure, il se rendit compte qu'une demi-heure s'était écoulée depuis son départ. Elle ne devrait plus tarder à rentrer. D'un revers de main, il essuya la sueur qui couvrait son front. Comme il faisait de plus en plus chaud, il décida de descendre pour se rafraîchir un peu.

Il se rendit à la cuisine, vida d'un trait deux grands verres d'eau, puis se posta devant la fenêtre du salon pour regarder la route. Que fabriquait-elle ? Pourquoi lui fallait-il tant de temps pour acheter un pot de sauce tomate ?

Dix minutes plus tard, il était vraiment inquiet.

Il essaya de la joindre sur son téléphone portable, mais

elle ne prit pas l'appel. Glissant son arme à sa ceinture, il enfila rapidement une chemise et frotta sa cuisse endolorie. Monter et descendre l'échelle ou crapahuter sur le toit n'arrangeait pas sa blessure.

Avant d'être touché par une balle, il avait l'habitude de courir plusieurs heures par jour. Deux mois plus tôt, se rendre au petit trot en ville lui aurait paru une promenade de santé, mais il n'avait pas couru depuis six semaines. Lorsque les médecins l'avaient autorisé à reprendre son activité, ils lui avaient conseillé d'éviter le sport intensif pendant quelque temps.

Au diable les médecins ! Il n'était pas question de rester là les bras croisés. Il ressentait le besoin impérieux d'aller en ville voir ce qui se passait. Et très vite.

Il ouvrait la porte lorsqu'il vit le 4x4 arriver tranquillement. Il fixa le véhicule, sentant son irritation grimper à chaque tour de roue.

Raney descendit de la voiture.

— Salut, dit-elle comme si tout allait bien.

— Où diable étais-tu passée ? demanda-t-il avec plus d'agressivité qu'il ne l'aurait voulu.

Il prit une profonde inspiration pour se calmer. Perdre son sang-froid ne lui ressemblait pas.

Elle fronça les sourcils et brandit le sac en plastique qu'elle tenait.

— Je suis allée faire les courses.

— La supérette est à moins de deux kilomètres, et elle n'a que cinq allées, répliqua-t-il d'un ton sarcastique. Par ailleurs, je t'ai appelée.

Elle tira son téléphone portable de son sac et pressa une touche.

— Désolée, je l'avais laissé en silencieux.

— Qu'est-ce qui t'a pris tant de temps ?

— J'ai rencontré quelqu'un, répondit-elle. Le serveur du restaurant d'hier soir.

Des petits points rouges dansèrent devant les yeux de Chase.

— Je n'avais pas compris que vous vous étiez donné rendez-vous.

— Je… Je…

Elle laissa tomber le sac qu'elle tenait et les pots de sauce roulèrent sur le sol.

— De quoi diable parles-tu ?

— Au cas où tu l'aurais oublié, chérie, tu es mariée. Et il le sait, lui aussi.

Elle s'approcha de lui pour plaquer son index contre sa poitrine.

— Tu es un imbécile, dit-elle en articulant chaque mot.

Quoi ?

— Avant d'aller à la supérette, je suis entrée à la librairie, reprit-elle. J'ai dû quitter Miami en si peu de temps, j'ai fait si vite ma valise, que j'ai oublié d'emporter des livres. Alors que j'adore lire. Et il se trouve qu'il était là, à feuilleter des vieux bouquins. Nous nous sommes mutuellement reconnus et nous avons commencé à discuter. Il m'a raconté qu'il cherchait des livres d'occasion qui l'aideraient à se préparer pour un entretien d'embauche qu'il doit passer la semaine prochaine.

— Oh ! fit-il, se sentant stupide.

— Oh ? répéta-t-elle. Tu n'as rien d'autre à dire ?

En fait, non.

— Je suis désolé, dit-il. Je m'inquiétais. Je ne comprenais pas pourquoi il te fallait tant de temps. J'imaginais le pire.

Le regard de Raney s'adoucit.

— Je pensais que tu étais occupé sur le toit et que tu ne verrais pas le temps passer.

— La maison est secondaire. Ma véritable responsabilité est de te protéger. Tu es prioritaire.

— Ne crois-tu pas que je suis en sécurité ici ?

— Tu as de grandes chances de l'être, mais un bon policier ne prend pas le risque de se tromper sur ce genre de sujet.

— Je dois le retrouver demain, poursuivit-elle.

Il sentit sa colère remonter en flèche.

— Il n'en est pas question.

— Il a passé cinq entretiens d'embauche et n'a pas réussi à décrocher le moindre poste. Quelque chose ne va pas.

— Ce n'est pas ton problème.

— Peut-être, mais il se trouve que je sais comment l'aider. Et que j'ai le temps de le faire, ajouta-t-elle.

Il perçut dans sa voix la frustration de ne plus avoir la possibilité d'exercer son métier, un métier qu'elle adorait. Il se souvint avec quelle passion elle lui en avait parlé.

Harry Malone lui avait volé son travail, et lui était en train d'aggraver sa souffrance.

Il déglutit avec difficulté.

— Je veux son nom, son adresse actuelle, son ancienne adresse. Je veux tout savoir de lui, y compris la taille de ses chaussures.

Elle ouvrit la bouche mais la referma sans avoir prononcé un mot.

— Et tu le rencontreras ici. Pour que je puisse le garder à l'œil, marmonna-t-il.

Il n'allait sans doute pas s'amuser à se tenir entre eux deux pendant qu'ils étudieraient le CV de ce type...

Finalement, elle hocha la tête.

— 42.

— Quarante-deux quoi ? demanda-t-il, prêt à sortir pour aller taper sur quelque chose — de toutes ses forces.

— Je pense qu'il chausse du 42. J'ai passé un mois de vacances à vendre des chaussures quand j'étais étudiante. Il m'en reste quelque chose.

Il eut envie de rire. Bon sang, il avait envie de rire !

— Et moi, je chausse du 44 et s'il fait un pas de côté, je lui botterai les fesses.

Là-dessus, il sortit pour remonter sur le toit.

Et sourit en entendant Raney s'esclaffer dans son dos.

Pour le dîner, Raney prépara des spaghettis accompagnés d'une salade. Elle prévint Chase qu'ils allaient passer à table une demi-heure avant que le repas soit prêt pour lui laisser le temps de descendre et de prendre une douche. Il avait travaillé tout l'après-midi. Les tuiles neuves, des gouttières et tout ce dont il aurait besoin pour refaire la couverture avaient été livrés.

— Ça sent bon ! s'exclama-t-il en entrant. Très, très bon.

Raney espérait que le dîner serait à la hauteur. Cela faisait bien longtemps qu'elle n'avait pas cuisiné pour quelqu'un.

— Tu as un quart d'heure, dit-elle.

Il n'eut besoin que de onze minutes. Il l'aida à porter les plats sur la table et, quand il s'assit enfin, il fit vraiment honneur au repas. Visiblement, il se régalait.

Lorsqu'il posa ses couverts dans son assiette vide, il poussa un soupir d'aise.

— Délicieux ! Que sais-tu cuisiner d'autre ?

Elle haussa les épaules.

— Tout ou presque. Pour confectionner un nouveau plat, il suffit d'en lire la recette dans un livre de cuisine, non ?

Il secoua la tête.

— Non, ce n'est pas vrai. Je sais lire, mais je ne sais pas cuisiner.

Il prit les assiettes et les porta à l'évier.

Détendue, elle posa un coude sur la table et joua du bout des doigts avec ses cheveux.

— Je pense plutôt que tu as décidé un jour de ne pas cuisiner, mais que tu en serais parfaitement capable.

— Disons que j'ai connu quelques désastres culinaires retentissants qui m'ont refroidi, reconnut-il. Je préfère désormais aller au plus simple ou faire réchauffer des surgelés.

Il tourna le robinet et se mit en devoir de faire la vaisselle.

— Nous allons passer un marché, proposa-t-elle. Comme je déteste faire la vaisselle, tu vas t'en charger et, moi, je m'occuperai des repas.

— D'accord.

— Notre mariage a de vraies chances de fonctionner, ajouta-t-elle, sur le ton de la plaisanterie.

Il se retourna pour lui demander avec gravité :

— Pourquoi ne t'es-tu jamais mariée ?

— Je… j'ai été mariée, répondit-elle avant de savoir si elle avait envie d'aborder le sujet avec lui.

Une expression de surprise passa sur son visage.

— Je l'ignorais.

— J'imagine que tu n'as pas lu mon dossier en détail. Mon mariage n'a pas duré longtemps, à peine deux ans. Nous avons divorcé il y a cinq ans.

— Ton ex-mari connaît-il Harry Malone ?

— J'en doute. Il vit à Hawaii. C'est un surfer professionnel.

— Laisse-moi deviner : tu as demandé le divorce parce que tu n'avais pas envie d'emménager à Hawaii.

Elle secoua la tête.

— J'ai demandé le divorce parce que je ne voulais pas le partager avec une autre femme.

Même si elle sentait depuis quelque temps que leur mariage battait de l'aile, elle avait été dévastée en apprenant l'infidélité de Mike. Ses séances d'entraînement pour les championnats les avaient obligés à vivre séparément pendant de longues périodes de temps. Pourtant, elle n'avait jamais imaginé qu'il la trompait. Lorsqu'elle était tombée sur une lettre d'amour de sa maîtresse, elle avait été prise d'une folle colère.

Prié de s'expliquer, il n'avait pas cherché à nier et avait reconnu avoir une autre femme dans sa vie depuis des mois.

Elle avait vite compris que sa découverte n'avait pas été aussi accidentelle qu'elle l'avait tout d'abord pensé. Il avait voulu qu'elle sache, qu'elle mette en route une procédure de divorce. Il n'avait plus envie de poursuivre leur vie conjugale, mais n'avait pas eu le cran de lui parler sincèrement.

Le divorce avait été rapidement réglé et, le jugement à peine prononcé, Mike avait emménagé chez Lenore.

Pour oublier sa peine, elle s'était jetée à corps perdu dans le travail. Ses amis lui avaient dit de ne pas s'inquiéter, qu'elle allait rencontrer quelqu'un d'autre. Elle n'avait pas voulu en discuter mais, seule dans son lit, elle s'était demandé si elle était faite pour le mariage, pour la vie à deux. Peut-être était-elle destinée à vivre seule…

— Ce Mike est un pauvre type, dit Chase d'un ton dur.

Il se rassit à table, se pencha vers elle et posa la main sur son bras.

Elle remarqua qu'un de ses ongles était noir. Sans doute s'était-il donné un coup de marteau par mégarde.

— Tu le sais, n'est-ce pas ? insista-t-il. Tu sais que c'est un pauvre type !

Elle savait surtout que Chase Hollister la troublait comme aucun homme, y compris Mike, n'avait jamais réussi à la troubler. Quand il la touchait, elle avait l'impression que son corps se réveillait. Il lui donnait envie d'être caressée, aimée…

Un gros soupir lui échappa.

— C'était il y a longtemps. Nous étions tous les deux très jeunes.

— Ça n'excuse pas ce qu'il a fait, répliqua-t-il.

Elle comprit alors que, si Chase avait été un bad boy dans sa jeunesse, il était devenu un homme qui savait faire la différence entre le bien et le mal. Et se comporter comme il le fallait. Il mettait tout en œuvre pour protéger un témoin, et refusait de franchir la ligne jaune.

Ce qui signifiait qu'il serait un homme parfait pour elle.

Cependant, leurs relations étaient déséquilibrées. Même s'il ne savait pas tout sur elle, il avait lu son dossier. Elle, en revanche, ne savait pas grand-chose de lui. Il lui avait dit d'un ton léger que le mariage n'était pas pour lui, mais peut-être entretenait-il une relation forte avec une femme. Si c'était le cas, s'il avait une petite amie, elle n'irait pas plus loin avec lui. Pour avoir souffert de l'infidélité d'un homme, elle refusait de faire subir cela à une autre.

— Tu m'as dit que tu nourrissais une aversion pour le mariage, dit-elle en s'efforçant de s'exprimer d'un ton insouciant. Mais as-tu quelqu'un dans ta vie, actuellement ?

Il posa ses yeux couleur d'ambre sur elle. Son beau visage avait pris des couleurs pendant qu'il travaillait sur le toit.

— Je suis trop occupé avec mon travail.

Façon habile de ne pas répondre, pensa-t-elle.

— J'imagine, oui.

— Je ne suis sorti avec personne depuis plus d'un an, ajouta-t-il.

Cela signifiait-il qu'il n'avait pas eu de relations sexuelles depuis un an ?

Elle n'eut pas le cran de lui poser la question.

Mais cela avait-il de l'importance ? En tout cas, il avait failli l'embrasser, la veille au soir, mais il avait reculé à la dernière minute. Elle avait été rejetée par son ex-mari et en avait énormément souffert. Il n'était pas question pour elle de se remettre dans cette situation.

Elle repoussa sa chaise.

— Je suis fatiguée, prétendit-elle. Je vais monter me coucher.

Chase tournait en rond au rez-de-chaussée, veillant toutefois à éviter de s'approcher de la chambre de Brick. Le seul poste de télévision de la maison s'y trouvait, mais il préférait s'en passer que d'entrer dans cette pièce.

Il aurait pu commencer à décaper les boiseries, mais l'odeur de l'essence de térébenthine était très désagréable et il fallait aérer, ce qui était impossible. Il ne voulait pas ouvrir les fenêtres en pleine nuit. Il tenait à ce que la maison soit totalement sécurisée.

Si une porte ou une fenêtre fermée n'avait guère d'effet dissuasif, cela pouvait néanmoins retarder un intrus de quelques instants, et il n'en fallait souvent pas davantage.

Le mieux serait qu'il se couche tôt, de manière à se lever de bonne heure demain matin pour profiter au maximum de la lumière du jour. Mais il se sentait nerveux, déstabilisé. Plongé dans ses pensées, il sursauta quand son téléphone portable sonna.

En reconnaissant le numéro qui s'affichait sur l'écran de l'appareil, il sourit.

— Je peux tout te demander, nous sommes bien d'accord ? dit-il.

— Bien sûr, répondit Bray. Dans quel état est la maison ?

— Lamentable. Il y a des bricoles à réparer et elle a besoin d'être repeinte de fond en comble, mais ça ce n'est rien. Le gros morceau, c'est le toit. Il fuit à plusieurs endroits. Je vais devoir refaire la couverture.

— Je regrette vraiment de ne pouvoir venir te donner un coup de main. Je suis sur une importante enquête sur le point d'aboutir. Je file l'un des gars depuis deux ans, et il n'est pas question qu'il m'échappe.

— Ne t'inquiète pas, nous assurons.

— « Nous » ?

— Je protège un témoin. Elle avait besoin d'être en sécurité quelque part, alors je l'ai amenée ici où personne n'aura l'idée de venir la chercher.

— Comment s'appelle-t-elle ?

— Raney. Elle se fait passer pour ma femme.

— J'aimerais voir ça ! Les habitants de Ravesville doivent en faire des gorges chaudes.

— A ce propos, j'ai revu Summer Wright.

Il y eut un silence au bout du fil.

— Summer Blake tu veux dire, répliqua enfin Bray d'une voix tendue.

— Non, Summer Wright. Elle a divorcé.

Un autre silence tomba. Chase attendit, mais son frère resta silencieux.

— Elle a deux enfants, ajouta-t-il.

— Je reçois un double appel, annonça soudain Bray. Je te laisse. Occupe-toi de ton témoin, et prépare bien la maison à être vendue.

Et il raccrocha.

Chase regarda son téléphone. Depuis des années, son frère traitait avec la lie de la société, et rien ne l'étonnait plus. Mais entendre le nom de Summer l'avait laissé sans voix.

Intéressant…

Se sentant soudain mieux, maintenant qu'il avait discuté un peu avec Bray, il se coucha sur le canapé et ferma les yeux. Au cours de la nuit, il se releva une fois pour s'assurer que la maison était bien fermée, et en profita pour retirer son jean. Il avait chaud, mais il ne voulait pas mettre en marche l'air conditionné, car le bruit pourrait l'empêcher d'entendre un intrus. Il se recoucha puis ne rouvrit pas les yeux avant d'entendre Raney descendre le lendemain matin.

— Bonjour, dit-elle d'une voix ensommeillée.

Il se mit sur son séant.

— Quelle heure est-il ?

— Presque 6 heures. Excuse-moi, je ne voulais pas te réveiller.

— Pas de problème.

Il devait enfiler son jean en vitesse, avant qu'elle remarque la cicatrice sur sa cuisse. Si elle la voyait, elle poserait inévitablement des questions auxquelles il n'avait pas envie de répondre. Il ne voulait pas qu'elle s'inquiète, qu'elle doute de sa capacité à la protéger.

Brusquement, il se sentit nu, vulnérable.

Il avait besoin de se couvrir, besoin de quelque chose qui dissimulerait son corps blessé, quelque chose qu'il faudrait prendre du temps à enfiler, ce qui lui en donnerait autant pour réfléchir.

Il attrapa son jean et l'enfila rapidement.

Raney était penchée sur la table, occupée à feuilleter des livres qu'elle avait empilés là la veille. Le haut de son pyjama était entrouvert, laissant deviner ses seins ronds, dont il ne parvenait pas à détourner les yeux.

Elle se redressa alors et surprit son regard.

Sans réfléchir, il tendit la main.

7

Chase se ressaisit aussitôt. Perdait-il la tête ?

Il se hâta vers la cuisine, saisit la cafetière, remplit le réservoir d'eau, mit un filtre dans le porte-filtre puis y versa du café moulu. Il attendit que les premières gouttes de café apparaissent pour se retourner.

Raney s'était assise à table comme si rien ne s'était passé. Avait-il rêvé la scène ? Avait-il pris ses désirs pour des réalités ?

Etait-il victime d'hallucinations ? Devenait-il fou ?

Il fallait qu'il se concentre sur quelque chose de concret.

— A quelle heure ce gars doit-il venir ? demanda-t-il.

— Il s'appelle Keith. Il arrivera vers 11 heures. Je vais dégager la table de la salle à manger pour que nous puissions travailler dessus.

Il jeta un coup d'œil à la pièce voisine. La table était en effet couverte de tout un fatras. Son beau-père y avait empilé de vieux journaux ainsi que des sacs en papier et, plus curieux encore, des briques de lait qui avaient été vidées et remplies d'eau, comme si Brick avait craint que le puits s'assèche. Des serviettes de bain pliées étaient entassées à l'autre bout. Elles avaient sans doute été propres un jour mais, à présent, elles étaient couvertes d'une épaisse couche de poussière. Du courrier, manifestement accumulé pendant des mois, complétait ce bazar. Les enveloppes avaient été ouvertes et mises de côté. Il faudrait trier tout cela tôt ou tard.

Installé dans un coin de la salle à manger, le vaisselier était entièrement vide. Les assiettes et les plats de sa mère, qui lui venaient de ses propres parents, et dont beaucoup étaient ébréchés, avaient été soigneusement rangés dans des caisses à sa mort, il y a huit ans. Bray les avait emportées en assurant qu'il les tenait à leur disposition. Chase s'en moquait. Tout ce qui lui importait était que Brick ne les récupère pas.

Cette vaisselle faisait partie des rares choses dont ils avaient hérité de leur mère. Parce que aucun d'eux trois ne vivait dans un grand appartement, ils avaient été obligés de laisser les meubles, en particulier le vaisselier, l'armoire, la table et les chaises. Chase se souvenait encore de la joie de sa mère quand elle avait déniché dans une brocante ces chaises assorties à sa table. Elles avaient remplacé celles qu'elle avait achetées en même temps que la table mais qui s'étaient cassées au fil du temps parce que son mari et surtout ses trois fils n'en prenaient pas soin.

Elle avait fait l'acquisition de ces nouvelles chaises avant que Brick entre dans le paysage. Dans un mouvement de colère, ce pauvre type en avait un jour envoyé une sur le vaisselier dont il avait cassé la vitre.

Cette dernière n'avait jamais été remplacée.

— Il y a des sacs-poubelle dans le garage, dit-il. J'irai t'en chercher.

— Merci.

Raney se leva pour aller prendre la cafetière. Elle passa si près de lui qu'elle lui effleura le torse.

— Pardon, murmura-t-elle.

Il ne put rien dire. L'avait-elle fait intentionnellement ?

Elle s'écarta, le plus naturellement du monde.

Il se sentit pathétique, à essayer de décrypter quelque chose qui ne signifiait certainement rien.

— Je vais dehors, annonça-t-il.

— Mais tu n'as rien pris pour ton petit déjeuner ! s'exclama-t-elle, l'air préoccupé.

Il n'était pas question pour lui de rester une minute de plus dans cette cuisine.

— Je grignoterai quelque chose plus tard, répondit-il. Je préfère travailler pendant qu'il fait encore frais.

Une fois dehors, il se dirigea vers le garage. La veille au soir, il avait envisagé de laisser l'échelle contre la maison pendant la nuit pour s'épargner la peine d'aller la chercher chaque matin. Aussitôt, il avait écarté cette idée. Il ne voulait pas donner un accès au premier étage, à la chambre de Raney. Aussi avait-il rangé l'échelle dans le garage en la dissimulant derrière des boîtes en carton pliées pour qu'elle soit plus difficile à trouver.

Il la sortit de sa cachette, la cala avec soin, avant d'attacher sa ceinture à outils à sa taille. Puis il commença à gravir les échelons. Totalement déployée, l'échelle était tout juste assez grande pour lui permettre d'atteindre le toit.

Bray et Cal le féliciteraient certainement pour le travail qu'il allait faire. Conscients que ces travaux donneraient plus de valeur à la maison et la rendraient plus attrayante aux yeux d'un acheteur potentiel, ils ne lui reprocheraient pas sa décision de refaire le toit ni aucune des réparations qu'il effectuerait. Au contraire, ils lui seraient reconnaissants de les avoir prises en charge.

Cal ne le dirait sans doute pas. Cal ne disait jamais rien. Quelque chose s'était cassé en lui à l'époque où leur mère était morte. Il n'avait pas explosé de colère ni de chagrin. Il s'était simplement refermé ; il était devenu complètement silencieux.

Ils avaient sans doute besoin d'en parler, mais Chase n'avait pas souvent vu son frère depuis huit ans et, ces fois-là, il n'avait pas eu envie de remuer le couteau dans la plaie, de rouvrir les vieilles blessures. Il avait préféré discuter de tout et de rien pour respecter les silences de Cal.

Il était grand temps de crever l'abcès, décida-t-il, en se promettant de le faire à la première occasion.

Bray et lui avaient toujours réussi à fêter ensemble Thanksgiving, la fête préférée de leur mère. Si l'un ou l'autre travaillait ce jour-là, les criminels ne respectant pas souvent les jours fériés, ils célébraient Thanksgiving un autre jour, voilà tout.

Que ce soit deux jours avant ou trois jours après la date officielle, ils décidaient que pour eux c'était Thanksgiving et partageaient le repas traditionnel. En général, ils trouvaient un restaurant qui vendait des dindes cuites à emporter, prêtes à être réchauffées, ainsi que de la tarte au potiron.

Si la maison n'était pas encore vendue à Thanksgiving, il inviterait Cal et Bray à venir festoyer ici avec lui, se dit-il. Et il n'accepterait aucun refus de leur part.

Cette idée lui semblait curieusement attrayante.

Arrivé sur le toit, il gagna la zone sur laquelle il avait travaillé la veille. Fin novembre, au moment de Thanksgiving, le procès de Malone serait terminé depuis longtemps, et Raney serait retournée chez elle.

Il se remit à enlever les tuiles et les lança dans la benne qui avait été installée dans la cour à cet effet. Il était stupide d'avoir imaginé fêter Thanksgiving dans cette maison !

L'ancienne ferme avait besoin d'un exorcisme, pas d'une réunion de famille.

Il travaillait depuis plus de trois heures sur son toit quand il vit une vieille Toyota longer la route, puis ralentir avant de s'engager dans l'allée. Elle était tellement couverte de boue que sa couleur d'origine était difficile à définir. Quand Keith en descendit et se dirigea vers la maison de la démarche souple d'un jeune homme de vingt ans, Chase ressentit une vive douleur à la cuisse, comme si sa jambe choisissait ce moment pour se rappeler à son bon souvenir.

Les railleries habituelles de Dawson — « Tu ne rajeunis pas ! » — lui revinrent en mémoire tandis qu'il s'approchait prudemment de l'échelle pour descendre.

Certes, il ne rajeunissait pas. Mais, quel que soit l'âge, prendre une balle dans la cuisse était un coup dur. Et encore, il ne devait pas se plaindre. Le chirurgien lui avait dit que le projectile était passé tout près de l'artère, et que si celle-ci avait été touchée, il se serait vidé de son sang avant d'arriver à l'hôpital. Il avait beaucoup souffert après l'opération, et les antalgiques n'y avaient pas changé grand-chose.

Après un ou deux jours difficiles, il avait décidé de faire contre mauvaise fortune bon cœur et de voir le côté positif des choses. Il était un miraculé ; il avait survécu et c'était l'essentiel. D'accord, sa jambe le faisait encore souffrir, mais ce n'était vraiment pas un drame. Et il n'était pas question qu'il reste assis, les bras croisés, à regarder un gamin chasser sur ses terres.

Parce qu'il était chez lui.

Décidément, il perdait l'esprit, se dit-il.

Mais voilà : contre toute attente, il était heureux d'être revenu dans cette vieille ferme où il avait pourtant juré de ne jamais remettre les pieds. Plus étrange encore, il s'y sentait bien et était content d'y travailler, de la restaurer. Et Raney était pour beaucoup dans cette évolution.

Raney qui s'apprêtait à passer un agréable moment avec Keith.

Chase entra dans la maison en claquant la porte.

Raney fronça les sourcils mais refusa de laisser Chase la perturber, la distraire de sa tâche. Alors qu'elle venait d'inviter Keith à la suivre dans la salle à manger, Chase avait fait irruption dans la maison, raclant ses bottes sur le sol, claquant les portes, tirant les chaises avec bruit.

S'efforçant d'ignorer ce tapage, elle relut le CV de Keith,

qui attendait, impassible. Comme Chase continuait à manifester bruyamment sa présence, elle finit par lever le nez.

— Je peux t'aider à quelque chose ? demanda-t-elle en élevant la voix pour se faire entendre.

Chase passa la tête par l'embrasure de la porte.

— Ne t'occupe pas de moi, dit-il.

Il mâchouillait des crackers couverts de beurre de cacahuète. Bruyamment.

Elle le fusilla d'un regard noir.

Il repartit dans la cuisine en veillant à en laisser la porte grande ouverte.

Après tout, libre à lui de se comporter comme un imbécile, se dit-elle.

Elle se tourna vers Keith, lui sourit et commença. Deux heures plus tard, ils avaient discuté des modifications à apporter à son CV, réfléchi aux réponses à donner aux questions délicates susceptibles d'être posées par un futur employeur, évalué ses objectifs à court ou moyen terme, et mis au point un plan pour les atteindre.

Chase devait s'ennuyer à mourir, mais il était resté là, assis dans la cuisine.

— Je m'en sors beaucoup mieux quand c'est vous qui m'interrogez, dit Keith en lui décochant un grand sourire. Dommage que ce ne soit pas vous qui me fassiez passer les entretiens d'embauche !

Une porte de placard claqua. Elle l'ignora.

— Votre aide m'est infiniment précieuse, ajouta Keith. Pour vous remercier, permettez-moi de vous inviter à déjeuner. C'est le moins que je puisse faire.

Quelque chose tomba avec fracas sur le sol de la cuisine. Au bruit, elle identifia le grille-pain.

Keith finit par comprendre.

— Ce n'est sans doute pas une bonne idée, reprit-il.

Raney secoua la tête, se leva et le raccompagna à la porte.

— Tenez-moi au courant de la façon dont se passera votre prochain entretien d'embauche, dit-elle.

Elle attendit que la Toyota ait quitté la cour pour se diriger vers la cuisine, bien décidée à dire son fait à Chase. Il se tenait devant la cuisinière, une poêle à la main, une cuillère en bois dans l'autre, lui tournant le dos.

Il se retourna.

— Je t'ai préparé à déjeuner, annonça-t-il. Tu dois avoir faim.

Elle poussa un soupir. Comment lui faire une scène, maintenant ?

— Je croyais que tu ne savais pas cuisiner.

— Il ne s'agit pas de cuisine mais de survie.

— Merci, dit-elle.

— Crois-tu qu'il était sérieux en pensant que « J'étais immature » est la réponse à donner à un employeur potentiel qui lui demande pourquoi il n'est resté que trois mois dans une entreprise de télémarketing ?

— Il est de la génération Y, comme moi. Nous pensons tous que nous sommes immatures. Toi, tu es de la génération X.

— Merci de me considérer comme un grand vieillard.

Elle n'avait jamais rencontré de grand vieillard plus sexy.

Elle sourit.

— Si cela peut t'aider à te sentir mieux, dis-toi que l'année prochaine je fêterai mes trente ans. Nous serons alors dans la même décennie.

— Dans dix ans, nous travaillerons sans doute encore tous les deux pour l'entretenir.

— J'espère que non. Ne l'as-tu pas entendu dire que son rêve était d'ouvrir un restaurant d'ici à une dizaine d'années ?

— Formidable ! Tu te chargeras de la cuisine et moi, je serai le videur.

— C'est un restaurant qu'il veut ouvrir, pas un bar pour voyous. Et je ne pense pas que le métier te conviendrait.

Il haussa les épaules.

— Pourquoi pas ? Il faut rester ouvert à tout, être prêt à saisir les opportunités qui se présentent.

Elle plaisantait, mais lui était manifestement sérieux, et elle ne sut trop que dire.

— Comment avance le toit ?

— Plutôt bien.

— Je peux monter voir ?

Il l'observa.

— Ça ne me paraît pas une bonne idée. J'ai l'habitude des hauteurs. Comme l'a dit Gordy, je me promène sur les toits depuis des années. Mais toi…

— Si j'ai un jour une maison à moi, mieux vaut que je sache à quoi ressemble une toiture. Et je n'ai pas le vertige.

— Le premier été où j'ai travaillé pour Gordy, Brad Morgan, un copain de mon âge, a commis une erreur. Une erreur grave. Il est tombé de plus de dix mètres de haut et s'est fracturé le bassin. Il n'était pas en forme, crois-moi. Je ne veux pas qu'il t'arrive la même chose, et je suis certain que le chef Bates me reprocherait de t'avoir fait prendre un risque pareil. Je dois veiller à ta sécurité, pas t'exposer à un accident.

Elle comprit qu'il ne changerait pas d'avis, quoi qu'elle dise.

— D'accord, d'accord. Alors je vais ouvrir le pot de peinture « meringue dorée » et commencer à repeindre la cuisine. C'est la seule pièce qui n'ait pas souffert des fuites du toit.

— Tu sais, j'apprécie vraiment que tu te donnes autant de mal pour restaurer la maison.

Il était difficile d'en vouloir longtemps à un homme aussi adorable.

— Et j'apprécie, moi, de ne pas être obligée de repeindre tout en blanc.

Elle avait envie de lui parler plus sérieusement de ce sujet, mais elle ne savait pas comment s'y prendre. Lorsqu'elles restauraient leur maison, ses amies lui demandaient toujours son avis en disant qu'elle avait bon goût pour tout ce qui touchait à la décoration. Mais Chase n'était sans doute pas très intéressé par son opinion sur ces questions. Il voulait que tout soit blanc, neutre, pour être plus facilement vendable. Le reste ne l'intéressait pas.

Pourtant, elle se devait de dire quelque chose. Cette maison était un bijou. Il lui avait fallu un petit moment pour en prendre pleinement conscience. Dès son arrivée, elle était tombée sous le charme de cette ancienne ferme, de son grand porche, de ses hautes fenêtres. Mais l'intérieur l'avait un peu déçue parce qu'il était sombre, sale et en désordre. A présent qu'elle y avait passé un peu de temps, qu'ils avaient rangé et nettoyé les principales pièces à vivre, elle portait un tout autre regard sur la vieille demeure.

— J'ai eu la possibilité d'examiner de près la salle à manger ce matin, quand j'attendais Keith. J'avais besoin d'un peu d'espace pour que nous puissions travailler et, pendant que j'y étais, j'ai jeté un œil sous le lino. Il est affreux, mais il se décolle facilement. Te doutais-tu que dessous il y a un magnifique parquet ? Bien sûr, il faut le remettre en état, le poncer, le cirer... Mais, une fois restauré, il donnera un cachet fou à cette pièce.

— Le prochain propriétaire s'en occupera s'il le souhaite. Moi, je vais me contenter de tout lessiver et de brosser les tapis.

Contrariée, elle fronça les sourcils. Elle n'allait vivre qu'un mois dans cette maison mais, vraiment, que Chase ait envie de cacher un parquet aussi beau la révoltait.

— Sais-tu ce qui manque au salon ? poursuivit-elle.

Il lui sourit.

— Non, je n'en ai aucune idée.

— Une bibliothèque. Tu peux en construire une sur tout un pan de mur, ce sera top.

— Top..., répéta-t-il.

— Et à ta place, je retirerais ces rideaux qui, en plus d'être très laids, sont de vrais nids à poussière. J'installerais des stores pour les descendre ou les remonter en fonction de la lumière ambiante. Et il va sans dire que le faux plancher dans le salon — qui est censé ressembler à du bois mais qui est très loin de le faire — devra sauter. Je suis sûre que tu pourrais facilement trouver un authentique parquet proche de celui de la salle à manger. Une fois fini, l'ensemble sera magnifique.

— Je n'aurai pas le temps de me lancer dans tous ces travaux. Encore une fois, le nouveau propriétaire avisera. Je vais retirer les rideaux parce que, c'est vrai, ils sont sales et poussiéreux. Mais je n'irai pas plus loin. Je n'ai pas l'intention de me charger de la rénovation complète de cette baraque.

— Mais tu as tort. Tu as intérêt à la réparer, à l'embellir, pour en tirer un bon prix.

— L'important pour moi n'est pas d'en tirer un bon prix, mais de la vendre au plus vite, répliqua Chase. A ce propos, je ferais mieux de me remettre au travail. Je vais d'ailleurs devoir faire un saut en ville, je n'ai presque plus de clous.

Elle était déçue de ne pas avoir réussi à le convaincre du réel potentiel de cette maison mais, après tout, cela ne la regardait pas.

— Je serais très contente d'aller t'en acheter, dit-elle. J'en profiterai pour prendre de la farine pour faire un gâteau.

Elle sentit qu'il avait envie de refuser, mais sans doute culpabilisait-il de ne pas la laisser grimper sur le toit ni suivre ses idées de décoration intérieure. Il ne pouvait dire non à tout.

— D'accord. Il n'y a sans doute rien à craindre.

*
* *

Une demi-heure plus tard, Raney remonta dans le 4x4, chargée d'un paquet de farine, de deux sachets de chips parce qu'elle avait remarqué que Chase en mangeait en permanence, et d'un gros sac de clous. En passant devant l'église, elle vit que des jeunes de la paroisse lavaient des voitures pour récolter des fonds afin d'aider les personnes âgées à se chauffer l'hiver prochain. Une file de véhicules attendaient leur tour.

Aucun ne semblait sale. Les petites villes étaient généreuses.

Alors qu'elle approchait du Wright Here Wright Now Café, elle décida de s'y arrêter. Elle ne resterait pas longtemps, mais elle mourait de soif et un thé glacé lui ferait du bien. Le temps était en train de changer. Dans la matinée, pendant qu'elle travaillait avec Keith, le soleil brillait et la chaleur était accablante ; maintenant, il faisait plus frais. Le vent se levait.

Elle se demanda si un orage s'annonçait. Non, vraiment, elle ne s'attarderait pas au café. Chase avait besoin de ces clous, et mieux valait qu'il ait remis des tuiles avant que la pluie s'abatte sur la maison.

Quand elle ouvrit la porte du restaurant, Summer, assise derrière le comptoir, la reconnut et sourit.

— Bonjour, Raney. Je suis contente de vous voir.

Raney s'installa sur l'un des hauts tabourets du bar. L'heure du déjeuner était passée, et seules deux tables étaient occupées.

Raney désigna du doigt le gâteau posé sur le comptoir.

— S'agit-il d'une tarte au citron ?

— Exactement, je l'ai faite ce matin.

— Je vais en prendre une part, dit-elle.

Si Chase la voyait, il se moquerait sans doute de sa façon de s'empiffrer de gâteaux tout en prétendant vouloir se nourrir de manière saine et équilibrée. Il aimait bien la taquiner.

Elle aussi avait voulu jouer avec lui, ce matin. Lorsqu'elle s'était réveillée, la blonde Raney avait pris le dessus. Au lieu de s'habiller, elle était descendue à la cuisine en pyjama. Se sentant pleine d'audace, elle s'était penchée en faisant mine de feuilleter des livres pour lui offrir une vue plongeante sur son décolleté.

Comme elle l'espérait, il avait regardé, les yeux exorbités. Et quand il avait tendu la main comme s'il mourait d'envie de la toucher, elle avait fondu.

Mais il s'était alors précipité dans la cuisine.

Refusant de s'avouer battue, elle l'avait alors frôlé, l'air de rien, en allant chercher la cafetière.

Après cela, il avait quitté la cuisine comme s'il avait le diable aux trousses, et la blonde Raney s'était sentie rejetée.

C'était d'autant plus stupide de sa part que, si Chase avait été intéressé, s'il avait tenté quelque chose, c'est elle qui se serait enfuie en courant. Son manque d'expérience lui jouait des tours.

Elle était sortie avec Mike trois ans avant de l'épouser, alors qu'elle venait de quitter l'université, diplôme en poche. Deux ans plus tard, elle divorçait, alors qu'elle n'avait pas vingt-quatre ans.

Elle avait commis une grave erreur en jetant son dévolu sur Mike et, à présent, elle s'interrogeait sur ses capacités de jugement. Depuis son divorce, elle avait décidé de ne prendre aucun risque dans le domaine amoureux. Mais maintenant, à quelques mois de son trentième anniversaire, elle se sentait prête à se lancer dans une nouvelle aventure.

Son enlèvement par Harry Malone n'était pas étranger à cette évolution. Elle s'était juré que, si elle parvenait à échapper aux griffes de ce malade, elle vivrait vraiment, à fond.

Et, surtout, elle se rendait compte à présent que Chase Hollister la troublait comme personne ne l'avait troublée depuis très, très longtemps.

Il était bel homme et doté d'un charme fou. Elle se surprenait à s'imaginer dans ses bras, à l'embrasser…

La porte du restaurant s'ouvrit et Sheila Stanton entra. Elle croisa le regard de Raney et s'assit au bar, laissant un tabouret vide entre elles.

Il n'y avait aucune raison de ne pas se montrer polie, songea Raney. Bien sûr, Sheila s'était jetée au cou de Chase. Mais elle avait été éduquée pour se comporter en adulte. De surcroît, Chase avait quitté la supérette avec elle, et non au bras de Sheila.

— Bonjour, dit-elle donc.

Sheila sourit sans desserrer les dents, puis commanda un café auquel elle ne toucha pas et se tourna vers elle.

— Où est le beau gosse qui vous sert de mari ?

— Il travaille à la maison.

— Où vous êtes-vous rencontrés, tous les deux ?

Une sirène d'alarme se déclencha dans la tête de Raney. Chase et elle n'avaient jamais mis au point les détails de leur histoire.

— A St Louis. Des amis communs nous ont présentés l'un à l'autre.

— Et quel métier exerciez-vous ?

Elle se rappela le commentaire de Chase sur la vitesse à laquelle l'information circulait ici.

— La formation des adultes, mentit-elle.

La réponse était assez proche de la vérité, et si Sheila apprenait qu'elle avait aidé Keith à rédiger son CV, l'histoire tiendrait.

Elle ouvrit son sac, en sortit un billet et chercha Summer des yeux. La jolie rousse était occupée à nettoyer une table un peu plus loin. Comme elle se penchait en avant, son corsage se releva et Raney aperçut sa peau.

Elle se sentit blêmir. Un gros hématome ornait le bas du dos de Summer. Il était en train de virer vert et jaune, comme si le coup qui l'avait provoqué remontait déjà à plusieurs jours.

L'estomac noué, elle se souvint qu'elle était couverte de bleus semblables après sa rencontre avec Malone.

Comme si Summer avait senti son regard sur elle, elle se redressa et tira sur son corsage pour le remettre en place. Elle se retourna et riva ses yeux aux siens.

Il y avait une supplique dans son regard, mais Raney n'aurait su dire si Summer la suppliait de n'en parler à personne, de ne pas lui poser de questions à ce sujet ou si, au contraire, elle la suppliait de l'aider.

Elle jeta un œil vers Sheila, mais celle-ci était occupée à pianoter sur son smartphone et n'avait rien vu.

Se tournant vers Summer, elle articula sans émettre un son :

— Voulez-vous en parler ?

Summer secoua la tête. Fermement.

D'accord, elle ne lui demandait pas d'aide. Il était possible qu'elle soit tombée ou se soit cognée contre un meuble. Mais Raney eut l'intuition que ce n'était pas ainsi qu'elle s'était fait ce bleu. Elle avait été frappée, battue. Mais par qui ?

Son ex-mari ? Etait-ce pour cette raison qu'elle s'était disputée avec lui le matin où Chase et elle étaient venus prendre leur petit déjeuner au café ? Mais ils étaient séparés depuis longtemps, le divorce avait été prononcé. Le bleu ne datait pas de cette époque.

Elle comprenait que Summer ne veuille pas se confier. Après Harry Malone, elle n'avait pas eu envie non plus d'en parler. La police l'avait longuement interrogée, mais ces interrogatoires avaient été douloureux pour elle, une véritable torture.

Quand Summer revint derrière le comptoir, Raney lui tendit un billet de vingt dollars.

— Merci, dit-elle sans attendre la monnaie. A bientôt.

Il faisait une chaleur intenable dans le 4x4. Elle mit le

contact, régla l'air conditionné et posa ses lunettes de soleil sur son nez.

Tout en roulant, elle se demanda si elle devait ou non parler à Chase de ce qu'elle avait vu. Que ferait-il ? Que dirait-il ?

« Occupe-toi de tes affaires » ? « Chacun a ses problèmes » ?

Elle ne le pensait pas. Sans doute encouragerait-il Summer à aller trouver la police, à porter plainte. Mais son ex-mari était policier, ce qui ne facilitait rien.

Dans le rétroviseur, elle vit soudain une voiture sombre s'approcher à vive allure. La route étroite longeait une pente rocailleuse et, à cet endroit, il était dangereux de doubler.

Le 4x4 qui la suivait entreprit malgré tout de la dépasser. Comme il arrivait à sa hauteur, elle jeta un coup d'œil de côté. Au même moment, l'autre se rabattit, la poussant hors de la route.

Elle s'accrocha au volant pour tenter de redresser sa trajectoire, sans succès. L'avant mordit sur le bas-côté puis la voiture bascula et plongea dans le vide.

La tête de Raney heurta violemment quelque chose, et elle perdit connaissance.

8

Il ne restait plus à Chase que seize clous lorsqu'il entendit le vrombissement d'un moteur. Comme il jetait un coup d'œil dans la cour, il reconnut la vieille moto de Lloyd Doogan. Lloyd allait si vite qu'il patina sur le gravier en arrivant.

Que se passait-il ?

En moins de temps qu'il n'en faut pour le dire, Chase descendit du toit.

— Il faut que tu viennes ! dit Lloyd qui se tordait les mains. Et vite !

— Pourquoi ? Qu'est-ce qui ne va pas, Lloyd ?

— Ta femme ! Elle est blessée.

Un poids tomba sur la poitrine de Chase.

— Raney ? répéta-t-il. Raney est blessée ?

— Oui, sur la route. Viens !

Chase laissa tomber son pistolet à clous. En deux enjambées, il atteignit la moto.

— Nous y allons sur ton engin. Pousse-toi, c'est moi qui conduis.

Quelques minutes plus tard, il aurait compris qu'il était arrivé sur les lieux de l'accident même si Lloyd ne lui avait pas tiré le bras pour l'en prévenir. Trois véhicules, tous vides, étaient garés sur le bas-côté. Son 4x4 ne faisait pas partie du lot. Il s'arrêta et bondit de la moto.

La route longeait un petit ravin au fond duquel il découvrit son 4x4, couché sur le côté. Plusieurs personnes qu'il ne reconnut pas se tenaient à proximité. Une femme était accroupie et semblait parler à Raney, qui était à l'intérieur, affalée sur le volant.

Mon Dieu, faites qu'elle soit en vie. Je vous en prie, je vous en supplie !

Il dévala la pente rocheuse, glissant sur les pierres qui roulaient sous ses pieds. Des hurlements de sirènes lui parvinrent, mais il poursuivit sa descente. Il n'avait pas l'intention d'attendre les secours sans rien faire. Arrivé en bas, il s'agenouilla à côté de l'inconnue.

— Raney, dit-il en frappant légèrement le pare-brise.

— Elle est inconsciente, fit la femme.

— Chérie, ouvre les yeux, je t'en prie !

Elle battit des paupières et se tourna vers lui pour lui adresser un faible sourire.

— Apparemment, elle vous attendait ! s'exclama la femme d'une voix émerveillée.

Ignorant le commentaire, Chase planta son regard dans celui de Raney.

— Tiens bon, dit-il. Les pompiers arrivent. Nous allons remettre le 4x4 sur ses roues et te sortir de là.

Elle referma les yeux.

Chase posa la main sur la carrosserie.

— Reste avec moi, Raney. Regarde-moi.

Quatre hommes descendaient vers eux. Des pompiers volontaires, comprit-il à la vue de leurs uniformes. L'un d'eux, Hank Beaumont, avait été le délégué de sa classe, naguère. Il était certain qu'il le reconnut lui aussi, mais ni l'un ni l'autre n'étaient d'humeur à bavarder. Tout à son affaire, Hank se focalisait exclusivement sur Raney.

— Une seule personne se trouvait-elle dans le véhicule ?

— Oui, répondit Chase.

— Connaissons-nous l'étendue des blessures de cette jeune femme ?

— Non. Le mieux est de remettre le 4x4 d'aplomb et de la sortir de là.

— Reculez, ordonna Hank.

La femme obtempéra, mais Chase ne bougea pas.

— Je fais partie de la police. Je suis inspecteur à St Louis.

Le regard de son interlocuteur s'adoucit.

— Je sais. J'ai entendu dire que tu étais revenu, Chase. Ma belle-mère se trouvait derrière toi à la caisse de la supérette, l'autre jour. J'imagine que c'est ta femme qui est coincée dans la voiture et j'en suis désolé, mais tu n'es pas ici à titre officiel. Alors laisse-nous faire notre travail et recule comme je te l'ai demandé.

Chase s'exécuta et enfonça les mains dans ses poches. Lloyd resta près de lui.

— Elle n'est pas morte, dit-il.

Non, elle ne l'était pas. Mais, quel qu'il soit, celui qui avait provoqué l'accident n'en avait plus pour longtemps à vivre, se jura Chase.

Il promena les yeux sur la petite foule de curieux qui s'étaient approchés. Il était fréquent qu'un meurtrier revienne traîner sur les lieux du crime après son forfait. Que ce soit pour admirer son œuvre ou pour se prouver qu'il ne risquait rien, parce qu'il était plus intelligent que les autres et qu'il pouvait se promener au vu et au su de tous. Voilà pourquoi, comme en témoignaient les séries télévisées, les policiers s'intéressaient aux personnes présentes sur une scène de crime.

Malheureusement, la police de Ravesville n'avait rien à voir avec la police des séries télévisées, et elle n'était même pas encore arrivée.

Très vite, les hommes remirent le 4x4 sur ses roues et ouvrirent la portière du conducteur. Hank glissa la tête à l'intérieur, pour s'adresser à Raney.

Chase estima qu'il était resté suffisamment longtemps à l'écart. Fendant le petit groupe, il s'approcha de la portière passager. Avant que quiconque puisse l'en empêcher, il l'ouvrit et se glissa à l'intérieur.

— Raney, dit-il doucement.

Elle était toujours retenue par sa ceinture de sécurité, qui la serrait étroitement, et il se douta qu'elle aurait quelques ecchymoses. L'airbag s'était déployé puis dégonflé et Raney avait des résidus de caoutchouc partout, sur les vêtements, le visage, dans les cheveux. Une marque rouge ornait son front. Elle ne saignait pas, mais une grosse bosse s'était formée.

— Madame Hollister, dit Hank en s'avançant. Je vais vous poser une minerve, par précaution.

— Si vous voulez, répondit-elle. Mais je n'ai pas mal au cou.

— Tu t'es cogné la tête, intervint Chase, qui s'efforçait de s'exprimer d'un ton neutre pour ne pas l'effrayer.

Elle posa la main sur son front, tâta sa bosse.

— Oh…

Hank lui mit rapidement une minerve. Ainsi équipée, elle paraissait plus fragile encore, et Chase dut lutter contre la colère qui menaçait de le submerger. Il avait besoin de garder son sang-froid pour ne pas risquer d'altérer ses capacités de réflexion.

Concentre-toi ! s'ordonna-t-il.

Les pompiers la sortirent avec précaution du 4x4 et la déposèrent sur une civière. Un ambulancier établit alors un premier bilan. Chase resta à proximité pour l'entendre. Elle avait 12/7 de tension, ce qui était satisfaisant. Son rythme cardiaque s'élevait à 79, ce qui était un peu rapide mais pas alarmant. L'homme en blouse blanche examina ses prunelles, vérifia ses réflexes. Quand elle demanda à se mettre sur son séant, il accepta. Chase poussa un soupir de soulagement.

Il entendit une nouvelle sirène approcher et comprit qu'un officier de police arrivait enfin. La voiture s'arrêta en travers de la route, bloquant la circulation. Quand la portière s'ouvrit, Gary Blake, l'ex-mari de Summer, apparut.

Lorsqu'il s'approcha de Hank Beaumont, Chase fut surpris de les voir se comporter comme deux étrangers, presque deux ennemis. En général, policiers et pompiers entretenaient des relations étroites, surtout dans les petites communautés. Ils intervenaient sur les mêmes accidents, échangeaient les mêmes mauvaises plaisanteries et partageaient la même aversion pour l'administration. Mais Chase ne sentit aucun signe d'une reconnaissance amicale entre Beaumont et Blake, pas même une simple camaraderie. Leurs échanges lui parurent tendus, comme si les deux hommes se sentaient obligés de communiquer mais avaient l'un et l'autre hâte d'en finir.

Chase prit conscience que, si Raney souffrait d'un traumatisme crânien, les choses pourraient mal tourner. Il ne fallait surtout pas, par exemple, que, perturbée par le choc, elle dise s'appeler Lorraine Taylor ou qu'elle raconte ce qui l'avait amenée en réalité à Ravesville. Même s'il n'avait aucune envie de faire pression sur elle dans de telles circonstances, l'enjeu était trop important.

Il se pencha vers elle pour lui murmurer à l'oreille :

— Souviens-toi que tu es Raney Hollister.

— Je sais, répondit-elle, semblant presque amusée. Je n'ai pas…

Avant qu'elle puisse terminer sa phrase, Blake s'était détourné du chef des pompiers pour s'approcher d'elle. Il paraissait ennuyé.

— Vous conduisiez, dit-il.

Chase ignorait s'il énonçait un fait ou posait une question.

— J'aimerais voir votre permis de conduire, poursuivit Blake.

Chase fut choqué qu'il ne prenne même pas la peine de demander à Raney comment elle se sentait, mais il garda ses réflexions pour lui. Il était important pour elle de faire profil bas, de ne pas attirer l'attention sur elle. Entrer en conflit avec la police locale ruinerait tous leurs efforts.

Il tendit à Raney son sac à main, qu'il avait sorti de la voiture. Elle l'ouvrit, en tira son portefeuille. Sans hésiter, elle donna son permis, sachant que le document qui lui avait été remis après la séance de photos de mariage était au nom de Lorraine Hollister. *In petto*, Chase remercia ses supérieurs d'avoir pensé à ce genre de détails. Sur le moment, il avait trouvé inutile de lui faire faire de faux papiers pour un mois, et devoir attendre que ce permis de conduire arrive pour pouvoir prendre la route l'avait agacé. A présent, il préférait ne pas imaginer la catastrophe s'ils n'avaient pas pris cette précaution.

Blake s'empara du document sans faire de commentaire et l'examina rapidement avant de le rendre à Raney. Puis il reporta son attention sur Chase, les yeux plissés.

— Vous êtes le fils Hollister dont tout le monde me rebat les oreilles, n'est-ce pas ?

Sous-entendu « le bon à rien », « le fauteur de troubles de la famille Hollister ».

Chase se frotta le front, en proie à une migraine qui avait débuté quand la moto de Lloyd avait surgi dans sa cour, qui s'était intensifiée lorsqu'il avait vu Raney, une minerve au cou, et qui devenait insupportable. Même lorsqu'il aurait quatre-vingt-dix ans, les habitants de Ravesville le considéreraient toujours comme un vaurien et un délinquant en puissance.

— J'ai entendu parler de votre frère Bray, reprit Gary Blake.

— Je m'en doute, oui.

— J'en aurais entendu parler autrement si je l'avais laissé épouser Summer Wright.

Ni Chase ni Raney ne répondirent, mais Blake ne parut pas s'en apercevoir.

— Que s'est-il passé ? demanda-t-il à Raney.

— Une voiture a tenté de me doubler. Elle se rapprochait

dangereusement, et j'ai voulu me rabattre sur le côté. Mes roues ont alors glissé sur l'herbe, je suis sortie de la route et ma voiture a fait un tonneau.

— A quelle vitesse rouliez-vous ?

— Je respectais les limitations, assura-t-elle.

— Bien sûr, fit Blake comme s'il n'en croyait pas un mot.

Pour lui, elle allait trop vite et était seule responsable de l'accident dont elle avait été victime. Elle faisait les frais de son imprudence, ce n'était que justice. Il n'en démordrait pas.

Pour sa part, Chase pensait plutôt que Raney n'avait simplement pas l'habitude de circuler sur ces routes et que l'autre conducteur avait malheureusement choisi la partie la plus étroite pour doubler.

— Où est passé l'autre véhicule ? reprit Blake.

Raney s'humecta les lèvres.

— Il ne s'est pas arrêté. Peut-être n'a-t-il pas vu que j'étais sortie de la route.

Blake leva le nez de son formulaire pour la regarder en face.

— Cela semble très improbable, non ?

— En tout cas, ça ne m'a pas aidée, répondit Raney, bottant en touche.

Blake consulta sa montre.

— Pouvez-vous décrire l'autre véhicule ?

— Une voiture noire ou bleu marine. Un 4x4 ou approchant.

Gary Blake serra les mâchoires. Un observateur lambda ne l'aurait peut-être pas remarqué, mais Chase avait l'habitude d'observer attentivement les personnes qu'il interrogeait. Il était passé maître dans l'exercice et il savait reconnaître à un mouvement, à un geste, à un tic nerveux ou même à une façon de s'exprimer quelqu'un qui mentait ou s'apprêtait à mentir.

Comme Blake n'émettait aucun commentaire, Chase insista.

— Cette description vous dit-elle quelque chose ?

Blake haussa les épaules.

— Beaucoup de 4x4 noirs ou bleu marine roulent dans le coin. Avez-vous vu le conducteur ? demanda-t-il à Raney.

— Il portait un sweat à capuche et des lunettes noires. Il était barbu, je crois. Une barbe de quelques jours.

De nouveau, Blake serra les mâchoires et nota quelque chose. Il leva le nez pour la considérer.

— Je vois que vous avez une bosse sur la tête. Allez-vous consulter un médecin ? Pensez-vous demander un avis médical ?

— Non, tout va bien. Je n'ai pas été blessée.

Chase n'en était pas convaincu, mais Raney avait raison de donner cette réponse à Blake. Il valait mieux qu'il ne se pose pas de questions. Les blessures à la tête pouvaient cependant être graves et, surtout, traîtresses. Sur le moment, les gens avaient l'impression d'aller bien et, quelques heures plus tard, ils s'écroulaient, emportés par une hémorragie cérébrale que personne n'avait soupçonnée.

Blake ne l'interrogeait que pour remplir son rapport. Il allait cocher quelques cases supplémentaires, ranger son crayon dans sa poche et estimerait avoir fait son travail.

Chase ne savait pas s'il était soulagé que cet accident ne remette pas en cause la couverture de Raney ou ennuyé que Blake soit aussi mauvais policier. Il se comportait comme si Raney n'était qu'une gêneuse qui lui faisait perdre son précieux temps. Il n'y avait pas mort d'homme. Il allait pouvoir rentrer chez lui de bonne heure. De quoi se plaignait-il exactement ?

Il se désintéressait manifestement de l'autre véhicule impliqué dans l'accident, mais Chase se promit de le retrouver. L'irresponsabilité du conducteur aurait pu coûter la vie à Raney.

Blake se tourna vers lui.

— Comptez-vous rester longtemps à Ravesville ?

— Le temps de retaper un peu la maison de ma mère pour la mettre en vente.

— Brick Doogan était un fils de pute.

Chase n'avait pas l'intention de renchérir, même s'il partageait totalement son opinion.

— Il est mort, à présent.

Blake se mit à rire.

— Bon débarras ! Bonne journée à vous deux, et un bon conseil, madame Hollister : la prochaine fois, respectez les limitations de vitesse.

Comme ils suivaient des yeux le policier qui s'éloignait, Chase murmura :

— Tu as fait du bon travail.

Elle venait de mentir à un officier de police, songea-t-elle, incrédule. Elle lui avait caché sciemment la vérité.

— Merci, dit-elle, incapable d'ajouter quoi que ce soit.

— Je sais que tu as dit aux pompiers que tu ne souhaitais pas aller à l'hôpital, mais je préférerais que tu reviennes sur cette décision. Les blessures à la tête sont traîtresses, et tu…

— Je vais bien, vraiment.

Il n'eut pas l'air content. Il le serait encore moins quand il apprendrait la vérité, mais elle n'avait pas l'intention de la lui dire ici. Elle lui en parlerait quand ils seraient à la maison et qu'elle aurait la certitude que personne ne risquait de surprendre ses propos.

Elle regarda la dépanneuse soulever le 4x4 et le hisser hors du ravin. L'aile avant droite était défoncée, et un pneu crevé. Le véhicule allait être conduit chez un garagiste de Ravesville pour être expertisé et réparé.

Le chef des pompiers s'approcha.

— Avez-vous besoin que je vous dépose chez vous ?

— Volontiers, répondit Chase. Merci beaucoup, Hank.

Il aida Raney à prendre place dans le 4x4 du chef des pompiers.

Dix minutes plus tard, ils arrivaient dans la cour.

— J'ai été ravi de faire votre connaissance, Raney, dit Hank. Bon rétablissement.

A peine fut-il à la maison que Chase se jeta sur le téléphone. Tout en se dirigeant vers le salon, Raney l'entendit demander qu'un autre véhicule lui soit amené.

Après avoir raccroché, Chase la rejoignit dans le salon. Elle s'était allongée sur le canapé et avait fermé les yeux.

— As-tu besoin de quelque chose ? Puis-je aller te chercher un verre d'eau, un antalgique…

Elle secoua la tête.

— Merci, ça va. Cela ne va-t-il pas paraître bizarre que tu retournes en ville avec une nouvelle voiture ?

— Peut-être, répondit-il en s'asseyant dans un fauteuil en face d'elle. Mais je préfère courir ce risque plutôt que me retrouver coincé ici sans moyen de locomotion, en cas d'urgence. Ils vont faire en sorte que les papiers du véhicule soient établis au nom de Lorraine Smith devenue dernièrement Lorraine Hollister. J'espère que ça passera.

Il était presque effrayant de voir tout ce qu'il fallait déployer comme ressources pour que quelque chose ait l'air différent de la réalité.

Et elle venait de participer à cette mystification générale. Il était temps pour Chase d'apprendre la vérité.

Mais avant qu'elle ait ouvert la bouche, il demanda :

— Penses-tu pouvoir me répéter ce que tu as dit à Blake ?

— Pourquoi ?

— Ne m'en veux pas mais, moi, j'ai la ferme intention

de retrouver le conducteur de l'autre voiture impliquée dans l'accident et de lui faire comprendre ce qui est arrivé à cause de lui.

Ce n'est pas forcément une bonne idée.

— Euh… Chase, l'accident ne s'est pas déroulé exactement comme je l'ai dit à Gary Blake…

9

Il y eut un petit silence, très bref, avant que Chase ne hoche la tête.

— D'accord.

C'était certainement un très bon inspecteur de police, songea Raney. Elle l'avait surpris, mais il ne le montrait pas.

— Pourquoi ne pas tout reprendre depuis le début ? poursuivit-il.

La mémoire fonctionnait de bien étrange manière. Alors que la scène n'avait duré qu'un bref instant, elle revoyait avec précision ses mains serrant de toutes leurs forces le volant tandis que l'autre véhicule l'emboutissait.

— J'aurais dû réfléchir un peu avant de te demander les clés de ton 4x4. J'ai mon permis mais, en réalité, je conduis rarement. Je n'ai même pas de voiture. Et j'aimerais que tu gardes cet état de fait dans un coin de ta tête quand je vais te raconter ce qui s'est réellement passé. Il est possible que j'aie réagi de manière excessive, que j'aie commis une erreur d'appréciation, parce que je ne suis pas une conductrice expérimentée et que je roulais dans une région que je ne connais pas bien.

— C'est noté, dit-il. Continue.

Elle déglutit avec difficulté.

— En arrivant en ville, je me suis d'abord rendue à la quincaillerie. Mince ! ajouta-t-elle. J'ai oublié tes clous sur la banquette arrière du 4x4.

— Nous nous en préoccuperons plus tard. Continue.

— Il faisait chaud, et j'avais soif. Et même si cela va te paraître égoïste de ma part, je n'avais pas envie de rentrer tout de suite à la maison. Ces deux derniers mois, je n'ai jamais eu la liberté d'agir à ma guise. Lorsque j'étais dans la résidence sécurisée à Miami, mes moindres mouvements étaient contrôlés. Je n'avais pas le droit de me balader, d'aller au cinéma, ni de faire quoi que ce soit. Alors, aujourd'hui, j'ai eu envie de profiter un peu de ma liberté retrouvée, de me promener sans avoir quelqu'un attaché à mes pas, à surveiller tous mes faits et gestes.

— Ce n'est pas de l'égoïsme. Loin de là.

— En tout cas, j'ai décidé de retourner au café pour m'offrir un thé glacé. Summer était de service.

Elle ne parla pas de l'énorme hématome qu'elle avait vu sur le dos de Summer. Chaque chose en son temps.

— Et pendant que je le sirotais, Sheila Stanton est arrivée.

— As-tu parlé avec elle ?

— Elle m'a posé beaucoup de questions ; elle voulait notamment savoir comment et où nous avions fait connaissance. Je lui ai répondu que nous nous étions rencontrés par le biais d'amis communs. Notre conversation a été brève. Je ne me sentais pas à l'aise. Je ne sais pas ce qu'elle en a pensé. Elle est difficile à décrypter.

— Et ensuite, que s'est-il passé ?

— J'ai quitté le café et repris la voiture pour rentrer à la maison. Dans le rétroviseur, j'ai soudain vu arriver un véhicule derrière moi. J'avais mes lunettes de soleil, mais je suis sûre qu'il était noir ou bleu marine ou peut-être gris très foncé. Il me collait et roulait vite, ce qui me rendait nerveuse. J'ai ralenti dans l'espoir qu'il me doublerait, ce qu'il a fait. Mais, quand il a été à ma hauteur, il m'a heurtée de côté. Sciemment. Je sais que j'ai dit à Gary Blake que lorsque l'autre voiture s'était rapprochée j'avais un peu perdu les pédales et que ma nervosité avait sans doute provoqué ma sortie de route. Mais ce n'était pas tout à fait vrai. Il est possible — probable — que l'autre conducteur ait cherché délibérément à m'envoyer dans le décor.

Elle vit une lueur passer dans ses yeux mais, très vite, il se ressaisit. Il était passé en mode « inspecteur de police ».

— Parle-moi de ce conducteur, dit-il d'une voix calme en se penchant en avant.

A l'idée de revivre ce moment, elle se sentit un peu nauséeuse, et se massa l'estomac.

— Fais attention, dit-elle. J'ai mal au cœur. Le thé et la tarte au citron que j'ai pris au café risquent de remonter à la surface.

Au lieu de reculer, il se leva et vint s'asseoir près d'elle, sur le canapé. Il lui enlaça les épaules dans un geste réconfortant.

— Prends ton temps.

— J'ai dit la vérité à Gary Blake en lui décrivant le type. Il avait une capuche rabattue sur le visage, ce qui m'empêchait de distinguer ses traits. Mais il y a quelque chose qui m'ennuie… J'ai l'impression d'être passée à côté d'un détail important.

— Que veux-tu dire ?

— Je ne peux pas te donner de meilleure réponse. Tout s'est passé très vite et, en un dixième de seconde, j'ai tout enregistré. La façon dont l'autre conducteur a braqué le volant, la manière dont il m'a télescopée, la sensation de la voiture qui quittait la route… Cela faisait beaucoup en même temps, et j'ai l'impression que je n'ai pas vu ce qu'il fallait voir, ni réagi comme je l'aurais dû.

— Je n'ai pas du tout ce sentiment. Ton récit est tout à fait cohérent.

Elle secoua la tête.

— Je n'aurais pas dû ralentir et le laisser m'emboutir. Son 4x4 se serait peut-être alors encastré dans le mien.

— Et tu aurais pu être gravement blessée, répliqua-t-il. Non, ne te reproche rien. Tu as réagi comme il le fallait. Tu as essayé d'éviter le danger. S'il t'a percutée délibérément, il avait sans doute également choisi l'endroit *ad hoc* pour passer à l'attaque. La route est particulièrement étroite, sur ce tronçon, et elle longe un ravin.

Elle avait pensé la même chose, en attendant l'arrivée de la police. Mais l'entendre le dire, savoir qu'elle avait sans doute été victime d'une agression, la glaça de peur.

— Pourquoi n'as-tu pas dit la vérité à Blake ? reprit-il.

Elle le regarda en face.

— La première fois que j'ai rencontré Harry Malone, quelque chose chez lui m'avait mise mal à l'aise. Je ne pouvais pas mettre le doigt dessus, définir ce qu'il avait d'inquiétant, de malsain, mais j'avais eu instinctivement envie de fuir. Pourtant, il était charmant, aimable avec les clients, et tout le personnel de Next Steps le trouvait merveilleux. Du coup, je n'ai pas voulu écouter mes petites antennes, et je l'ai payé cher.

Il ne fit aucun commentaire, mais elle le vit opiner.

— Je me suis juré de suivre mon instinct à l'avenir, d'être plus attentive à mes intuitions. Et tout à l'heure, mon instinct m'a soufflé que Gary Blake n'était pas quelqu'un de bien. J'ai senti que, si je lui disais la vérité, je le regretterais.

Il sourit.

— Tu me rassures.

— Pourquoi ?

— Parce que, si tu es capable de réfléchir avec tant de lucidité, de logique, tu ne souffres certainement pas d'un traumatisme crânien. Je voulais t'exhorter à aller consulter un médecin, à te rendre aux urgences. Finalement, cela ne me paraît pas nécessaire. Pour en revenir à ce que tu disais, tu as évidemment pris la bonne décision en ne racontant pas la vérité à Blake, n'en doute pas. Ce n'est peut-être pas un ripou, mais il fait son travail par-dessus la jambe, et moi non plus, je ne lui fais pas confiance.

— Crois-tu que le chauffeur du 4x4 fait partie des

sbires de Malone, des gens qui ont déjà cherché à me tuer ? demanda-t-elle, fière de réussir à poser la question sans trembler. Qu'ils m'ont retrouvée ?

Il la serra plus fort contre lui.

— Je n'en sais rien, répondit-il avec sincérité. J'en doute un peu parce que, si c'était le cas, le gars serait certainement revenu sur ses pas pour s'assurer qu'il avait bien fait le boulot, qu'il ne t'avait pas ratée. Cela dit, il est possible que les autres voitures soient arrivées très vite sur les lieux de l'accident, que leurs conducteurs soient immédiatement descendus te porter secours, et qu'il ait eu peur d'être vu dans les parages. Mais dans tous les cas de figure, il n'aura plus l'occasion de t'approcher, je te le garantis. J'y veillerai personnellement.

— Mais, si je n'ai pas été victime d'un chauffard ou d'un inconscient mais bien d'une tentative de meurtre, cela signifie que quelqu'un a compris que Lorraine Hollister et Lorraine Taylor ne faisaient qu'une seule et même personne. Ils peuvent maintenant découvrir où nous habitons et venir ici pour s'attaquer à moi.

— Je m'en chargerai, dit-il calmement. Je ne laisserai personne te faire de mal.

Comme une douce chaleur l'envahissait, elle prit conscience du fait qu'ils étaient seuls dans la maison, et qu'il était peu probable qu'ils reçoivent de la visite avant un bon moment.

Chase était si près d'elle qu'elle sentait son souffle sur sa peau. Elle se tourna vers lui. Elle aurait dû regarder ailleurs, se lever, faire quelque chose, mais elle resta parfaitement immobile. A attendre.

Le silence était tel qu'elle entendait le tic-tac de l'horloge de la cuisine. Chase prit une profonde inspiration.

— Chase…, murmura-t-elle.

Il expira lentement et, retirant son bras, s'écarta d'elle. Elle se sentit aussitôt glacée, vulnérable.

Il se leva.

— Essaie de te reposer. Je ne te laisserai pas dormir longtemps. Par précaution, au cas où tu souffrirais d'une commotion cérébrale, je te réveillerai toutes les deux heures.

Le Dr Chase Hollister faisait consciencieusement son devoir.

— Chase…, répéta-t-elle.

Mais il secoua la tête.

— Je vais dehors.

Chase n'avait plus de clous pour travailler sur le toit, aussi alla-t-il chercher la tronçonneuse pour commencer à élaguer les arbres qui entouraient la cour. Le vent s'était levé, et les branches pliaient sous les bourrasques, rendant l'entreprise plus ardue.

Il ne savait plus que faire. Il était tombé sous le charme de Raney. Cette femme était un mélange d'audace et d'innocence, et elle lui donnait envie de jouer, d'aller plus loin avec elle.

Lorsqu'il avait téléphoné à Dawson pour lui demander de lui procurer un autre véhicule, son coéquipier lui avait demandé si tout se passait bien. Incapable d'avouer la vérité, il lui avait assuré que la mission se déroulait au mieux.

Or, c'était un mensonge.

Il la désirait. Il l'imaginait sans cesse dans son lit. Sous lui. Sur lui. Le désir était dangereux. Au début, il avait été léger, passager. Il l'avait ressenti très tôt, sans doute dès qu'il l'avait vue, si sexy dans sa robe de mariée, avec ses cheveux blonds et ses jolis seins ronds. Le lendemain matin, ce désir naissant avait grimpé d'un cran quand il l'avait découverte, étendue sur son lit, vêtue de son short et de son petit haut de pyjama.

Il avait réussi à garder la maîtrise de lui-même, à prendre ses distances, jusqu'au moment où il avait vu Keith avec elle, à la table de la salle à manger. Tous deux détendus, à l'aise. Et maintenant qu'il avait été si près de la perdre dans cet accident, son désir renaissait de plus belle.

Pourtant, elle était blessée, ce qui aurait dû suffire à refroidir ses ardeurs. Hélas ! Il ne parvenait pas à se calmer, ce qui lui posait un énorme problème vis-à-vis d'elle. Si elle avait raison et si sa sortie de route avait été un acte délibéré, criminel, alors il était capital qu'il soit sur ses gardes en permanence, d'une vigilance extrême. Il n'était pas question de se laisser distraire par un désir qui n'avait pas sa place dans cette mission.

Tout en tronçonnant les branches qu'il avait coupées, il ne cessait de réfléchir à la situation.

Un 4x4 noir…

L'inexpérience de Raney l'avait peut-être poussée à réagir de façon excessive, à paniquer, mais cela n'expliquait pas pourquoi le conducteur de l'autre véhicule ne s'était pas arrêté. Il y avait plusieurs explications possibles. Peut-être n'était-il pas assuré ou n'avait-il pas de permis de conduire. A moins qu'il n'ait préféré éviter toute confrontation avec la police parce qu'il savait que l'accident n'en était pas un. Cela dit, beaucoup de gens faisaient tout pour ne pas avoir à s'expliquer avec la police sans pour autant être des criminels.

La voiture du jeune Keith était sombre, elle aussi. Mais il ne s'agissait pas d'un 4x4. De plus, Raney lui avait donné un coup de main. Il n'avait donc aucune raison de vouloir lui nuire…

Etait-il possible que Keith soit l'un des hommes de main de Harry Malone ? Si Malone était derrière toute cette histoire, ses gars tomberaient sur Raney tôt ou tard. Chase comprit qu'il était impératif de mettre sa libido sous le boisseau. La vie de Raney était en jeu. Il devait la protéger. Jamais elle ne saurait qu'elle le rendait fou.

Après le récit que Raney lui avait fait, il avait envoyé un texto à Dawson. En plus de la voiture, il lui fallait des armes supplémentaires pour ne pas être pris au dépourvu.

Le ciel était encore clair, mais le vent montait en puissance, soufflant assez pour soulever les feuilles qui jonchaient la cour. Chase empila les bûches près de la maison, dans un endroit sec.

Il se demanda si Raney appréciait les bonnes flambées, les soirs d'hiver. A St Louis, il était chauffé au gaz. Son petit deux pièces lui suffisait. Jusqu'à maintenant.

Il s'était échappé un jour de cette maison en jurant de ne jamais y remettre les pieds. Pourquoi diable aurait-il envie d'y revenir maintenant ?

L'ancienne ferme serait vendue avant l'hiver. Une autre famille profiterait de son labeur.

Il alla ranger la tronçonneuse dans le garage. Lorsqu'il regagna la maison, tout était silencieux. La radio n'était pas allumée. Raney ne pianotait pas non plus sur son ordinateur ; elle n'était pas au rez-de-chaussée.

Sans bruit, il monta à l'étage, frappa à sa porte, et attendit. N'obtenant pas de réponse, il n'hésita pas à entrer.

Elle dormait. Sur le dos, cette fois. Toujours en travers du lit, un bras replié sous la tête. Elle était habillée comme plus tôt dans la journée.

Elle était belle, même avec une grosse bosse sur le front.

Il toussota deux ou trois fois puis, comme elle ne bougeait pas, il s'approcha du lit avec inquiétude.

— Raney…, dit-il doucement.

Pas de réponse.

— Raney, répéta-t-il plus fort.

Elle battit des paupières une fois, deux fois, avant d'ouvrir grand les yeux et de lui sourire.

— Tu n'as pas besoin de crier. Je ne suis pas sourde. J'ai reçu un coup sur la tête, pas sur les oreilles.

Il eut envie de rire.

— J'ai frappé et je t'ai appelée, mais tu n'as pas répondu. Je me suis inquiété.

— Tu m'avais dit de me reposer.

Il s'assit sur le bord du matelas.

— Comment te sens-tu ?

— J'ai un peu mal au crâne, c'est sans doute normal. Mes côtes ont souffert aussi quand la ceinture de sécurité m'a brutalement retenue, mais je pense que ça ira mieux demain.

— As-tu faim ? Aimerais-tu que je te prépare quelque chose à manger ?

Elle réfléchit un instant.

— Non, merci. Je n'ai pas faim.

— Si tu veux, je peux te faire chauffer un bol de soupe.

Elle sourit de nouveau.

— Quand tu as accepté cette mission, tu ne t'attendais certainement pas à devoir me préparer mes repas. Un témoin est censé se nourrir seul, non ?

A vrai dire, il avait pensé que cette mission serait ennuyeuse à mourir, qu'il se sentirait mal à Ravesville, qu'il serait irrité contre Lorraine Taylor qui l'obligeait à passer un mois dans cette maison qu'il détestait.

Or, rien ne se déroulait comme prévu.

— Depuis le départ, ma mission consiste à m'assurer que tu es en sécurité, répondit-il. Et, dans l'immédiat, te préparer à dîner fait partie de mes responsabilités.

— Alors je veux bien un thé et quelques toasts. Mais je descendrai pour le prendre.

Il leva la main.

— Je t'en prie, laisse-moi au moins te le monter.

— Si tu y tiens.

Il hésita à tenter de la convaincre de manger quelque chose de plus consistant, mais après tout elle était majeure et vaccinée, et donc assez grande pour savoir ce qu'elle voulait.

Si elle avait faim au milieu de la nuit, elle pourrait se faire un sandwich.

Il descendit dans la cuisine, fit bouillir de l'eau et griller des tartines. Quand il monta le tout à l'étage, elle était assise sur son lit.

Il lui tendit une assiette chargée de toasts et posa la tasse de thé sur la table de nuit. Ce que Brick avait acheté en pensant que Lloyd allait revenir vivre dans la maison s'avérait utile, finalement.

— Qu'as-tu prévu pour la suite ? demanda-t-elle tout en se restaurant.

— Je vais lessiver les autres chambres de l'étage pour pouvoir les peindre ensuite.

Peut-être aurait-il le cran plus tard de s'attaquer à celle de Brick. Il avait pris de grands sacs-poubelle pour tout jeter. Même s'il ne sentait pas la présence de son beau-père dans le reste de la maison, il devinait qu'il en serait tout autrement dans cette chambre.

— Demain, j'irai beaucoup mieux et je pourrai te donner un coup de main, dit-elle.

Le seul fait de la savoir dans la maison donnait de l'énergie à Chase, mais il ne pouvait le reconnaître.

— Tu as intérêt, répliqua-t-il en riant. Il faut décaper les boiseries.

Il avait mis du beurre de cacahuète sur ses toasts, comme elle les aimait. Il avait donc été attentif à la façon dont elle se préparait son petit déjeuner.

Cela signifiait-il quelque chose ?

Dans l'immédiat, elle avait trop mal à la tête pour y réfléchir sereinement. Elle finit ses tartines, sirota son thé.

Une fois rassasiée, elle se leva, retira ses vêtements et se mit en pyjama, avant de traverser le couloir pour aller se brosser les dents et faire un brin de toilette.

En revenant, elle ouvrit la fenêtre pour aérer. Il faisait chaud dans la chambre, plus chaud que ces derniers jours. Le vent s'était levé mais n'avait pas encore rafraîchi l'atmosphère. Elle laissa la croisée ouverte ; il ferait sans doute plus frais dans un moment.

Il n'était pas 19 heures, et elle se préparait déjà à se coucher. Comme une vieille femme, songea-t-elle. Il ne lui manquait plus qu'un chat et une canne.

Elle avait été victime d'un accident de voiture, ce matin, se rappela-t-elle. Elle avait besoin de se ménager un peu.

Il en avait été de même lorsqu'elle avait réussi à échapper à Harry Malone. Elle était alors épuisée, mais la police avait tenu à l'interroger sans attendre. Elle n'avait rien oublié des salles d'interrogatoire sinistres, glaciales, des tables métalliques, des chaises inconfortables. Elle tombait de fatigue et il lui était arrivé à plusieurs reprises de se coucher sur la table et de fermer les yeux.

« Une tasse de café, mademoiselle Taylor ? Un sandwich, peut-être ? »

Les policiers faisaient mine de se soucier de son bien-être, alors qu'en réalité seul son témoignage les intéressait. Lorsqu'ils l'avaient enfin laissée tranquille, elle était rentrée chez elle pour dormir trois jours d'affilée.

Une bonne nuit de sommeil lui ferait sans doute le plus grand bien, à présent. Gary Blake n'avait manifestement pas eu envie de l'interroger pendant des heures et des heures. Vu qu'il ne cessait de consulter sa montre, elle avait compris qu'il était pressé de s'en aller.

Contrairement à Blake, Chase avait été formidable. Dès qu'il était arrivé sur le lieu de l'accident, il avait été à la hauteur. Elle se reprochait d'avoir abîmé son 4x4, mais il n'avait pas paru s'en soucier le moins du monde.

Demain, elle irait courir. Elle se coucha et ferma les yeux.

Elle se réveilla en sursaut en entendant quelque chose frapper violemment la maison et bondit de son lit. Le vent hurlait au-dehors, et des éclairs zébraient le ciel.

Le cœur battant, elle chercha à tâtons la lampe posée

sur la table de chevet. Elle tenta de l'allumer, en vain. Le courant était coupé.

Elle vit alors un mouvement, une ombre, passer dans la pièce. Avec un hurlement, elle saisit la lampe, bien décidée à s'en servir comme d'une arme.

Elle se battrait jusqu'à son dernier souffle.

10

Un hurlement de femme tira Chase du sommeil. Il se leva du canapé d'un bond, se jeta sur son arme et se précipita à l'étage. Alors qu'il montait en vitesse l'escalier, il se rendit compte que la lumière qu'il avait laissée allumée dans la cuisine était éteinte. Il n'en fut pas surpris. Depuis toujours, au moindre orage, l'installation électrique qui datait de Mathusalem sautait.

Il ouvrit la porte de Raney d'un coup de pied et se rua à l'intérieur. La chambre était plongée dans le noir ; il ne voyait strictement rien.

Le tonnerre gronda et, presque aussitôt, un éclair zébra le ciel. Sa lumière lui suffit pour distinguer Raney recroquevillée dans un coin, les jambes repliées contre sa poitrine. Elle serrait dans ses mains la lampe de chevet comme si elle s'apprêtait à la lancer à la tête de quelqu'un. Ses yeux étaient écarquillés.

Puis la chambre retomba dans l'obscurité.

— Raney ? dit-il.

Elle ne répondit pas.

Il s'approcha d'elle.

— Tout va bien. Ce n'est qu'un orage comme il y en a souvent dans le Missouri.

Elle resta silencieuse. Il était si près d'elle, à présent, qu'il aurait pu la toucher. Il se rendit compte qu'elle tremblait comme une feuille.

Oubliant ses résolutions, sa décision de garder ses

distances, il lui retira doucement la lampe des mains et la reposa sur la table de chevet. Puis il la fit se lever et la prit dans ses bras.

— Calme-toi, dit-il doucement en la faisant s'asseoir sur le matelas. Tu n'as aucune raison d'avoir peur.

Il s'assit à côté d'elle, l'enlaça, et se mit à la bercer tendrement.

Après un long moment, elle cessa de trembler, mais il ne la lâcha pas. Sa peau était douce, elle sentait bon.

Il caressa la nuque avant de passer les doigts dans ses cheveux. Il la sentit retenir son souffle.

Etait-elle en train de lui demander d'arrêter ?

Non, pas encore, décida-t-il.

Il avait besoin de la serrer contre lui.

— Que s'est-il passé ? demanda-t-il.

— Quelque chose m'a réveillée, un gros bruit, et ensuite j'ai aperçu une silhouette qui se glissait dans la chambre et j'ai eu peur.

Il se tourna vers le coin qu'elle lui indiquait, mais la pièce était plongée dans le noir. Il aurait besoin d'un autre éclair.

— Je ne vois rien…

— C'était sans doute le rideau gonflé par le vent. J'ai cru voir quelqu'un, un intrus, mais j'ai probablement été victime de mon imagination. Je suis désolée, je n'aurais pas dû crier… Mais soudain j'ai eu l'impression… Ça m'a rappelé…

— Qu'est-ce que ça t'a rappelé ?

Elle ne répondit pas tout de suite. Il entendit le grondement du tonnerre et attendit un nouvel éclair. Au moment précis où il illumina la chambre, Raney leva la tête et le regarda en face. Ses yeux étaient brillants de larmes. Il la serra plus fort tandis que l'obscurité reprenait le dessus. Le vent hurlait, maintenant.

— Après m'avoir kidnappée, Harry Malone m'a enfermée dans une petite pièce. Il n'y avait pas de lit, aucun meuble, à l'exception d'un classeur métallique à tiroirs complètement vide. Je dormais par terre, sur un vieux plancher tout vermoulu. En bien pire état que les parquets de ta maison, ajouta-t-elle.

Elle tentait d'alléger l'atmosphère en plaisantant, mais Chase avait le pressentiment que ce qu'elle allait lui raconter serait difficile à entendre.

Un autre coup de tonnerre secoua la maison et Raney sursauta. Il resserra son étreinte autour de ses épaules.

— Un jour, un orage a éclaté alors qu'il n'était pas là. Il était parti je ne sais où. La tempête était violente et, pendant tout le temps qu'elle a duré, j'ai prié pour que le vent souffle si fort sur l'immeuble ou la maison — j'ignorais alors où j'étais enfermée — que le bâtiment s'écroule. Quelqu'un aurait alors vu que j'étais là et aurait pu me sauver.

— Que s'est-il passé ?

— Malone est revenu au plus fort de la tempête. Dehors, l'orage se déchaînait. Je le revois ouvrant la porte si violemment qu'elle a heurté le mur. Il était trempé. Tout à l'heure, quand j'ai entendu quelque chose frapper la maison et que j'ai vu une ombre, un mouvement, j'ai cru que tout recommençait, qu'il revenait.

L'envie de tuer Harry Malone s'empara de Chase.

— Que s'est-il passé quand il est rentré ?

Elle poussa un soupir.

— Il était en colère, quelque chose l'avait sans doute contrarié. Je n'ai jamais su de quoi il s'agissait, mais il m'a poussée par terre et il m'a bourrée de coups de pied. J'étais déjà couverte de bleus, et il m'avait cassé plusieurs côtes. Je n'en pouvais plus.

Inconsciemment, il lui caressa les côtes à travers son pyjama. L'idée qu'un homme ait pu lui donner des coups de pied le rendait malade, et il se rendit compte que tuer ce fumier serait une punition trop douce. Il voulait lui briser les os un à un, lentement.

— Je suis désolé, dit-il simplement.

— Il ne m'a jamais…

— J'ai lu les rapports de police.

Elle n'avait pas été violée mais sévèrement brutalisée, traitée comme un animal enragé.

— Tu sais, dit-elle comme si elle essayait de le rassurer, j'ai eu de la chance, beaucoup de chance. J'ai réussi à m'enfuir, à lui échapper. Je suis vraiment née sous une bonne étoile. Les autres malheureuses qu'il avait enlevées avant moi n'y sont pas parvenues, elles.

— Mais grâce à toi elles seront vengées. Tu vas témoigner et ce salaud paiera pour ses crimes.

— Sais-tu qu'il m'a prise en photo ?

— Oui, répondit-il d'un ton neutre.

— La première fois, je me suis demandé ce que je devais en penser. Il se comportait avec moi comme un photographe lors d'une séance de photos. « Lève-toi, assieds-toi, mets les bras derrière la tête. » Il a dû prendre huit, peut-être dix clichés. Puis, sans me donner la moindre explication, il est parti. Ça me semblait absurde.

La tempête montait en intensité. Les éclairs se succédaient, illuminant chaque fois brièvement la chambre.

— La pluie tombe très fort, maintenant. Un vrai déluge, remarqua-t-il pour lui donner la possibilité de changer de sujet.

Mais elle ne saisit pas la perche qu'il lui tendait.

— Quand il est revenu vers moi, il m'a montré les photos des autres femmes. Au début, je n'ai pas compris. Parce qu'elles avaient l'air bien. Terrifiées, bien sûr, mais pas blessées. C'est horrible à dire, mais j'espérais que je n'étais pas seule, que ces autres femmes étaient tout près, peut-être au bout du couloir. Mais il a continué à faire défiler les clichés. Et j'ai vu ces malheureuses commencer à souffrir, se couvrir de bleus, de marques de coups, devenir sales, fatiguées. J'ai commencé à comprendre où il voulait en venir. A la fin, il m'a montré des photos où elles étaient mortes.

Sa voix se brisa sur ces derniers mots.

— Il te torturait psychologiquement, dit-il. Cela faisait partie de son programme de malade.

— Oui. Il voulait que je comprenne ce qui m'attendait. C'était horrible de savoir que ces femmes avaient été en vie, qu'il les avait tuées, et que la même chose allait m'arriver à moi.

— Il était sûr de lui.

Ce fumier l'avait sous-estimée. Son orgueil avait causé sa perte. Il lui avait montré ces photos parce qu'il était certain qu'elle ne lui échapperait pas, qu'il la tuerait comme les autres. Il n'avait pas imaginé qu'elle parviendrait à s'enfuir et qu'elle le dénoncerait.

— Il était évident qu'il prenait plaisir à me montrer ces photos, un plaisir sadique.

Il entendait l'angoisse qui perçait dans sa voix. Il se pencha pour déposer un petit baiser sur son épaule.

— C'est fini, Raney. Ce cauchemar est terminé.

Elle prit une profonde inspiration. Elle n'avait pas fini son récit.

— J'ai compris alors que, si je ne trouvais pas le moyen de lui échapper, il ne faudrait pas longtemps pour qu'une autre femme regarde des photos de moi.

Il posa un doigt sous son menton et, doucement, lui fit tourner le visage vers lui. S'il y avait eu de la lumière, il aurait pu river ses yeux aux siens.

— Mais tu étais plus intelligente et plus courageuse qu'il l'avait prévu. Tu as réussi à t'enfuir alors qu'il était certain que tu n'y parviendrais pas.

— Il ne faut jamais sous-estimer le pouvoir du vernis à ongles, dit-elle d'un ton solennel.

Quand il avait lu le rapport de police, il avait été à la fois fasciné et impressionné par ce qu'elle avait fait. Il avait envie de l'entendre expliquer comment elle était parvenue à échapper à son tortionnaire, mais il ne voulait pas qu'elle revive cette horrible histoire en la lui racontant.

— Tu ne l'as pas sous-estimé, toi, et c'est l'important.

— C'était tout ce que j'avais. Quand Malone m'a kidnappée alors que je rentrais à la maison après ma journée de travail à Next Steps, il m'a pris mon sac et mon téléphone portable. Mais il n'a pas pensé à fouiller mes poches. J'y avais fourré mon flacon de vernis. Ce matin-là, je l'avais emporté au travail parce que je n'avais pas eu le temps de me faire les ongles avant de partir. Dans la journée, je n'en ai pas eu le temps non plus, et il est resté dans ma poche.

— Et tu as eu l'idée de l'utiliser pour te fabriquer une arme.

— Pas tout de suite. Il n'y avait rien dans la pièce, à part ce classeur métallique. J'avais essayé de le soulever en me disant que je pourrais peut-être le lui envoyer à la figure, l'assommer avec, mais ce n'était pas réaliste. J'ai regardé ce meuble pendant des heures avant de prendre conscience qu'il tenait grâce à des boulons et à des écrous, et que je pourrais utiliser les rondelles.

— Mais tu n'avais pas d'outils…

— Non, pas même un couteau en plastique. Malone n'était pas idiot. J'ai dû utiliser mes doigts. J'ai souvent paniqué parce que, à plusieurs reprises, je me suis coupée et que du sang poissait les écrous, m'empêchant de les desserrer. J'avais surtout peur que Malone surgisse et découvre ce que je faisais. Mais à force de patience j'ai réussi à récupérer une dizaine de ces rondelles, et j'ai utilisé le vernis à ongles pour les coller ensemble. Elles formaient ainsi une sorte de pile dure. Ce n'était peut-être pas grand-chose, mais j'ai pensé que cela suffirait.

— Pour ?

— Pour bloquer la serrure. Avant qu'il n'entre dans la pièce où il me retenait prisonnière, je l'entendais remonter le couloir puis introduire une clé dans la serrure d'un verrou pour l'ouvrir. En partant, il le refermait. J'avais dans l'idée de coller ma petite pile de rondelles dans le dispositif.

— Intelligent.

— Je ne sais pas si c'était intelligent, mais je n'avais aucun autre moyen de m'enfuir, et le temps filait. Malone m'apportait parfois à boire, mais jamais à manger. Il utilisait d'ailleurs le classeur métallique dans ce but. Pour y déposer un verre d'eau… Ne trouves-tu pas ce comportement bizarre de sa part ? Il avait l'intention de me tuer mais, en attendant, il veillait à ne pas laisser un verre d'eau sur le sol.

— L'esprit humain échappe parfois à toute logique.

— En tout cas, je m'affaiblissais d'heure en heure et, à en juger d'après les horribles photos des autres femmes qu'il m'avait montrées, il n'était pas difficile de comprendre que mes jours étaient comptés. Mon plan n'était pas parfait, loin de là. Il fallait que, juste avant d'introduire ma pile dans le dispositif, je l'enduise de vernis pour qu'elle tienne bien en place. Et puis, j'espérais que mon petit assemblage serait assez solide pour résister aux assauts de la clé dans la serrure, mais je n'étais sûre de rien. Comme tu vois, il y avait beaucoup d'inconnues, l'une d'elles et non des moindres étant que je devais m'approcher de la porte sans qu'il le remarque.

— Mais tu savais ce que tu avais à faire.

— Oui. Et, dans mon malheur, j'avais la chance d'être confrontée à un homme qui avait ses petites habitudes. Je savais qu'il entrerait dans la pièce et poserait le verre sur le classeur avant de commencer à me photographier. Lorsqu'il était avec moi, il laissait toujours la porte ouverte. Je suis sûre qu'il pensait que si j'essayais de m'enfuir il lui serait relativement facile de me rattraper. Par ailleurs, il aimait me faire prendre une pose particulière. Debout, les mains autour du cou, la tête baissée, pour donner l'impression que je m'étranglais moi-même.

Malone était une véritable ordure.

— Je me suis exécutée, poursuivit-elle. Comme je le faisais toujours. Mais ensuite, j'ai fait semblant de m'étouffer. J'ai commencé à tousser, à tousser à n'en plus finir, jusqu'à être sur le point de vomir. Je savais que Malone craignait plus que tout les infections, les germes, les virus, quels qu'ils soient. En arrivant dans les bureaux de Next Steps, il désinfectait le clavier de l'ordinateur, son téléphone et même les poignées de portes et de fenêtres. Il ne se risquait jamais à prendre ses repas à la cafétéria parce qu'il ne savait pas qui les avait préparés et qu'il avait peur que les conditions d'hygiène ne soient pas respectées. J'espérais qu'il allait craindre que je vomisse sur lui et que, dégoûté, il s'écarterait. C'est ce qui s'est passé. Il est sorti. Pas longtemps, mais ça m'a donné le temps de mettre ma petite pile en place.

— Que s'est-il passé ensuite ?

— Je tremblais si fort que j'arrivais à peine à bouger. Quand il a quitté la pièce, pour de bon, je l'ai entendu glisser la clé dans la serrure comme à son habitude pour verrouiller. Sauf que, cette foi-ci, il n'y est pas parvenu. Ça ne marchait pas. Il a essayé encore, autrement. Tenté de claquer la porte, de forcer la serrure. Comme il n'arrivait à rien, il a regardé dans le trou pour comprendre ce qui se passait. Il a mis son doigt dedans. Peut-être a-t-il senti quelque chose, peut-être pas, je n'en sais rien. Mais il semblait plus agacé que suspicieux à mon égard. Je l'ai entendu s'éloigner, sans doute pour aller chercher une lampe de poche ou une boîte à outils, et j'en ai profité. Je me suis précipitée hors de la pièce, j'ai couru vers la porte de l'appartement, je l'ai ouverte, j'ai dévalé l'escalier de l'immeuble et je me suis retrouvée dans la rue. J'ignorais où j'étais, mais je me rendais compte que je me trouvais dans un quartier pauvre de la ville. Il faisait nuit. Je me suis mise à courir. Comme j'arrivais à un croisement, j'ai fait signe à une voiture. Je suis surprise que le conducteur se soit arrêté, parce que je ressemblais sans doute à une folle échappée d'un asile ou à une clocharde. Mais le vieux couple qui se trouvait dans la voiture a stoppé le véhicule. Ils m'ont fait monter et m'ont ainsi sauvé la vie. Tu connais le reste de l'histoire.

— Sidérant, murmura Chase.

— Malone a dû s'apercevoir très vite que je m'étais sauvée. Peut-être a-t-il essayé de me courir après, de me rattraper. Mais s'il m'a vue monter dans cette voiture, il a compris qu'il n'y parviendrait pas. Il n'était pas difficile pour lui de deviner que j'allais prévenir la police. Alors il a tenté de s'enfuir. La police l'a coincé alors qu'il roulait en direction d'un petit aéroport privé. Il possédait un jet et sans doute avait-il l'intention de quitter le pays. Bien sûr, il a tout nié. Et il s'était montré prudent. Mis à part me donner des coups de pied, il ne m'avait jamais touchée. La police n'a pas retrouvé mon ADN sur lui, uniquement dans l'appartement.

Mais les jurés la croiraient, elle, Chase en était certain. Ils écouteraient son témoignage, celui du couple qui l'avait ramassée sur la route, ceux des policiers qui avaient pris les premiers sa déposition. Les experts en médecine légale leur confirmeraient qu'elle avait bien été enfermée dans cet appartement parce que son sang avait été retrouvé sur le classeur métallique.

Un éclair déchira tout à coup le ciel. Il espéra voir son regard apaisé mais, dans ses yeux, il vit quelque chose d'autre, quelque chose de plus.

Du désir.

— Chase, murmura-t-elle. Reste avec moi.

Pour de multiples raisons, ce n'était pas une bonne idée, il le savait. Cependant, aucune ne comptait. La seule chose qui importait était que Raney, sa tendre Raney avec sa peau douce et ses beaux cheveux, soit dans ses bras.

Il se pencha vers elle, prit ses lèvres. Sa bouche était chaude. Il avait l'impression que, toute sa vie, il avait rêvé d'être embrassé ainsi.

Il prit son visage entre ses mains, caressa du bout des doigts ses joues, ses petites oreilles, son cou gracile. Il ne cessait de l'embrasser, et ces baisers étaient si délicieux qu'il se sentait euphorique. Il flottait littéralement sur un petit nuage.

Dehors, l'orage s'éloignait. Le tonnerre grondait encore au loin, mais le plus dur était passé.

— Raney ? chuchota-t-il, pour lui donner une dernière possibilité de changer d'avis.

Pour toute réponse, elle lui prit les mains et les posa sur ses seins.

Alors il lui fit l'amour. Et quand elle s'envola dans ses bras, il la rejoignit rapidement au septième ciel. Il sentit que cette femme touchait son âme et, quelque part, il comprit que plus rien ne serait comme avant, que plus rien ne serait pareil.

Quand Raney se réveilla, la chambre était plongée dans l'obscurité, et elle avait bien chaud. Chase Hollister la réchauffait plus efficacement qu'une grosse couette.

Il était nu et l'enveloppait de son corps d'homme.

Délicieux.

Faire l'amour avec lui avait été meilleur qu'un fondant au chocolat. Chase était un amant attentif et généreux. Il avait découvert son corps avec ravissement, cherchant ce qu'elle aimait, s'efforçant de la combler.

Elle était déjà folle de lui.

Lorsqu'elle bougea, il l'étreignit plus fort, l'attirant plus étroitement contre lui.

— Ça va ? murmura-t-il. Je ne te fais pas mal ?

— Non, non. J'ai l'impression qu'il ne pleut plus.

— Tant mieux.

Allait-il s'écarter d'elle, se lever ? Avec son ex-mari, le sexe s'était toujours déroulé ainsi. Il la prenait assez rapidement et, à peine avait-il joui, il se laissait retomber sur le dos. Un instant après, il dormait, se moquant totalement de ses désirs, de ses besoins. De son plaisir à elle.

Elle attendit, compta jusqu'à cent.

— Chase ?

— Oui ?

— Je… je ne veux pas que tu te sentes obligé de me câliner dans tes bras. Tout va bien. Vraiment.

Il soupira.

— Tu aimes parler après avoir fait l'amour ?

Aimait-elle cela ?

— Euh… Je ne crois pas.

— Tant mieux. Parler épuise les énergies, et j'essaie de conserver les miennes.

Il la serra plus fort encore contre lui. Il semblait avoir parfaitement récupéré.

— Pour quoi faire ? demanda-t-elle.

Il la retourna pour l'allonger sur le dos avant de couvrir son corps de baisers. Quand il prit la pointe de l'un de ses seins dans sa bouche, elle ne put réprimer un gémissement.

— Pour recommencer, bien sûr.

Cet homme était merveilleux. Beau comme le péché, sexy en diable, et tendre comme elle aimait. Elle lui ouvrit les bras.

— D'accord, dit-elle en souriant. Mais, cette fois, c'est moi qui mène la danse.

11

Le soleil inondait la chambre quand Raney ouvrit les yeux. C'était le matin. Elle se demanda si l'électricité était revenue. Le cordon de la lampe traînait par terre, loin de la prise de courant.

Chase était contre son dos, les jambes mêlées aux siennes, le bras posé sur sa taille, le menton sur sa tête.

Parfait.

— Bonjour, murmura-t-il.

Elle se demanda depuis combien de temps il était réveillé et espéra ne pas avoir ronflé.

— Bonjour, répondit-elle. Quelle heure est-il ?

— Je dirais 7 heures… Prête pour le café ?

— Je suis toujours prête pour un café ! A toute heure.

Il se mit à rire.

— Voilà une fille selon mon cœur.

Une fille selon son cœur ? Etait-elle donc du genre de Chase Hollister ? Son amante, c'était sûr. Mais, selon son cœur ? L'expression sous-entendait quelque chose de plus intime, de plus personnel. Elle n'avait pas beaucoup d'expérience en matière de « lendemains matin ». Après son divorce, elle était sortie avec un homme, mais ils n'avaient jamais passé une nuit ensemble. Ils se retrouvaient dans son appartement, et elle rentrait ensuite chez elle dans la nuit.

Lorsque Chase s'assit sur le lit, elle se mit sur le dos pour pouvoir l'admirer. Il lui avait paru magnifique dans le noir, mais il l'était plus encore à la lumière du jour, avec son dos large et musclé, ses épaules carrées, ses belles fesses. Il se leva soudain comme s'il venait de prendre conscience de sa nudité. Toutefois, avant qu'il ait pu s'enrouler dans le drap, elle eut le temps de voir sa jambe et la cicatrice sur sa cuisse.

— Que t'est-il arrivé ? murmura-t-elle.

Il posa la main sur sa blessure.

— C'est moche, je sais.

— Ce n'est pas la question. Dis-moi ce qui s'est passé.

— Il y a six semaines, j'ai reçu une balle. J'ai eu de la chance qu'elle ne brise pas d'os, mais elle a fait des dégâts au niveau musculaire.

— As-tu subi une opération ?

— Immédiatement. Je perdais beaucoup de sang, il fallait stopper l'hémorragie.

— Et alors que tu es blessé, tu es monté crapahuter sur le toit, dit-elle. C'est de la folie !

Sans parler des mouvements de gymnastique au lit, ajouta-t-elle *in petto*, se sentant coupable.

— Tout va bien. Comme le disait Nietzsche, ce qui ne tue pas rend plus fort.

— Pourquoi ne m'as-tu rien dit de cette histoire ?

Elle s'attendait à ce qu'il lui réponde que ce n'était pas ses affaires. Au lieu de quoi il grommela :

— Je ne voulais pas t'inquiéter, je ne voulais pas que tu aies peur que je ne sois pas capable de te protéger.

Comment avait-il pu imaginer une telle bêtise ?

— Tu fais partie des gens les plus capables que je connaisse, s'empressa-t-elle de dire pour le rassurer.

Après un moment, il s'éclaircit la voix.

— En tout cas, après cette nuit, je ne veux pas qu'il y ait de malentendu entre nous, reprit-il d'un ton neutre qui ne lui permettait pas de deviner ce qu'il ressentait. Ni de malaise.

Que voulait-il dire ? Craignait-il qu'elle ne le laisse plus quitter son lit ? Ou qu'elle le paye pour connaître une autre nuit comme celle qu'ils venaient de vivre ?

Ou redoutait-il qu'elle croie que ce qui s'était passé entre eux signifiait quelque chose pour lui ?

— Il n'y a aucun malaise, assura-t-elle.

Menteuse !

— En es-tu sûre ?

— Absolument.

— Alors je vais préparer le café. Veux-tu que je te fasse griller du pain ?

Elle hocha la tête. Elle voulait surtout qu'il quitte la chambre au plus vite et la laisse un peu seule. Elle avait besoin de recouvrer ses esprits et la maîtrise de la situation.

Ce qui s'était passé cette nuit était sans doute prévisible, inévitable ; ils avaient été attirés l'un par l'autre dès leur rencontre. Et ils n'étaient plus des adolescents mais des adultes majeurs et vaccinés, conscients et capables d'assumer leurs actes.

Elle avait l'impression d'évoquer cela comme une expérience biologique, alors qu'en réalité ce qu'ils avaient partagé avait été incroyablement beau et exaltant.

Chase n'avait pas envie de malaise ou de malentendus entre eux.

Bien sûr, elle pouvait le comprendre.

Il revint avec deux bols de café et une assiette de pain grillé. Il avait enfilé un short.

Elle voulut boire tout de suite une gorgée de café et se brûla la langue.

— Fais attention, dit-il au même instant.

Trop tard… Quelqu'un aurait dû lui recommander la prudence, cette nuit, avant qu'elle ne lui saute dessus.

Ils prirent leur petit déjeuner, puis Chase posa son bol sur la table de chevet. Il se tourna ensuite vers elle et la dévisagea longuement, comme s'il s'attendait à ce qu'elle le bombarde de questions.

Elle lui sourit.

— Tu ferais mieux d'aller travailler dehors pendant que je m'attaque aux murs de la cuisine.

Peu avant midi, Chase vit arriver deux véhicules, deux 4x4 identiques à celui qu'il conduisait jusqu'à la veille. Il posa le grattoir avec lequel il décapait la peinture du porche.

Il avait changé d'activité après être monté sur le toit pour évaluer les dégâts provoqués par la tempête. Heureusement, ils n'étaient pas énormes. La veille, il avait fini de retirer les vieilles tuiles. Et juste avant que Raney l'appelle pour dîner, comme il se doutait qu'il allait pleuvoir, il avait couvert la charpente de grandes bâches que le gendre de Fitzler lui avait fournies.

Il aurait sans doute pu commencer à poser les nouvelles tuiles ce matin mais, curieusement, il ne se sentait pas assez d'aplomb pour aller se percher à dix mètres au-dessus du sol.

Pour employer une expression un peu cliché, Raney Taylor avait bouleversé son univers. Elle s'était montrée si chaude et si douce dans ses bras ! Et quand il avait voulu lui refaire l'amour et qu'elle lui avait proposé de mener la danse, de prendre la direction des opérations, il s'était dit qu'elle pouvait l'emmener où elle le souhaitait. Que ce soit au bout du monde ou même en enfer, il la suivrait. Il leur suffisait de rester couchés pour toucher le ciel.

Il ne regrettait rien de ce qui s'était passé, bien au contraire. Jamais il ne s'était senti aussi heureux qu'avec Raney blottie contre lui dans le noir. Il avait encore l'impression de flotter sur un petit nuage.

Ce matin, quand elle avait découvert sa cicatrice, il avait vraiment eu peur qu'elle soit révulsée, voire terrifiée, d'être avec un homme blessé alors qu'elle-même avait tant besoin d'être protégée. Mais non. Elle était vraiment parfaite.

En revanche, elle l'avait laissé se débrouiller pour trouver un commentaire après cette fabuleuse nuit d'amour. Craignant de l'effrayer, il avait décidé de dire qu'il espérait que ce qui venait de se passer ne compliquerait pas leurs relations, alors qu'il aurait été plus simple — et plus honnête — de lui avouer qu'elle le rendait fou.

Ensuite, il s'était esquivé pour aller travailler à l'extérieur, mais il était resté à proximité. Au cas où elle aurait voulu passer la tête par la fenêtre pour discuter un moment ou pour l'embrasser… Mais elle n'était pas sortie. Et maintenant, il allait devoir affronter son coéquipier et le chef de la police. Le plus difficile serait de leur faire croire qu'il ne s'était rien passé.

Il essuya son front moite de sueur et s'efforça de paraître décontracté. Il avait son arme à la ceinture, cachée sous sa chemise. Lorsque le premier 4x4 entra dans la cour, il se détendit un peu en voyant Dawson au volant. Son coéquipier mit pied à terre, promena les yeux autour de lui et posa les poings sur les hanches.

— D'après mon GPS, cette route n'existe pas.

Chase sourit.

— Alors comment m'as-tu retrouvé ?

— Je t'ai appelé sur ton portable, mais tu n'as pas répondu. Alors je me suis arrêté au restaurant du village. Une magnifique rouquine m'a indiqué comment arriver jusqu'à ton repaire. Alors, comment vas-tu ? Et comment va Lorraine ?

— Elle… va bien.

L'autre véhicule se gara à son tour et le chef de la police en sortit.

En des circonstances ordinaires, Bates n'aurait jamais perdu deux heures de son temps pour amener une voiture. Mais la situation n'avait rien d'ordinaire. Le témoignage de Raney était capital. Pour l'enquête. Pour le chef Bates. Pour la justice.

Chase lui serra la main.

— Merci pour le 4x4, dit-il.

— Pas de problème. Nous n'allons pas rester longtemps, mais j'aimerais m'entretenir un instant avec Lorraine à propos de l'accident dont elle a été victime hier.

Chase faillit refuser. Il ne voulait pas qu'elle ait à revivre ce drame en le racontant.

— Elle est à l'intérieur.

Il ne savait pas exactement ce qu'elle faisait. Peut-être était-elle remontée se coucher. Ils n'avaient pas beaucoup dormi, la nuit dernière.

Il leur tint la porte ouverte.

— Raney ! cria-t-il en entrant.

Elle sortit de la cuisine. Elle portait le même jean que la veille, avec un T-shirt blanc cette fois.

— Oui ?

Elle s'arrêta net à la vue de Dawson et du chef Bates.

— Bonjour, messieurs, dit-elle enfin.

— Bonjour, Lorraine, répondit Dawson.

— J'ai été navré d'apprendre que vous avez été victime d'un accident, ajouta Bates.

Elle hocha la tête.

— Et moi, je suis désolée d'avoir endommagé le 4x4 et de vous avoir obligés à venir jusqu'ici nous amener un autre véhicule.

— Ce n'est pas l'important, répondit le chef. Accepteriez-vous de me raconter ce qu'il s'est passé ?

Sa requête ne la surprit pas. La veille, elle avait entendu Chase résumer l'incident à Dawson, au téléphone. Il était logique qu'il l'ait rapporté au chef.

— Bien sûr.

Elle leur expliqua comment elle s'était rendue en ville, s'était arrêtée au café pour prendre un thé glacé puis était repartie, quand une voiture avait surgi derrière elle.

— A quel moment avez-vous remarqué ce véhicule ? l'interrompit Bates.

Elle déglutit avec difficulté.

— Peu de temps avant qu'il essaie de me doubler.

— D'accord, continuez.

— Lorsque le conducteur a déboîté, j'ai cru qu'il allait me dépasser. Mais, quand il est arrivé à ma hauteur, il m'a heurtée, volontairement. Je crois vraiment qu'il cherchait à me faire quitter la route. Malheureusement, je n'avais pas bien réalisé à quel point la voie était étroite ni, surtout, qu'un ravin se trouvait là. D'instinct, j'ai cherché à éviter le choc.

— Avez-vous vu le conducteur ? aboya le chef.

Chase se mit derrière elle. Il vit l'expression de surprise qui passa dans les yeux de Dawson, mais il l'ignora. Bates était peut-être le chef, mais il n'avait pas à faire peur à Raney.

— Je l'ai vu, oui. Mais pas de façon très utile.

Si le chef l'impressionnait, elle parvint à ne pas le montrer. Elle repoussa sa chaise et alla se chercher un verre d'eau en prenant son temps. Elle serait un témoin hors pair.

Elle se rassit.

— J'ai vu ses mains et j'ai aperçu son visage de profil. Il portait la barbe, mais dissimulait ses traits sous une capuche. Et tout est allé très vite. Dès que je suis sortie de la route, j'ai compris que j'étais en mauvaise posture et je me suis concentrée sur le volant.

— Vous pensez que ce type vous a emboutie sciemment, délibérément ? insista le chef.

— Oui, j'ai vraiment eu l'impression qu'il a donné un violent coup de volant pour m'envoyer dans le décor. De plus, alors qu'il s'est forcément aperçu que j'avais quitté la route et que je filais vers le ravin, il ne s'est pas arrêté.

Pendant un long moment, Bates resta silencieux. Finalement, il se leva.

— Bien, je suis heureux que vous vous en soyez bien sortie. Il nous faut repartir, inspecteur, dit-il à Dawson.

Il serra la main de Raney, et salua Chase d'un mouvement de menton en lui indiquant la porte.

Chase comprit qu'il voulait lui parler dehors.

Ils approchaient des véhicules quand le chef se tourna vers lui.

— Cette histoire m'inquiète. Qu'en pensez-vous, inspecteur Hollister ?

— Elle a eu de la chance de s'en tirer sans une égratignure, c'est certain. Nous avons tous eu beaucoup de chance. Mais rien ne nous permet de penser que Harry Malone sait qu'elle est ici, n'est-ce pas ? Alors gardons notre sang-froid. D'autant que la police d'ici ne nous serait d'aucune utilité et qu'il me serait impossible d'enquêter sans éveiller les soupçons. Je crois que nous avons toutes les raisons de nous féliciter d'avoir eu l'idée de la cacher à Ravesville, que Malone et ses hommes ne peuvent se douter de sa présence, et qu'il faut la laisser ici. Je ne la quitterai plus des yeux. Elle n'ira nulle part sans moi et je ne la laisserai jamais seule, comptez sur moi.

Le chef hocha la tête.

— Je pense que vous avez raison. Je l'espère, surtout.

Alors qu'il s'apprêtait à remonter en voiture, il s'interrompit.

— Cela vous ennuie-t-il que j'utilise vos toilettes avant de partir ?

Avait-il l'intention de retourner à l'intérieur pour ennuyer Raney ? se demanda Chase.

Mais il ne pouvait pas refuser.

— La salle de bains se trouve à l'étage. La première porte à droite.

Il lui emboîtait le pas quand Dawson le tira par le bras.

— Qu'y a-t-il ? demanda Chase.

— Je crois que c'est plutôt à moi de te poser la question ! Que se passe-t-il dans cette maison ?

Chase ne répondit pas. Comme le silence se prolongeait, son coéquipier poussa un gémissement.

— Oh non ! Je le savais ! As-tu perdu la tête ou quoi ? C'est notre témoin !

Chase serra les dents en s'efforçant de se souvenir que Dawson était son meilleur ami.

— Je le sais. Et je sais ce que je fais, répliqua-t-il.

— Rentre à St Louis et laisse-moi avec elle, dit Dawson. C'est moi qui m'occuperai de sa protection.

— Ne sois pas ridicule ! Ta femme n'est-elle pas sur le point d'accoucher ?

Son coéquipier hocha la tête.

— Oui, mais je m'inquiète pour toi. Lorraine a vécu l'enfer. Peut-être ne sait-elle plus très bien où elle en est. Peut-être se sert-elle de…

Bates sortit alors de la maison en claquant la porte.

— De toi, termina Dawson.

Lorsque le chef les rejoignit, Dawson ouvrit le coffre rempli des armes que Chase avait demandées. Des fusils, des revolvers et des chargeurs en pagaille. Les trois hommes les portèrent sous le porche.

Ils retournèrent ensuite à la voiture et Bates s'installa au volant. Dawson adressa un clin d'œil à Chase avant de monter à son tour.

Chase regarda leur 4x4 s'éloigner et disparaître dans le lointain.

Il allait protéger Raney, il ne la quitterait pas des yeux.

Raney alla à la fenêtre pour voir Chase dire au revoir à son coéquipier et au chef Bates. Il n'était pas midi, et elle avait déjà envie de monter pour une petite sieste.

Ce matin, elle était restée au lit un moment quand Chase était descendu travailler dehors. Elle avait enfoui la tête entre les draps pour s'enivrer de son odeur, de *leur* odeur.

Faire l'amour avec Chase avait été magique. Et plus encore.

Ce n'était pas la blonde ou la brune Raney qui s'était retrouvée dans ses bras. Mais Raney, tout simplement. Elle n'avait plus envie de comploter ou de réfléchir à la meilleure façon de se comporter avec lui. Elle avait envie de laisser les choses se faire.

Et se répéter. Encore et encore.

Lorsqu'elle s'était enfin levée, douchée et habillée, et qu'elle était descendue, elle l'avait entendu travailler sous le porche. Elle l'avait observé de loin sans trouver le courage d'ouvrir la porte, d'aller lui parler.

Elle voulait qu'il sache qu'elle ne lui demandait pas de recommencer, qu'elle ne lui demandait rien, en vérité. Qu'elle ne cherchait pas à lui passer la corde au cou, qu'elle comprenait que les circonstances les avaient jetés dans les bras l'un de l'autre, mais qu'elle n'en tirait aucune conclusion.

Elle voulait qu'il sache que faire l'amour avec lui avait été merveilleux.

Quand, tout à l'heure, elle l'avait entendu l'appeler en ouvrant la porte de la maison, elle s'était précipitée, ravie qu'il ait enfin envie de lui parler. Elle avait été surprise de le voir accompagné de son coéquipier et de son chef.

Bates lui avait paru un peu brusque, mais sans doute était-ce lié à son métier. Elle préférait s'adresser à quelqu'un qui s'intéressait trop au problème qu'à quelqu'un comme Gary Blake, qui s'en moquait totalement.

Et avoir Chase avec elle changeait tout. Lorsqu'il s'était posté derrière elle, elle avait senti sa force. Il lui avait communiqué une assurance qu'elle n'avait pas un instant plus tôt et, soudain, ce que pouvait dire le chef ne l'impressionnait plus.

Le seul moment où elle avait été mal à l'aise avait été celui où les trois hommes avaient discuté près des voitures. Manifestement, il s'agissait d'une conversation à laquelle ils préféraient qu'elle ne participe pas. Elle devinait qu'ils s'interrogeaient pour savoir si la laisser à Ravesville était ou non une bonne idée.

En voyant le chef revenir, elle s'était préparée à de mauvaises nouvelles. Elle avait du mal à se rappeler que, quelques jours plus tôt à peine, elle se plaignait auprès de l'officier Vincenze. Elle lui avait dit qu'elle n'avait aucune envie de venir s'enterrer dans ce coin perdu. A présent, elle ne pouvait s'imaginer quittant ce village, cette maison.

Cette belle demeure avait besoin d'eux, elle le sentait.

Elle s'était détendue en se rendant compte qu'il montait simplement aux toilettes et avait compris qu'elle allait rester ici.

La porte s'ouvrit et Chase entra.

— Ça va ? demanda-t-il.

Elle hocha la tête.

— J'aime bien ton coéquipier. Il émane de lui quelque chose de calme et de compétent.

Chase sourit.

— Il s'inquiète pour moi.

— Pourquoi ? fit-elle, étonnée.

— Parce qu'il a senti que quelque chose avait changé entre nous deux.

Elle devinait que ce n'était pas exactement ce que l'inspecteur Roy avait dit. Lorsqu'elle travaillait à Next Steps, elle entendait parfois ses collègues hommes parler de femmes entre eux. Chase et son coéquipier avaient sans doute un vocabulaire plus riche et plus respectueux mais, sur le fond, il ne devait guère y avoir de différence.

— Je suis désolée, répondit-elle simplement.

Il secoua la tête.

— Pas moi. Je ne regrette rien. Que ce soit bien clair.

Elle se sentit fondre.

— Nous sommes deux adultes consentants.

— Tu es fragile. La situation te rend vulnérable, remarqua-t-il, essayant de donner raison à Dawson.

Elle songea à ce que la blonde Raney dirait et s'aperçut que la brune n'aurait pas dit autre chose.

— J'avais envie de toi, dit-elle avec sincérité.

Il serra les mâchoires.

— Tu en parles au passé ?

Elle planta son regard dans le sien.

— J'ai toujours envie de toi. Au présent.

Il lui prit la main pour l'entraîner à l'étage.

12

Ils passèrent l'après-midi à faire l'amour et à dormir. Leurs étreintes furent moins frénétiques que la nuit précédente et, lorsqu'elle le laissa mener la danse, il sentit qu'il parvenait à se maîtriser. Mais, quand elle le prit dans sa bouche, il crut exploser.

Après avoir touché le ciel, ils restèrent un long moment blottis l'un contre l'autre, en petites cuillères.

— J'aime bien quand tu me serres contre toi comme ça, dit-elle.

— C'est un réflexe de survie, répondit-il avec un petit sourire en coin. Si je te laissais faire, tu prendrais toute la place.

— Pas du tout ! protesta-t-elle.

— Tu dors en travers du lit quand tu es seule. En te tenant comme ça, je t'empêche de trop t'étaler, et tout le monde est content.

Elle resta un long moment silencieuse et il crut qu'elle s'était assoupie. Puis elle mêla ses doigts aux siens et dit :

— Je veux que tu saches que je n'ai pas été aussi heureuse depuis très longtemps. Pourtant, hier encore, quelqu'un a tenté de me faire du mal, peut-être de me tuer. Mais je n'ai jamais été aussi heureuse.

— C'est pareil pour moi, reconnut-il.

Même s'il s'était senti très mal lorsqu'il avait vu son 4x4 renversé…

Depuis des années qu'il travaillait dans la police, il

avait, comme tous les policiers, souvent été appelé sur des lieux d'accidents. Et certains étaient horribles. Lorsque les membres de la famille, les proches des victimes arrivaient, il avait vu leurs larmes, leur angoisse. Il avait cru comprendre alors ce qu'ils éprouvaient. Maintenant, il en était moins sûr.

Il avait été surpris de ressentir une telle terreur viscérale.

Il lui embrassa la nuque.

— J'ai demandé à Dawson de mener discrètement une petite enquête pour dresser la liste des 4x4 noirs, gris froncé ou bleu marine conduits par des hommes dans un rayon de trente kilomètres autour de Ravesville. Je ne pense pas que Gary Blake ait l'intention de le faire.

— Merci, dit-elle. Maintenant, je vais descendre préparer le dîner.

Il prit son sein au creux de sa main, en excita la pointe du bout du pouce, et la serra plus étroitement contre lui, contre son érection.

— Tu as faim ? demanda-t-il.

Elle se retourna entre ses bras pour l'embrasser à pleine bouche.

— Très, murmura-t-elle.

Quand il la mit sur le dos et la pénétra d'un coup de reins, elle poussa un soupir de plaisir.

— Le dîner attendra, décida-t-elle.

Le lendemain, Chase remonta sur le toit pour se remettre sérieusement au travail. Vers 3 heures de l'après-midi, il vit le camion de Gordy Fitzler s'engager sur le chemin et descendit l'accueillir.

Le vieil homme lui serra la main.

— J'ai entendu dire que ta femme a été victime d'un accident, hier, dit-il. J'espère qu'elle va bien.

— Oui, merci de vous en inquiéter.

— Elle a eu de la chance.

Chase se souvint alors de ce qu'il avait dit en discutant pour la première fois de Lorraine Taylor avec Dawson. Qu'elle avait eu de la chance. Mais cette chance ne risquait-elle pas de finir par tourner ?

— Tu avances bien, poursuivit Gordy.

— J'ai du bon matériel, ce qui me facilite la tâche.

Il s'exprimait comme si son travail consistait à poser correctement des tuiles, mais il savait que sa véritable tâche était de veiller sur Raney.

— Je suis heureux de la façon dont mon gendre et ma fille ont repris l'entreprise familiale, reprit Gordy. A ce sujet, il se trouve que je fête aujourd'hui mes soixante-quinze ans. Mes filles ont organisé une petite fête, ce soir, au Wright Here Wright Now Café. Comme je leur ai dit t'avoir vu, elles m'ont chargé de vous inviter, Raney et toi. Je sais que l'invitation est un peu tardive, mais ça me ferait vraiment plaisir que vous soyez là.

Gordy Fitzler avait joué un rôle majeur dans sa vie, et Chase avait très envie de se rendre à cette fête. La pensée que, la veille, quelqu'un avait tenté d'envoyer Raney dans le décor le traversa, mais il serait avec elle, à ses côtés. Et elle aimait sortir.

— Nous serons ravis d'être des vôtres, répondit-il.

Un grand sourire éclaira le visage de Gordy. Il retira sa casquette pour essuyer d'un revers de main la sueur de son front.

— 18 heures. J'espère que vous aurez faim. J'ai entendu dire que les sœurs Wright avaient prévu un menu spécial. Et, surtout, pas de cadeau. J'ai des enfants et des petits-enfants, je ne souhaite rien d'autre.

*
* *

Il y avait quelque chose de réconfortant à entendre Chase travailler sur le toit avec son pistolet à clous, songea Raney. *Tap, tap, tap. Tap, tap, tap…*

Elle se mit à l'ouvrage avec énergie, remerciant *in petto* Chase de lui avoir fourni de grands sacs-poubelle. Même s'il semblait bizarre de jeter les affaires de quelqu'un d'autre, ce travail se révélait finalement moins difficile qu'elle l'avait pensé. Si elle tombait sur quelque chose qui pouvait peut-être être utile à quelqu'un, elle le mettait de côté. Sinon, poubelle. Et, en définitive, tout ou presque était à jeter.

Lorsqu'elle entendit la porte d'entrée s'ouvrir, elle regagna rapidement la cuisine. Elle se préparait une tasse de thé quand Chase entra.

— Tout va bien ? demanda-t-il.

— Très bien. Et ton toit ? Il avance ?

— Lentement mais sûrement.

Il repéra les cookies qu'elle avait sortis du four un quart d'heure plus tôt.

— Je peux ? dit-il en en prenant un.

— Ils sont peut-être encore chauds.

Il ouvrit le réfrigérateur pour se servir un grand verre de lait, avant de porter le cookie à sa bouche.

— Délicieux !

Elle sourit. Jusqu'ici, il semblait adorer tout ce qu'elle cuisinait.

— Gordy Fitzler est passé il y a un instant, poursuivit-il.

— Pour jeter un œil sur ton toit ?

— Sans doute, mais surtout pour nous inviter à fêter son anniversaire ce soir au Wright Here Wright Now Café. Ses filles ont tout organisé et comptent sur nous.

— C'est sympa de leur part.

— J'ai pensé que nous pourrions y aller, si tu n'as pas d'autres projets.

Depuis quelque temps, elle n'avait plus vraiment la possibilité de faire des projets, mais elle ne releva pas.

Pour la première fois depuis qu'elle le connaissait, elle avait l'impression que Chase hésitait. Etait-ce parce qu'ils avaient fait l'amour ?

— Je n'ai rien de prévu, répondit-elle. Serai-je en sécurité, à cette fête ?

— Je ne t'en aurais pas parlé si je n'en étais pas certain.

— Nous n'avons pas de cadeau.

— Il a dit qu'il n'en voulait pas.

Elle réfléchit un instant.

— Peut-être pourrions-nous faire un don à une association en son nom, une association défendant une cause qui lui tient à cœur.

Chase n'y avait même pas pensé.

— Il a toujours soutenu l'association sportive de Ravesville. Quand j'étais lycéen, il avait fait un don pour permettre à la ville de financer une piscine afin que les gosses puissent se baigner l'été.

— Eh bien voilà ! Ça me paraît parfait.

— Pouvons-nous discuter un instant des consignes de sécurité ?

— Quelles consignes de sécurité ?

— L'important est de prévoir, de ne pas être pris au dépourvu. Tu devras rester en permanence dans mon champ de vision. En clair, il n'est pas question par exemple que tu sortes de la salle, sous aucun prétexte, si je ne suis pas avec toi. Si tu as besoin d'aller aux toilettes, je t'y accompagnerai pour m'assurer qu'il n'y a aucun danger.

— Je sais que nous sommes censés être de jeunes mariés, mais ne crains-tu pas que les gens nous trouvent un peu trop fusionnels ?

— Je m'arrangerai pour que personne ne remarque que je ne te quitte pas des yeux.

Sans doute sous-estimait-il la façon dont toutes les femmes de la ville épiaient ses faits et gestes, songea-t-elle. Il était si séduisant, si viril.

— D'accord. Je veille à rester dans ton champ de vision en permanence. Mais j'avoue que je suis un peu déçue…

— Pourquoi ? demanda-t-il, déconcerté.

Elle soupira.

— Eh bien, j'espérais que nous n'aurions pas que des contacts visuels, ce soir.

En riant, il la prit dans ses bras.

— Ne t'inquiète pas. Dès que Gordy aura soufflé ses bougies et que le gâteau sera servi, nous rentrerons pour nous rapprocher plus étroitement.

Un peu moins de trois heures plus tard, Chase attendait Raney dans le salon. Elle était contente de se rendre à cette soirée d'anniversaire, il le savait. Il n'avait pas oublié que, depuis des semaines, elle vivait enfermée dans des résidences sécurisées. Cette petite sortie lui procurait certainement un agréable sentiment de liberté.

Lorsqu'il était rentré, une demi-heure plus tôt, elle venait de finir de peindre la porte de la cuisine. Il n'avait jamais vu de peintre plus lent. En trois heures, il passait au rouleau une pièce entière, alors que Raney, dans le même laps de temps, ne peignait qu'un pan de mur. Qu'elle préfère prendre son temps n'avait toutefois rien de gênant.

Il avait sorti des vêtements propres et était monté se doucher. Curieusement, même s'ils dormaient dans le même lit, il n'osait pas encore se promener nu devant elle ; cela lui semblait prématuré. Sans doute devraient-ils en parler mais, pour le moment, ni l'un ni l'autre n'avaient souhaité mettre le sujet sur le tapis.

Il connaissait l'origine de ses propres réticences. Il était en proie à un conflit intérieur. Il aimait Raney. Il l'aimait énormément, mais il la soupçonnait de désirer ce que la plupart des femmes désiraient : quelqu'un qui s'engagerait sur le long terme avec elle, qui lui passerait la bague au doigt. Or, il n'était pas de l'étoffe dont on faisait les maris et fatalement, tôt ou tard, il allait la décevoir.

Il ne comprenait pas bien pourquoi, contrairement à la plupart des femmes, elle ne semblait pas vouloir parler d'avenir. Elle avait été mariée, ce qui signifiait qu'elle croyait à l'institution du mariage. Lorsqu'elle évoquait son divorce, elle ne paraissait pas particulièrement en colère ou triste. En bon inspecteur, il cherchait donc des indices pour comprendre ce qu'elle attendait mais, jusqu'ici, elle cachait bien son jeu.

Quand elle descendit, il resta un instant bouche bée. Elle était ravissante. Bien qu'elle ne soit pas particulièrement grande, elle avait de longues jambes fuselées, mises en valeur par une jupe noire étroite. Et il rêvait de déboutonner son petit corsage, noir lui aussi.

— Tu es très belle, dit-il.

— Tu n'es pas mal non plus.

Il portait un pantalon kaki et une chemise à manches longues qui dissimulait un revolver à sa ceinture.

— Dans combien de temps devons-nous partir ? demanda-t-elle.

Il consulta sa montre.

— Nous avons encore quelques instants.

— Tant mieux. Parce que… j'ai quelque chose à te dire.

Aussitôt, il imagina le pire. Elle allait lui expliquer qu'elle avait réfléchi, que ce qui s'était passé entre eux avait été une erreur, et qu'elle préférait en rester là. Une énorme vague de déception s'abattit sur lui.

— D'accord.

Il se laissa tomber sur le canapé et l'invita à s'asseoir près de lui. Bien sûr, il était dépité, mais il survivrait.

Elle s'éclaircit la voix.

— L'autre jour, j'ai vu quelque chose, qui me pèse depuis, et j'aimerais mieux t'en parler.

Elle ne faisait certainement pas allusion à sa blessure à la cuisse. Ils en avaient déjà discuté, et…

— J'aurais sans doute dû le faire tout de suite, mais la personne concernée n'a manifestement aucune envie de se confier sur le sujet et je respecte ses secrets.

Chase était complètement perdu. Elle paraissait sincèrement inquiète et n'était de toute évidence pas sûre de devoir en discuter avec lui. Elle avait besoin d'y réfléchir. Il garda donc le silence pour lui en laisser la possibilité.

— Lorsque j'étais au café, l'autre jour, avant l'accident, Summer passait l'éponge sur une table. Dans le mouvement, son corsage est sorti de sa jupe et j'ai vu le bas de son dos. Il était couvert de gros bleus, énormes. Ils dataient de plusieurs jours, peut-être plusieurs semaines ; ils viraient déjà au jaune. Il se trouve que je suis devenue experte pour repérer les différents stades d'un hématome…

Il sentit son estomac se nouer.

— Qu'as-tu dit ou fait ?

— Rien. Sheila était là, et je ne voulais pas qu'elle entende la conversation. D'autant que j'ai bien senti que Summer aurait préféré que je n'aie rien vu. Elle n'avait pas envie d'en parler.

— Elle a pu se faire des bleus de mille façons différentes. Par exemple, accidentellement.

— Je sais. Et c'est la raison pour laquelle je n'ai rien dit. Mais… ces bleus ressemblaient beaucoup à ceux que Harry Malone m'avait faits avec sa chaussure. Et je ne peux pas m'empêcher de penser que quelqu'un bourre Summer de coups de pied.

La photo de Raney qu'il avait vue dans le dossier lui revint en mémoire. Sur ce cliché, elle était couverte de bleus, de marques de coups, et elle semblait épuisée. Elle n'avait pas mérité d'être ainsi maltraitée. Aucune femme ne le méritait. De plus, il se sentait proche de Summer ;

son frère avait failli l'épouser. Qu'est-ce que Bray aurait voulu qu'il fasse ?

La réponse s'imposa à lui. Bray risquait sa vie tous les jours pour que des gamins ne meurent pas d'une overdose.

— Je lui parlerai, dit-il. Ce soir.

Raney secoua la tête.

— Non, c'est à moi de le faire. Mais je voulais te mettre au courant parce que, si elle a des ennuis, nous aurons sans doute besoin de ton aide.

Les deux sœurs Wright étaient de service pour cette soirée d'anniversaire. Coiffée d'une toque de chef et armée d'un grand couteau, Trish s'affairait en cuisine. Elle découpait la viande et préparait les plats avec entrain, visiblement ravie de régaler des amis.

Summer accueillait les invités avec, à côté d'elle, un garçon de quatorze ans qui avait l'air de s'ennuyer à mourir et une fillette de cinq ans peut-être qui ne tenait pas en place tant elle était excitée. Il n'était pas difficile de deviner qu'il s'agissait de ses enfants. Même grain de peau, mêmes yeux en amande. Mais le garçon était brun et sa petite sœur blonde.

Il était logique qu'elle les ait emmenés. Summer était une mère célibataire qui, en général, ne travaillait pas le soir ; elle ne pouvait laisser sa progéniture seule à la maison.

Une pancarte annonçant « Fermé pour cause d'anniversaire » était accrochée sur la porte, mais Raney se dit que cela n'avait pas d'importance. A en juger d'après la foule présente, tous les habitués du restaurant figuraient sur la liste des invités.

Des guirlandes lumineuses avaient été accrochées au plafond. Quant aux tables, elles étaient couvertes de nappes blanches, de bouquets de fleurs, et de bougies.

Les deux sœurs avaient aménagé une petite piste de danse dans un coin de la salle.

Il ne s'agissait pas d'une grande réception somptueuse comme elle en avait vu à New York, mais d'une petite fête chaleureuse telle qu'il y en avait dans les petites villes de province.

Elle adorait cette ambiance.

M. Fitzler et ses deux filles vinrent vers eux pour les saluer. Lorsque Chase la présenta aux deux femmes, elles parurent sincèrement ravies de faire sa connaissance.

— Merci de nous avoir invités, dit-elle.

— Chase fait pratiquement partie de la famille, expliqua Reneta, l'aînée des filles de Fitzler. Il est le fils que papa n'a jamais eu, ajouta-t-elle. Venez à notre table, cela nous ferait tellement plaisir !

Ce n'est qu'une fois assise que Raney aperçut Gary Blake à l'autre bout de la salle. Il n'était pas en uniforme et avait une bière à la main. Il était entouré de deux hommes qui parlaient haut et fort, mais il ne regardait pas ses compagnons. Il promenait les yeux sur l'assistance comme s'il cherchait quelqu'un. Au début, elle pensa qu'il cherchait son ex-femme et leurs enfants, mais ce n'était pas le cas. Il fixait souvent la porte.

Elle se pencha vers Chase.

— Tu as vu Gary Blake ?

— Oui. Veux-tu un peu de vin ?

— Avec plaisir.

Chase l'avait évidemment repéré. Il savait sans doute exactement qui était là.

Il lui servit un verre de vin blanc et prit de l'eau pour lui. Puis ils allèrent faire la queue au buffet. Ils garnirent leurs assiettes de rôti de bœuf, de pommes de terre, et de salades variées, puis retournèrent à leur table.

Raney était en train de se régaler quand la porte s'ouvrit sur Sheila ; elle était seule. Raney vit les filles de Gordy échanger un regard. Elles n'étaient manifestement pas enchantées de voir la nouvelle venue.

Reneta se pencha vers Chase.

— Tu te souviens de Sheila, n'est-ce pas, Chase ?

— Oui.

Imperturbable, il ne laissait rien paraître de ses pensées.

— C'est une bonne cliente, expliqua Reneta. Elle possède la moitié des commerces de Ravesville, et elle fait toujours appel à nous quand elle a besoin de faire réparer les toits. Mon mari a pensé qu'il valait mieux l'inviter.

Le message sous-entendu était clair. Si les filles avaient été seules à décider, elles ne l'auraient pas conviée à l'anniversaire de leur père.

Raney regarda Summer offrir un verre de vin à Sheila, qui en but une gorgée et grimaça comme s'il était bouchonné. Summer l'ignora.

Elle décida de faire la même chose, d'ignorer Sheila Stanton. Se tournant de l'autre côté, elle engagea la conversation avec Jonah, le mari de Reneta, qui avait repris l'affaire familiale. Très vite, elle parvint à le convaincre de recevoir Keith pour un poste d'employé de bureau que l'entreprise avait besoin de pourvoir.

Chase, qui avait entendu la conversation, lui murmura à l'oreille :

— Je croyais que son objectif était d'ouvrir son propre restaurant. Je ne vois pas très bien le rapport.

— Keith est très bon serveur, mais s'il veut un jour monter sa boîte il doit apprendre à maîtriser également les aspects administratifs du métier. Il peut le faire dans des sociétés très diverses, y compris chez un couvreur. D'autant qu'il a envie de rester dans la région et qu'il n'y a pas énormément d'offres d'emploi par ici. S'il décroche ce poste, ce sera gagnant-gagnant. Il pourra se former et mettre de l'argent de côté. Ses économies lui permettront plus tard de contracter un emprunt. Et la société Fitzler aura embauché un employé sérieux, motivé, prêt à prendre des responsabilités.

— Tu es très intelligente, dit-il.

Elle se sentit rougir.

— Non, pas tant que cela.

Son regard se posa soudain sur Sheila Stanton, assise à une table de l'autre côté de la salle. Elle avait repoussé ses cheveux derrière l'oreille et Raney voyait son profil, son menton.

— Mon Dieu ! s'exclama-t-elle.

— Quoi ? demanda Chase.

Elle vit qu'il cherchait son arme et posa la main sur son bras pour le tranquilliser.

— Calme-toi, Chase. Je crois que c'était Sheila qui conduisait la voiture qui m'a envoyée dans le décor, l'autre jour.

Il cilla.

— Tu disais qu'il s'agissait d'un homme.

— Je sais, je le pensais. Mais j'avais vu son profil, son menton. Et je suis certaine maintenant que c'était Sheila.

13

Chase se félicita de ne pas avoir pris une goutte d'alcool. Autrement, il aurait peut-être été malade tant les révélations de Raney lui donnaient le tournis. Etait-il possible que Sheila ait provoqué l'accident ?

Lorsqu'elle avait quitté la supérette, le jour où il l'y avait croisée, le lendemain de leur arrivée, il avait vu sa voiture. Elle conduisait un 4x4 noir.

Aurait-elle pu faire une chose pareille ? C'était de la folie ! Leur histoire remontait à plus de dix ans ! Entre-temps, elle s'était mariée puis avait divorcé. Quant à lui, il était maintenant marié, ou du moins le croyait-elle. Elle n'imaginait certainement pas qu'ils pourraient se remettre ensemble !

Puis il se souvint que, lorsqu'il avait emménagé à St Louis avec son frère, Cal avait affirmé l'avoir aperçue à plusieurs reprises traînant près de leur immeuble. Il se remémora également la lettre anonyme qu'il avait reçue, sans parler du fait qu'elle avait attendu des heures sur le parking de la supérette qu'il vienne y faire ses courses.

— Reste ici, ordonna-t-il à Raney.

Sheila demandait un verre de vin quand il s'approcha d'elle.

— Chase ! Je suis ravie de te voir.

— Puis-je te dire un mot ? demanda-t-il, surpris de s'exprimer si calmement alors qu'il mourait d'envie de lui tordre le cou.

Si Raney avait raison, elle avait pris le temps de se déguiser, de camoufler son visage, de se coller une fausse barbe avant de prendre le volant pour provoquer une collision et l'envoyer dans le ravin. Ce qui signifiait que le crime avait été prémédité. Et qu'elle était sans doute très dangereuse.

— Bien sûr, répondit-elle d'une voix enjôleuse. Aimerais-tu que nous allions faire un tour dehors ? La nuit est si belle.

Il ne voulait pas quitter Raney des yeux.

— Non, nous sommes très bien ici, dit-il en s'asseyant à côté d'elle de façon à pouvoir voir Raney.

Il dévisagea Sheila un moment avant de lancer :

— Ma femme a été victime d'un accident de la route, l'autre jour.

— Je l'ai entendu dire, oui. Comment va-t-elle ?

— Elle va bien… Un 4x4 noir l'a emboutie sciemment pour la sortir de la route.

— Vraiment ?

Elle était très forte, songea Chase. Elle ne paraissait même pas nerveuse.

— Et tu conduis un 4x4 noir, non ?

— Oui, et j'adore cette voiture.

Elle but une gorgée de vin avant d'ajouter :

— As-tu ce genre d'échange avec tous ceux et celles qui ont un 4x4 noir ? Ou uniquement avec moi ?

Elle s'exprimait d'un ton suggestif comme si cette dernière éventualité lui plaisait, comme si le fait d'avoir droit à un traitement particulier la ravissait. Il eut envie de vomir.

— Ecoute-moi bien, Sheila. Quoi qu'il se soit passé entre nous autrefois, c'est fini depuis longtemps. Maintenant, je suis marié. Et j'adore ma femme. Je… Je l'aime.

Il aimait Raney, oui, se dit-il, ébranlé par cette prise de conscience. Il l'aimait vraiment.

Il inspira profondément pour se calmer.

— Je ne supporterais pas qu'il lui arrive quoi que ce soit, poursuivit-il. Même si elle se cassait un ongle, j'en serais malade. Et celui ou celle qui s'en prendra à elle le paiera au prix fort. Je m'en occuperai moi-même. As-tu bien compris, Sheila ?

Elle perdit son air amusé.

— Tu es complètement taré, Chase ! Cette fille ne m'arrive pas à la cheville, et, quoi qu'elle fasse, elle ne sera jamais à ma hauteur.

Il refusa de prendre la défense de Raney, elle n'en avait pas besoin.

— Je vais te poser une question, une seule. Est-ce toi qui as embouti Raney pour l'envoyer dans le décor ?

— Jamais de la vie ! Bien sûr que non !

Il était incapable de dire si elle mentait ou non.

— Je t'aurai prévenue, Sheila. Fais très attention.

Tandis qu'il s'éloignait, Chase sentit les yeux de Sheila dans son dos. Quand il reprit sa place, Raney le dévisagea d'un air interrogateur.

— Je ne comprends pas comment j'ai pu un jour la trouver désirable, dit-il. Ou sexy.

— Tu avais dix-neuf ans. Toutes les femmes te plaisaient, du moment qu'elles étaient d'accord pour coucher avec toi.

Il se mit à rire si fort que les autres dîneurs se tournèrent vers lui d'un air étonné.

Il mêla ses doigts aux siens.

— Rentrons à la maison, proposa-t-il.

— Je dois d'abord parler à Summer, lui rappela-t-elle.

Elle se leva.

Chase la suivit des yeux tandis qu'elle traversait la salle.

Summer était toujours derrière le buffet, à servir du vin, à décapsuler des bouteilles de bière ou des sodas. Elle sourit à Raney.

— Avez-vous bien dîné ?

— Tout était délicieux, merci ! J'aimerais une goutte de chardonnay, s'il vous plaît.

D'un coup d'œil, elle s'assura qu'elles étaient seules.

— Puis-je vous dire un mot un instant ? demanda-t-elle quand Summer lui tendit son verre.

Elle sentit que Summer allait refuser.

— Je vous en prie, insista-t-elle.

Summer promena les yeux autour d'elle.

— Suivez-moi à la cuisine, dit-elle.

Chase lui avait recommandé de ne pas s'éloigner, de ne pas sortir du restaurant sans lui, mais il ne lui avait pas interdit d'aller à la cuisine. Tout en emboîtant le pas à Summer, elle croisa le regard de Chase et, d'un mouvement de menton, lui montra où elle se rendait.

Il lui répondit d'un hochement de tête. Elle sut qu'il surveillerait la porte jusqu'à ce qu'elles aient fini leur conversation.

Lorsqu'elles entrèrent dans la cuisine, un garçon d'une quinzaine d'années remplissait d'assiettes sales un grand lave-vaisselle. Il avait son walkman vissé sur les oreilles et ne leva même pas le nez vers elles.

— Nous pouvons parler, dit Summer. Jess ne fait pas attention à nous.

Raney ne chercha pas à tourner autour du pot.

— L'autre jour, quand votre corsage s'est soulevé, j'ai vu des ecchymoses sur votre dos. Je ne pense pas que ce soit le genre de bleus que n'importe qui peut se faire en se cognant contre un meuble. J'ai plutôt eu l'impression que… quelqu'un vous a sciemment frappée. Et je… je m'inquiète pour vous.

Summer se mordilla la lèvre.

— Je sais que vous pensez bien faire, Raney. Vraiment. Et j'en suis très touchée. Mais je vous en supplie, n'en parlez à personne. Cela pourrait me créer beaucoup d'ennuis. Et à mes enfants aussi. Je vous en prie ! ajouta-t-elle, les yeux soudain pleins de larmes.

Raney perçut son désespoir.

— Votre sœur peut-elle vous aider ?

— Non, elle ne sait rien. Ne lui dites rien, s'il vous plaît.

— Des gens sont prêts à vous aider, des gens comme Chase.

Elle secoua la tête.

— Non, je vous en prie, répéta-t-elle. De toute façon, la situation s'arrange.

Raney s'empara du téléphone portable que Summer avait glissé dans la poche de son corsage. Elle y enregistra son nom et ses coordonnées.

— Promettez-moi de m'appeler si vous avez besoin d'aide. N'importe quand.

Elle ne resterait à Ravesville que trois semaines encore, mais même si elle n'était plus en ville elle ferait ce qu'elle pourrait.

— Promis, répondit Summer.

Raney n'aurait su dire si elle avait l'intention de le faire ou si elle cherchait simplement à mettre un terme à la conversation.

Quand elle sortit de la cuisine, Summer ne la suivit pas. Comme elle l'avait deviné, Chase se tenait près de la porte. Elle se rendit compte qu'il avait pu voir ce qui se passait à l'intérieur à travers la partie vitrée du battant.

— Alors ? fit-il.

— Elle m'a suppliée de garder pour moi ce que j'ai vu.

— Que comptes-tu faire ?

— Rien. Elle est majeure et vaccinée. Je lui ai tendu une perche, donné la possibilité de demander de l'aide. Maintenant, soit elle maîtrise en effet la situation, soit elle n'est pas prête à réagir. Dans tous les cas, je ne peux pas la forcer.

Chase hocha la tête.

— Tu as sans doute raison. Tu ne cesses de m'impressionner, Raney. Avoir cette conversation avec elle n'était pas simple, pourtant tu es allée jusqu'au bout.

— La blonde Raney a encore frappé, répondit-elle sans réfléchir.

Il recula, un peu interloqué.

— Que veux-tu dire ?

Elle était un peu gênée d'évoquer le sujet, mais elle connaissait assez Chase pour savoir que, tant qu'elle ne se serait pas expliquée, il insisterait pour comprendre.

— Ma nouvelle coupe et ma nouvelle couleur de cheveux me donnent un look très différent et, depuis cette séance chez le coiffeur, depuis que je suis devenue blonde, je me sens différente. Autre. La blonde Raney est une aventurière, courageuse, elle n'a pas froid aux yeux, elle fonce en avant. J'aime sa personnalité. Et dans une situation difficile, si j'ai un choix à faire sur la façon dont je dois me comporter, je peux être soit la blonde Raney, soit la vraie Raney.

— Ne crois pas que ton audace vient de ta couleur de cheveux, chérie. Ta blondeur te va bien, mais ta force de caractère fait partie de toi. Lorsque tu as imaginé un subterfuge pour échapper à Malone, tu n'étais pas blonde ; lorsque tu t'es montrée plus intelligente que lui et que tu as osé t'enfuir au lieu de te résigner à ton triste sort, tu n'étais pas blonde non plus. Et lorsque tu as donné ton accord pour témoigner contre ce type, tu étais encore brune, non ?

— Mais j'étais blonde quand j'ai couché avec toi, chuchota-t-elle.

Pendant un moment, il ne répondit pas.

— Raney, brune ou blonde, tu es vraiment quelqu'un d'extraordinaire. Tu as traversé les pires épreuves, des épreuves que peu de femmes auraient supportées. Et tu as survécu. Je sais que tu te sens mal parce que Malone a réussi à te duper, et cela a détruit la confiance que tu avais en toi et en les autres.

Il prit sa main.

— Tu veux que je te dise ? Tes cheveux blonds sont une béquille. Pas dans le mauvais sens du terme. Tout le monde a besoin d'une béquille de temps en temps. Si tu t'étais cassé une jambe, tu en aurais utilisé une sans te poser de questions. Cette histoire t'a profondément ébranlée, et quelque chose s'est brisé en toi au cours de ta séquestration. C'est compréhensible. Alors tu as passé une sorte de pacte avec toi-même ou avec Dieu. Et maintenant que tu es libre, tu as peur de ne pas le respecter. Il t'est plus facile de dire que c'est la blonde Raney qui agit, comme s'il s'agissait de quelqu'un d'autre. Mais non, c'est toi, chérie. Toi seule.

Elle crut que son cœur allait éclater d'amour.

— Et si tu as couché avec moi, tu sais aussi bien que moi pourquoi, poursuivit-il. Ce n'est pas parce que tu es blonde, mais parce que nous sommes faits l'un pour l'autre.

Gordy Fitzler choisit ce moment pour s'approcher.

— Chase, m'autorises-tu à danser avec ta femme ?

— C'est à elle d'en décider.

Le vieil homme se pencha galamment vers elle. Comment aurait-elle pu refuser ?

— Avec grand plaisir, répondit-elle.

L'orchestre jouait une chanson country qui avait été à la mode quelques années plus tôt. D'un rythme assez lent, elle était parfaite pour danser avec lui.

— Merci de nous avoir conviés à votre anniversaire, dit-elle. J'ai passé une très bonne soirée.

Elle le pensait vraiment.

— Je sens que vous êtes la femme qu'il fallait à Chase, poursuivit-il. Vous lui faites beaucoup de bien.

La gorge de Raney se noua lorsqu'elle songea qu'elle mentait à ce brave homme, à tous ces gens.

— Merci, réussit-elle à dire.

Du bruit et des éclats de voix à l'entrée de la salle les firent se retourner.

Lloyd Doogan avait surgi au milieu de la fête. Manifestement ivre, il titubait et parlait fort. Heureusement, bon nombre d'invités étaient déjà partis. Sheila avait quitté les lieux peu après que Chase lui avait parlé. Raney chercha Gary Blake des yeux. Elle ne voulait pas que Lloyd soit arrêté, qu'il ait des ennuis. Par chance, le policier n'était nulle part en vue. Sans doute était-il lui aussi rentré chez lui.

Elle vit Chase s'excuser auprès de Hank Beaumont, le pompier qui l'avait aidée lors de l'accident, et s'approcher de Lloyd. Comme Gordy cessait de danser pour se diriger vers l'entrée, Chase le devança.

— Finissez votre danse, je m'occupe de lui.

Il prit le bras de Lloyd.

— Salut, vieux. Et si tu allais te coucher ?

— Je suis venu souhaiter un bon anniversaire à Gordy, répondit-il d'une voix pâteuse en tentant de se libérer de son emprise.

— Tu auras tout le temps de le faire demain.

Lloyd planta les yeux dans ceux de Chase.

— Gordy est un type bien.

Chase opina.

— C'est vrai… Bon, alors je t'accompagne.

Tous deux traversèrent la salle. Lloyd trébuchait à chaque pas, mais il semblait décidé à saluer Gordy.

Aimablement, ce dernier lui serra la main en le remerciant d'être passé. Puis il dit quelque chose à l'oreille de son gendre, qui hocha la tête et sortit des clés de voiture de sa poche. Chase l'aida à entraîner Lloyd à l'extérieur. Raney comprit qu'il serait reconduit chez lui pour qu'il ne lui arrive rien de fâcheux.

Ce qui aurait pu mal tourner finissait bien. Grâce à Chase. Il prenait soin des gens en toutes circonstances.

C'était l'une des raisons pour lesquelles elle l'aimait.

Parce que, oui, elle l'aimait. Elle ne voulait pas nier plus longtemps ses sentiments mais, tandis qu'elle retournait danser avec Gordy, elle se posait des questions.

Chase n'avait rien dit à propos de ce qu'il adviendrait d'eux après le procès. Lorsqu'elle serait libre de retourner à Miami. Il lui avait répété qu'il ne se marierait jamais. Devait-elle l'accepter ? En rester là ?

Non.

Si sa première expérience conjugale avait été désastreuse, cet échec n'avait pas pour autant ébranlé sa foi en le mariage. Elle avait compris que sa première union les avait menés dans une impasse parce que Mike n'en attendait pas la même chose qu'elle. Elle ne commettrait pas deux fois cette erreur.

Elle laissa son regard errer autour d'elle. Elle avait envie de cette existence. De vivre dans une petite ville où tout le monde se connaissait, où tous partageaient du bon temps mais savaient aussi acheter des bonbons qu'ils ne mangeraient pas pour aider des pom-pom girls à partir en camp d'été, ou faire laver des voitures propres pour permettre à des personnes âgées de se chauffer l'hiver.

Elle avait perdu ses parents très jeune, et avait toujours rêvé d'une famille. Et elle eut l'intuition qu'elle la trouverait à Ravesville.

Chase était réfractaire à l'engagement. Il préférait signer des baux de six mois pour se sentir libre de partir quand il sentirait le vent tourner.

Elle en éprouvait une grande tristesse.

Quand il revint, Raney embrassa le vieil homme sur la joue et Chase serra la main de Gordy.

— Es-tu prête à y aller ? demanda-t-il en passant le bras autour de sa taille.

Son désir crevait les yeux. Elle n'avait pas le cœur à exiger quoi que ce soit de lui. Tant pis si leur histoire n'était pas vouée à l'éternité. Elle l'acceptait.

Il leur restait trois semaines à passer ensemble. Elle avait l'intention d'en profiter à fond.

Y compris dans son lit.

14

Quatre jours plus tard, alors que Chase et Raney prenaient leur petit déjeuner dans la cuisine, le téléphone de Chase sonna.

Il regarda l'écran.

— C'est Dawson, dit-il avant de prendre l'appel. Salut, vieux ! Quoi de neuf ?

Quand son coéquipier lui répondit, Chase perdit son air détendu. Il se leva et se mit à marcher de long en large, la main dans les cheveux. Il ne disait rien, se contentant d'écouter.

Raney comprit qu'il s'était passé quelque chose de grave.

Lorsqu'il raccrocha, il revint s'asseoir en face d'elle, le regard dur.

— Qu'y a-t-il ? demanda-t-elle.

— Le cadavre de Luis Vincenze a été découvert ; il avait la gorge tranchée. Il n'a été trouvé que ce matin, mais il a été tué depuis un moment, sans doute depuis plus d'une semaine.

Donc peu de temps après l'avoir conduite dans le Missouri, se dit-elle. Un poids tomba sur sa poitrine quand elle mesura les implications de ce nouveau meurtre.

— Quelqu'un l'a assassiné dans l'espoir d'obtenir des renseignements sur moi, dit-elle.

— Nous n'en sommes pas sûrs.

— Mais c'est une éventualité que nous aurions tort de négliger.

— Bien sûr, répondit-il avec colère.

Elle savait que sa fureur n'était pas dirigée contre elle mais contre la situation dans son ensemble. Pauvre Luis ! Il n'avait fait que son travail ; cela lui avait coûté la vie.

— Mais il est aussi possible qu'il soit tombé pour une autre histoire, poursuivit Chase. Il était flic depuis plus de vingt ans. Il s'est certainement fait beaucoup d'ennemis pendant tout ce temps.

Il avait raison mais, d'instinct, Raney devinait que cet assassinat était lié à elle.

— Comment se fait-il qu'il ait fallu tant de temps pour retrouver son cadavre ? Personne ne s'était donc aperçu de sa disparition ?

— Après t'avoir quittée à St Louis, il a laissé un message sur la messagerie vocale de sa femme pour lui dire de ne pas s'inquiéter, qu'il allait travailler sous couverture pendant quelque temps et qu'il ne pourrait pas la contacter durant sa mission. En parallèle, il avait laissé un message sur le téléphone de son patron, pour lui annoncer que maintenant qu'il t'avait mise en sécurité il prenait quelques jours de vacances. Personne ne s'est douté de rien jusqu'au moment où sa femme s'est inquiétée de ne pas pouvoir le joindre. Elle a appelé son patron. Faire le lien entre sa disparition et un cadavre retrouvé dans une maison de location à Ozarks a demandé un jour de plus.

— Il a dû laisser ces messages sous la contrainte.

Chase opina.

— C'est évident. On ne l'a pas seulement égorgé. Il a été torturé, pendant un long moment. Nous devons réagir comme s'il avait craqué, parlé. Pour en finir avec toute cette souffrance.

Dehors, une hirondelle qui passa tout près de la fenêtre fit sursauter Raney. Elle s'ordonna de se calmer, de prendre une profonde inspiration et de réfléchir.

— Nous ne savons pas ce qu'il leur a dit. Ni qui est derrière tout ça.

— Non.

— Qu'est-ce que tes chefs veulent que nous fassions ?

— Que nous restions ici, que nous fassions profil bas. Ils nous envoient deux hommes pour assurer ta protection vingt-quatre heures sur vingt-quatre, sept jours sur sept. Nous ne sommes pas seuls, dans cette histoire. *Tu* n'es pas seule.

Non, elle n'était pas seule. Chase était avec elle, il était profondément impliqué dans cette affaire. Elle jeta un regard de biais à sa jambe qui lui faisait mal quand il travaillait trop longtemps sur le toit. En restant avec elle, il risquait d'être de nouveau blessé. Ou, pire, d'être tué. Elle se leva soudain.

— Je dois partir. Ailleurs. Seule. Et que personne ne sache où.

Il la regarda, le visage empourpré. Toutefois, quand il prit la parole, sa voix était calme.

— Assieds-toi, Raney. Personne ne va nulle part. Ni toi ni moi.

Elle ne se rassit pas, elle en était incapable. Au plus profond de son cœur, elle savait que Luis Vincenze était mort à cause d'elle.

— Est-il possible qu'il ait été acheté par Malone ? s'entendit-elle demander.

Elle se sentait ignoble de suggérer une telle éventualité, mais elle se souvenait qu'il avait brusquement changé de comportement alors qu'ils voyageaient ensemble.

— Pourquoi cette question ? demanda Chase.

— Quand j'ai fait sa connaissance alors que j'étais dans la résidence sécurisée à Miami, Luis était gentil, très serviable, et bavard comme une pie. Ça m'avait frappée parce que les flics que j'avais rencontrés à Next Steps étaient très différents. Beaucoup moins sympas.

Il sourit.

— Continue.

— Tout a changé dans l'avion. Et dès que nous avons atterri à St Louis, il est devenu distant et il semblait préoccupé. Il aurait dû être content de ne plus avoir à jouer les nounous avec moi, de pouvoir bientôt rejoindre sa famille. J'aurais dû remarquer que quelque chose n'était pas logique, cohérent dans son comportement, mais j'étais moi-même tellement malheureuse de venir m'enterrer dans le Missouri que je n'ai pas été assez attentive à ce qu'il vivait.

— Raconte-moi tout ce dont tu te souviens.

Elle réfléchit.

— Je sais qu'il ignorait notre destination finale. Une fois qu'il a reçu un texto, nous avons hélé un taxi pour aller retrouver le chef Bates.

— Il a donc discuté avec le chef ?

— Un bref instant seulement. Puis il est reparti avec le taxi qui nous avait amenés près du salon de coiffure.

— Vous a-t-il vus entrer dans ce salon ?

— Je ne pense pas. Nous avons marché un moment, et tourné deux fois avant d'y arriver.

Chase réfléchit quelques instants.

— Il y a deux possibilités. Soit Vincenze était un ripou et quelqu'un l'a payé pour s'assurer que tu n'arriverais jamais entière dans le Missouri. Mais il n'a pas eu la possibilité de te tuer — en tout cas pas sans risquer d'être immédiatement suspecté du meurtre — et pour cette raison, lorsqu'il t'a confiée à Bates, il était déjà mort. Parce qu'il n'avait pas rempli sa mission. Et il le savait, d'où sa nervosité.

Raney secoua la tête et fit mine d'arracher les pétales d'une marguerite.

— Dois-je la tuer ? Ou non ? Dois-je la tuer ? Ou non ?

Il lui prit les mains.

— Quel mot as-tu employé, l'autre jour ? Ah oui. « Déchirée ». Je pense qu'il était déchiré. Vous aviez passé pas mal de temps ensemble. Il t'aimait bien, tu es merveilleuse. Et peut-être ne se voyait-il pas exécuter les ordres qui lui avaient été donnés.

— Donc, pour toi, il a été tué parce qu'il n'a pas fait son travail ?

— Oui. A moins qu'il ne soit un flic honnête, et que les sbires de Malone l'aient torturé pour le forcer à avouer que tu étais allée à St Louis.

— Mais il n'a pas pu leur dire grand-chose. Il savait seulement qu'il m'avait confiée aux bons soins du chef de la police, ce qui n'a pas dû leur être très utile.

— Non, reconnut-il.

Une terrible pensée la traversa.

— Tu dois appeler le chef Bates. Tout de suite. Il est le maillon qui relie tous les autres. Ils vont s'en prendre à lui, maintenant.

— C'est possible, mais ne t'inquiète pas. Le chef est assez grand pour se défendre. En tout cas, même si Vincenze était un ripou, il ne m'a jamais vu, il n'a jamais entendu prononcer mon nom. Il n'y a toujours aucun moyen de relier Lorraine Taylor à Lorraine Hollister.

Pour la première fois depuis qu'il avait reçu ce coup de fil, Raney parvint à respirer. Comme l'expliquait Chase, il n'y avait aucune raison de paniquer.

— Que va-t-il se passer, maintenant ?

— Nous allons avoir de la visite. Les renforts arriveront d'ici une bonne heure.

Elle songea à ce que cela signifiait.

— Et du coup, nous ne pourrons plus… être ensemble. Pas tant qu'ils seront là.

Bien sûr que non. Si le chef apprenait qu'il avait couché avec un témoin, il le virerait immédiatement pour faute grave. Lorsque Bates avait mis au point ce mariage bidon, il n'avait pas imaginé qu'ils joueraient leurs rôles à ce point-là.

Chase secoua la tête, l'air malheureux.

— Non, tu devras rester tout le temps à l'intérieur, ne jamais t'approcher des fenêtres. J'assurerai la surveillance avec les deux autres officiers. L'un de nous sera dans la maison, l'autre devant, le troisième derrière. Nous nous relaierons pour pouvoir dormir un peu.

Elle consulta sa montre.

— Nous déjeunerons quand ils seront là.

Le regard de Chase s'adoucit.

— Bien sûr.

— Peut-être devrions-nous en profiter tant que nous sommes encore seuls pour faire ce que nous ne pourrons plus faire plus tard, quand ils seront là.

— Serais-tu en train de me faire une proposition malhonnête ?

— Je te demande seulement de revoir ton emploi du temps. Peut-être pourrions-nous déjeuner plus tard ? Dans la matinée.

Il lui prit la main.

— Excellente idée. D'ailleurs, j'ai toujours adoré les brunchs.

Chase était allongé sur le lit, Raney paresseusement étendue contre lui. Elle lui faisait un peu mal à la jambe, mais pas assez pour lui demander d'arrêter. Il aimait sentir ses mains sur lui, sa chaleur sur sa peau.

Elle promenait les doigts sur son torse quand, soudain, ils s'immobilisèrent. Lorsqu'elle leva la tête, il se tendit.

— As-tu été touché par une balle, ici aussi ? demanda-t-elle d'un ton mi-incrédule, mi-horrifié.

Il tenta de l'écarter, mais elle tint bon.

— Que t'est-il arrivé ?

Il hésita à mentir. Avec les années, sa cicatrice était presque devenue invisible et, jusqu'ici, personne ne l'avait remarquée. En tout cas, personne ne l'avait interrogé à ce sujet. D'ailleurs, il aurait pu faire croire qu'il s'agissait d'une tache de naissance ou d'autre chose de bénin.

Mais pas à Raney.

— C'est une brûlure de cigarette, dit-il.

Il la sentit se raidir.

— Comment est-ce arrivé ? demanda-t-elle après un moment.

— Mon beau-père, Brick Doogan, a écrasé sa clope sur moi.

Elle blêmit et se souleva sur son avant-bras pour le regarder en face.

— Quel âge avais-tu ?

— Dix-sept ans.

Elle ne dit rien, mais il voyait presque les rouages de son cerveau se mettre en branle. Elle était une battante, elle l'avait amplement prouvé.

Il se racla la gorge.

— Tu te demandes pourquoi un garçon de dix-sept ans accepte ce genre de traitement sans réagir, non ?

— Peut-être, reconnut-elle.

— Parce que ce salaud m'avait promis que, si je n'endurais pas ce qu'il me faisait comme un homme, il s'en prendrait à Cal.

Elle se redressa, tirant le drap sur ses seins, comme si elle était incapable de discuter de cela en étant nue.

— Ça n'a aucun sens.

Il haussa les épaules.

— Peu de temps après que Brick a épousé ma mère et est venu vivre ici, j'ai compris que c'était un minable et un violent. J'avais alors seize ans, je séchais parfois l'école et je faisais souvent l'imbécile. Mais sous prétexte de m'éduquer, il se comportait en brute, en sadique. Et personne ne pouvait m'aider. Bray, qui avait quatre ans de plus que moi, s'était déjà enrôlé dans l'armée et combattait à l'autre bout du monde. Et Cal n'avait que treize ans.

— Et ta mère ?

— Je ne lui en ai jamais parlé. Elle avait été tellement triste à la mort de mon père… Pendant deux ans, je l'ai entendue sangloter toutes les nuits dans son lit. Quand elle a fait la connaissance de Brick, elle a cessé de pleurer. Je ne sais pas ce qu'elle trouvait à ce pauvre type, mais elle était heureuse. Enfin, au début. Je ne voulais pas briser ce bonheur revenu.

— C'était un bien lourd fardeau, pour un gamin de seize ans.

— Oui. Les coups étaient quotidiens. Il se servait de tous les prétextes pour me battre comme plâtre. Et quand il m'a brûlé avec sa cigarette pour me punir d'avoir laissé s'échapper la chèvre, je me souviens encore de la douleur que j'ai ressentie.

Elle embrassa sa blessure.

— Je suis désolée…

Il poussa un soupir.

— La brûlure était profonde et s'est infectée. J'ai eu de la fièvre. J'ai été obligé d'en parler à ma mère.

— Qu'a-t-elle dit ?

Maintenant, son récit devenait plus difficile, plus douloureux.

— De raconter au médecin des urgences que je m'étais endormi, la cigarette au bec, et que je m'étais brûlé accidentellement.

Elle resta un moment silencieuse.

— Et tu as accepté de mentir ?

— Pas pour lui. Pour elle.

— Je sais qu'il est interdit de dire du mal des morts, mais je trouve sa réaction horrible et injuste.

— Elle n'était pas méchante. Elle était faible et, à la mort de mon père, elle s'est retrouvée complètement perdue à l'idée d'élever trois garçons toute seule.

— Brick la maltraitait ?

— Non, pas à ma connaissance. C'était toujours moi. Jusqu'au moment où il s'en est pris à Calvin. Et c'est là que j'ai décidé que quelque chose devait changer.

— Je ne comprends pas.

— Alors que j'étais en dernière année au lycée, mon équipe de football s'est rendue au championnat. Ma mère, Cal et Brick étaient venus assister au match. Et nous avons gagné. Tout le monde était content. Mais je n'ai pas compris tout de suite que tous les parents allaient ensuite boire un coup pour fêter la victoire de leurs rejetons. Quant à nous, les joueurs, nous étions invités chez le goal. Son père était très riche et il vivait dans une grande maison avec piscine et billard. Nous avons passé le week-end entier chez lui. Il m'était impossible de refuser cette invitation et puis, pour être honnête, j'avais envie d'y aller.

— Bien sûr ! Tu étais un gosse.

— Oui, mais je m'inquiétais un peu, malgré tout. J'avais prévenu Cal de garder ses distances avec Brick. Si j'avais su qu'il allait boire, je ne serais jamais resté au loin. Il était toujours plus cruel quand il avait bu.

— Que s'est-il passé ?

— Il a poussé violemment Cal contre la fenêtre, celle du salon, qui s'est brisée. Sa main était tellement abîmée que ma mère a dû le conduire aux urgences pour le faire recoudre.

— Et là encore, personne ne s'est inquiété, personne ne s'est posé de questions…

— Non. Cal a prétendu qu'il était tombé.

— Pourquoi ?

— Parce que Brick lui avait juré que, s'il disait quelque chose, ce serait pire la prochaine fois.

Raney comprenait ce qu'il lui décrivait. Malone aussi avait joué à la guerre psychologique avec elle.

— Cal avait quinze ans. Il était petit pour son âge, et

Brick le terrifiait. Tu devrais le voir maintenant. Il a fait partie des Forces spéciales. Il est grand et fort.

— Que s'est-il passé quand tu es rentré ?

— J'ai vu la main de Cal bandée et je suis devenu fou. Je me suis jeté sur Brick. Il était grand et fort, bien plus fort que moi, mais j'étais dans une telle colère que j'étais en train d'avoir le dessus. Ma mère a surgi à ce moment-là pour nous séparer. Je ne voulais pas qu'elle soit blessée, alors j'ai arrêté. Et je pensais aussi qu'après cette histoire elle ouvrirait les yeux, qu'elle quitterait ce fumier.

— Mais elle ne l'a pas fait ?

— Non, elle en était incapable. Et lorsque j'ai voulu partir avec Cal, elle m'en a empêché.

— Il était mineur et elle était sa mère, je comprends sa réaction. Mais il est probable que les dossiers de l'hôpital t'auraient aidé. Ne pouvais-tu pas demander l'aide d'un professeur, d'un conseiller ? dit-elle avec tristesse.

— J'avais trop honte. Je pensais que ce genre de chose se produisait uniquement chez les pauvres, chez les minables, les incultes. Et puis, je n'aurais jamais laissé Cal seul avec Brick. Alors je suis resté. J'ai travaillé comme un chien pour mettre de l'argent de côté et pour pouvoir gagner de quoi vivre avec mon frère, un jour. Nous sommes partis le jour où Cal a eu dix-huit ans. Je me suis fait engager dans la police de St Louis. Tu connais le reste.

Il sentit que quelque chose la laissait perplexe.

Dis-le, dis-le.

— Et après l'incident avec Cal, Brick a changé, non ? demanda-t-elle.

Elle était trop intelligente. Elle aurait fait un bon flic ; elle repérait vite les failles d'une histoire.

— Je lui ai dit que, s'il relevait la main sur Cal ou sur ma mère, je le tuerais. Je pense qu'il m'a cru. Et je suis alors devenu son unique souffre-douleur. Et parfois, je le laissais me battre sciemment.

— Quoi ?

— Je l'avais démasqué. Il était malheureux. Il travaillait dans une usine qui l'exploitait, il détestait son patron. Il avait besoin d'un bouc émissaire sur qui déverser ses souffrances. Tous les six mois, lorsqu'il ne parvenait plus à contenir sa fureur, il buvait et devenait dangereux. Je faisais alors quelque chose qui le mettait hors de lui pour qu'il se défoule sur moi.

Elle se leva, serrant toujours le drap contre elle.

— Tu t'offrais en sacrifice ?

— Oui, mais il n'a plus jamais écrasé une cigarette sur moi. Je le laissais m'envoyer quelques coups et me virer de la maison pour un jour ou deux.

— Où allais-tu ?

— Jamais très loin. S'il faisait chaud, je dormais dans le hamac sous le porche. En hiver, j'allais frapper à la porte de Fitzler. Je ne voulais pas m'éloigner de Cal, même si je savais que Brick ne le toucherait pas.

— Comment pouvais-tu en être sûr ?

— Parce qu'il savait que j'étais désormais plus fort que lui et que, si je décidais de me battre avec lui, je le tuerais.

Elle se rassit.

— En définitive, tu protégeais tout le monde sauf toi.

— D'une certaine façon, oui. Mais essaie de comprendre. Je ne voulais pas le tuer, je ne voulais pas finir en prison à cause de lui. Je n'aurais pas pu devenir policier si j'avais été condamné à cause de Brick.

— Et tu ne l'as jamais revu après avoir quitté la maison avec Cal.

— Je l'ai revu à la mort de ma mère. Elle avait demandé à l'infirmière de l'hôpital de nous appeler, tous les trois. Bray, Cal et moi sommes donc revenus à la maison. Nous l'avons entourée jusqu'à la fin. Brick était dans le coin, mais il est resté à distance.

— J'imagine que Cal t'est très reconnaissant de l'avoir protégé pendant son enfance.

— Cal n'a jamais rien su du marché que j'avais passé avec Brick. Il ne s'est jamais douté de ce qu'il m'infligeait.

— Et ton frère aîné ?

— Il n'a appris que l'épisode de la main de Cal. Ça lui a suffi pour détester Brick Doogan à vie. Mais je ne lui ai jamais raconté le reste. Il aurait tué Brick, et il aurait fini en prison.

Elle le regarda.

— Tu t'es sacrifié ta vie durant.

— Sur son lit de mort, ma mère m'a demandé pardon. Je lui ai pardonné.

Il consulta sa montre.

— Nous devons nous lever. Ils ne vont pas tarder à débarquer.

Elle ne discuta pas et se hâta de ramasser ses affaires, mais il vit ses yeux pleins de larmes.

15

Chase avait peut-être pardonné à sa mère — ce qui était surprenant vu tout ce qu'il avait enduré — mais les maltraitances dont il avait été victime avaient laissé des traces. Ces cicatrices-là étaient plus nombreuses que celles qui marquaient son corps.

Les pièces du puzzle se mettaient en place. Maintenant, Raney comprenait mieux le comportement de Chase. Sa capacité à rester calme en toutes circonstances, par exemple. Il avait appris à ne rien montrer à Brick de ce qu'il éprouvait.

Sa réticence à signer un bail de plus de six mois s'expliquait de la même façon. Voilà aussi pourquoi il répétait qu'il était prêt à changer de travail à tout moment, alors qu'il exerçait le même depuis treize ans. N'ayant pas été libre de ses mouvements pendant sa jeunesse, il voulait avoir à présent la possibilité de tout quitter du jour au lendemain.

Son refus de s'engager, de se marier, venait également de là. Des années durant, il avait pris soin de sa famille, de sa mère, de ses frères. Pour eux, il s'était sacrifié au-delà du supportable. Il n'en pouvait plus.

Son histoire était terrible, catastrophique. Peu d'hommes auraient pu en endurer autant.

Raney travaillait dans la cuisine quand les deux nouveaux officiers de police envoyés par Bates pour jouer les gardes du corps arrivèrent. Chase, qui les connaissait, se chargea des présentations.

Leo, un quinquagénaire, avait la voix rauque des gros fumeurs. Plus jeune d'une vingtaine d'années que son coéquipier, Toby portait un pull vert trop chaud pour la saison.

En découvrant la cuisine, il s'extasia devant le mur fraîchement repeint.

— Cette teinte capte la lumière naturelle et met les boiseries en valeur. Le résultat est magnifique ! Je rénove mon studio, actuellement, ce qui m'a poussé à m'intéresser aux couleurs.

Raney releva le menton, juste pour que Chase comprenne que certains étaient capables de reconnaître qu'elle avait bon goût.

Comme il levait les yeux au ciel, elle se tourna vers Toby.

— Venez voir ce que j'ai fait dans le salon, dit-elle.

— Hé ! Ils ne sont pas venus pour tourner une émission sur la décoration d'intérieur ! protesta Chase.

En rougissant, Toby se rassit. Leo promena le regard autour de lui, cherchant sans doute un cendrier. N'en voyant pas, il se mit à tapoter nerveusement la table.

Raney les prit tous deux en pitié et leur proposa une part de la tarte aux prunes qu'elle venait de faire. Tandis qu'ils s'en régalaient, Chase leur expliqua les tenants et les aboutissants de la mission. Il leur montra les différentes entrées de la maison et tous trois mirent au point la façon dont ils allaient assurer sa protection.

Ils décidèrent que Chase et Toby se chargeraient du premier quart, laissant Leo se reposer à l'intérieur jusqu'à ce qu'il soit l'heure pour lui de prendre la relève. Au début, elle fut un peu gênée de sentir la présence d'un inconnu dans la pièce voisine mais, très vite, elle s'absorba dans ses travaux de peinture et l'oublia.

Dans l'après-midi, Chase rentra pour se désaltérer. Leo se leva du canapé sur lequel il faisait la sieste pour le remplacer.

Chase regarda les murs de la cuisine et sourit.

— C'est très beau.

Elle savait qu'il trouvait surtout qu'elle n'avançait pas très vite. Il n'avait certainement jamais vu de peintre plus lent qu'elle. En réalité, elle progressait bien mais… pas dans la cuisine.

Maintenant qu'il lui avait raconté son histoire, elle se félicitait de s'être attaquée à la chambre de Brick Doogan. Au départ, elle avait entrepris de la restaurer parce qu'elle trouvait stupide que Chase soit obligé de dormir dans le salon, sur un canapé trop petit, alors qu'un lit confortable n'attendait que lui, un lit parfait une fois qu'elle aurait refait la pièce.

A présent, elle comprenait pourquoi Chase n'avait pu se résoudre à s'occuper lui-même de l'ancienne chambre de son beau-père. Mais il n'aurait pas à le faire, puisqu'elle s'en était chargée.

— Comment ça se passe ? demanda-t-elle en le regardant vider une bouteille d'eau à grands traits.

— Très bien. J'ai l'intention de remonter sans tarder sur le toit parce qu'un nouvel orage s'annonce en fin d'après-midi. Ça ne t'ennuie pas de rester seule à l'intérieur, n'est-ce pas ? ajouta-t-il.

— Pas du tout. Je vais simplement m'assurer que ma fenêtre est bien fermée. Je ne voudrais pas que le vent dans les rideaux me fasse imaginer la présence de quelqu'un, comme lors du dernier orage.

Il déglutit avec difficulté.

— Il faut que je te le dise, Raney : je suis vraiment heureux que tes rideaux se soient soulevés, l'autre nuit.

Il ne s'agissait pas d'une déclaration d'amour éternel, mais ce n'était pas rien.

— Moi aussi, répondit-elle.

Ils restèrent silencieux, dévorés par le désir de se jeter dans les bras l'un de l'autre mais se l'interdisant, conscients que des étrangers étaient dehors, à quelques pas.

— Cela sent drôlement bon, dit-il enfin.

— J'ai préparé des lasagnes pour le dîner.

— Ils se seraient contentés d'un sandwich.

— Je sais.

Il lui sourit.

— Tu aimes prendre soin des gens.

Sans doute se ressemblaient-ils beaucoup, sur ce plan.

Comme il ouvrait la porte pour ressortir, ils virent arriver Lloyd sur sa moto. Aussitôt, Chase décrocha le talkie-walkie qu'il portait à la ceinture pour prévenir ses collègues.

— Moto à l'approche. Il ne s'agit pas d'une menace, mais restez sur vos gardes.

Ils ne l'avaient pas revu depuis la soirée d'anniversaire de Gordy Fitzler. Il arrêta son engin et s'approcha d'eux.

— Salut, Lloyd, dit Raney.

— Salut.

Il semblait éviter le regard de Chase, comme s'il le craignait. Manifestement gêné, il ouvrit son sac à dos et en tira quelque chose, enveloppé dans du papier journal. Lorsqu'il commença à déchirer l'emballage, Raney s'aperçut qu'il s'agissait de trois photos identiques encadrées de la même façon.

— Je dois t'avouer un truc, Chase…, commença-t-il, mal à l'aise. Quand j'avais piqué la clé de la porte arrière dans la commode de l'entrée, j'avais aussi emporté ces cadres. Ils étaient rangés dans le tiroir du bas.

Sur le cliché, trois garçons et une femme souriaient à l'objectif. Raney reconnut Chase lorsqu'il était beaucoup plus jeune et devina qu'il était aux côtés de ses frères, le plus grand étant sans doute Bray, et le plus petit, Cal.

Ce fut néanmoins la mère de Chase qui retint son attention.

Elle s'était retrouvée veuve très jeune, avait élevé ses trois fils seule et avait été jolie femme.

Sans doute n'avait-elle pas été foncièrement méchante, mais elle avait fait de mauvais choix. Elle avait épousé un sale type en secondes noces.

D'une certaine manière, Raney pouvait le comprendre. Après tout, elle aussi avait commis des erreurs. Mike n'avait pas été violent, mais il était trop différent d'elle. Elle aurait dû en prendre conscience plus tôt. Il cherchait la notoriété, même si seule une petite communauté suivait ses exploits sportifs. Il attendait la vague, plus grosse que les autres, qui lui apporterait la gloire.

Elle ne l'avait pas rendu heureux parce que, contrairement à lui, elle préférait vivre dans l'ombre, la discrétion. Elle n'avait pas besoin d'être adulée par la foule pour avoir le sentiment d'exister.

Lui aimait l'aventure, elle la paix.

Cependant, elle avait assumé ses erreurs. Elle avait demandé le divorce et chacun avait repris sa vie, alors que la mère de Chase avait laissé l'un de ses fils faire les frais de ses mauvaises décisions. Et il les avait payées au prix fort.

Elle regarda Chase réagir à cette photo et vit se succéder sur ses traits la surprise, l'émotion, la tristesse. Mais, très vite, il se ferma et afficha un visage impassible.

Comment pourrait-il retrouver le sourire ?

Certainement pas en restant ici, à Ravesville. Il y avait trop souffert. Treize ans plus tôt, il avait quitté cette maison, cette ville et tous ceux qui y vivaient, par instinct de survie.

Elle prit les cadres et les retourna. Il était écrit « Pour Brayden » sur le premier. Les deux autres portaient des inscriptions similaires « Pour Chase », et « Pour Calvin ».

— Tes frères seront heureux d'avoir ces photos, dit-elle.

Lloyd se balançait d'un pied sur l'autre.

— Je n'aurais pas dû les prendre…

— Ce n'est pas grave, Lloyd, répondit Chase. Je te remercie de les avoir rapportées.

— Tu ne penses pas que je les ai volées ?

— Non, tu les avais empruntées, c'est différent.

— J'avais oublié qu'elles étaient chez moi jusqu'à ce que j'entende Blake parler de tes frères.

Chase fronça les sourcils.

— Gary Blake ? L'inspecteur de police ?

Lloyd hocha la tête.

— Après la soirée d'anniversaire, l'autre jour, quand mon patron m'a ramené, je n'arrivais pas à dormir. Il faisait trop chaud, et je n'ai pas l'air conditionné chez moi. Alors je suis sorti faire un tour, histoire de me rafraîchir, et je les ai entendus parler.

— Qui ?

— Blake et cette garce, la brune, j'ai oublié son nom. Elle est si riche qu'elle traite tous les gens comme des moins-que-rien.

Raney regarda Chase. Elle avait une petite idée de la personne dont parlait Lloyd.

— Sheila Stanton ? fit Chase.

Lloyd opina.

— Ils étaient en train de se disputer, ils criaient.

Lloyd était ivre, ce soir-là. Ses souvenirs étaient-ils fiables ? Raney se rappela ce que lui avait dit Chase sur la manière dont les rumeurs se propageaient dans une petite ville.

— Que disaient-ils ? ne put-elle pourtant s'empêcher de demander.

Même s'il ne s'agissait que de ragots, elle avait envie de les entendre. Sans savoir très bien pourquoi, elle ne cessait de penser à Sheila Stanton.

Pendant longtemps, Sheila avait été l'amoureuse de Chase. Alors maintenant, fatalement, Raney se comparait à elle. Et, bien sûr, la comparaison n'était pas à son avantage. Sheila était ravissante, avec ses longs cheveux bien coiffés, son visage aux traits fins et délicats, son élégance. En vérité, elle était d'une beauté parfaite qui lui donnait le sentiment d'être minable.

Elle rendit les cadres à Chase. Il y aurait toujours des gens plus beaux, plus riches, plus intelligents qu'elle. Et alors ? Envier les autres était une perte de temps. Même avant sa mésaventure avec Malone, elle n'aimait pas jalouser d'autres femmes. Maintenant, elle refusait de s'abaisser à le faire.

— Oubliez ma question. Cela n'a pas d'importance, dit-elle.

— Mais si, dis-le, Lloyd, insista Chase.

— Il lui a lancé qu'il avait été marié avec une femme qui avait aimé un Hollister et qu'il refusait de perdre son temps avec une autre qui avait le même problème.

Gary Blake et Sheila Stanton ? Stupéfaite, Raney eut soudain le tournis.

— Qu'a-t-elle répondu ? demanda Chase.

— Elle a répondu quelque chose que je n'ai pas compris. Après, il a dit qu'il n'avait pas l'intention de la laisser lui créer des problèmes… Tu sais, Chase, tu ferais mieux de faire attention à Blake. Il a les moyens de pourrir la vie des gens qu'il a dans le nez. J'en parle d'expérience.

Chase hocha la tête.

— Merci de m'avoir mis au courant, Lloyd. Et si Blake revient t'embêter, promets-moi de m'en parler. D'accord ?

Lloyd opina, remit son sac sur ses épaules et retourna vers sa moto. Ni Chase ni Raney ne dirent un mot avant que la moto ait disparu dans le lointain.

— Voilà qui est intéressant…, fit alors Chase.

— Il était ivre, ce soir-là.

— Il avait bu, oui, il ne tenait pas bien sur ses jambes, d'accord. Mais il n'était pas incohérent. Et je suis sûr qu'il n'a ni inventé ni déformé les propos qu'il nous a rapportés.

— Que signifient-ils, à ton avis ? demanda-t-elle.

— Déjà que Blake et Sheila Stanton sortent ensemble. Mais pas officiellement, pas ouvertement.

Raney porta la main à sa bouche.

— Je l'avais vu regarder fixement la porte, ce soir-là. J'avais trouvé son comportement bizarre. Maintenant, je pense qu'il la guettait. Il l'attendait.

Chase opina.

— Ce qui explique aussi autre chose qui me soulage intensément.

— Et quoi ? Je ne comprends pas…

— Quand tu as eu ton accident, tu as dit à Blake que tu avais été suivie de trop près par un 4x4 noir ou sombre. Il s'était crispé en t'écoutant.

— Ah bon ?

— Oui, subtilement, mais je l'avais remarqué. Il savait que Sheila conduisait un 4x4 noir. Il ne s'est détendu que lorsque tu as parlé d'un homme au volant.

— Et ça te soulage parce que…

— Parce que ça tend à prouver que Sheila est vraisemblablement bien celle qui a essayé de t'envoyer dans le décor. Et non les sbires de Malone. Et je préfère…

— Moi aussi. Mais ne trouves-tu pas dangereux que la police la laisse en liberté après un coup pareil ? Il s'agit quand même d'une tentative de meurtre.

Chase haussa les épaules.

— Nous n'avons aucune certitude. Il est possible que Blake l'ait soupçonnée parce qu'il sait qu'elle sortait avec moi autrefois et qu'elle est sans doute encore éprise — je ne peux pas croire que j'aie prononcé ce mot ! Et dès que tu as parlé d'un homme, il a changé de sujet.

— Dans ce cas, il n'est pas un ripou.

— Non. Il est peut-être stupide, mais pas forcément malhonnête. Il a dû me voir parler avec Sheila à la soirée d'anniversaire et, par curiosité ou par jalousie, il lui a demandé ensuite pour quelle raison j'avais voulu discuter avec elle entre quatre yeux. Peut-être le lui a-t-elle dit. Et soit elle a nié être responsable de ton accident et il l'a crue, soit, plus probablement, elle a nié mais il ne l'a pas crue. Ce qui indiquerait qu'il n'est pas complètement stupide.

— Il n'est pas exclu non plus qu'elle ait avoué la vérité mais qu'il soit trop accroché à elle pour lui en vouloir, dit Raney.

— Et nous revenons à sa bêtise.

Elle sourit.

— En tout cas, Lloyd est gentil d'avoir rapporté ces cadres.

Chase, qui les tenait toujours, examina l'une des photos.

— Je devais avoir douze ans… Mon père vivait encore. C'est lui qui a pris la photo. Nous étions allés pique-niquer en famille dans un parc. Nous avions joué au ballon, pêché dans la rivière et grimpé dans les arbres. C'était une belle journée, ajouta-t-il après un moment.

Raney se hissa sur la pointe des pieds pour l'embrasser sur le front.

— Garde-la en mémoire et oublie tes autres souvenirs.

Il l'enlaça.

— Je regrette que nous ne soyons plus seuls, tous les deux.

— Moi aussi !

Elle se blottit contre lui. Dans ses bras, elle se sentait bien, en sécurité. Et c'était merveilleux.

Mais, d'instinct, elle savait que cela ne durerait pas et que, sous peu, la situation allait se dégrader.

La nuit était tombée. Comme il était indispensable que deux personnes soient en permanence à l'extérieur pour surveiller les alentours et que c'était à son tour d'assurer la garde, Chase resta dehors pendant que Raney partageait les lasagnes avec Toby.

Il n'avait pu s'empêcher de jeter des coups d'œil à l'intérieur pour voir ce qu'ils fabriquaient, tous les deux. Ils étaient assis à table, des nuanciers de peinture à la main, désignant l'un des murs de la pièce. Manifestement, ils discutaient de la couleur qui mettrait le plus en valeur les boiseries de la salle à manger.

Chase était heureux d'être dehors, seul avec ses pensées. Il aurait pu rester sous le porche pour être au sec, mais il préférait marcher dans la propriété. La pluie lui faisait du bien.

La photo de sa mère entourée de ses trois fils l'avait surpris, touché. Il se souvenait du moment où elle avait été prise, mais il ne l'avait jamais vue par la suite.

Mais sa mère l'avait gardée et fait tirer et encadrer en trois exemplaires destinés à ses garçons. Avait-elle fait cela à l'époque, ou plus tard, quand Brick était entré dans leur vie ? Avait-elle alors retrouvé ce portrait de famille, décidé qu'il était le reflet des temps heureux et voulu que ses enfants gardent une trace de ces moments ?

Il pleuvait si fort à présent qu'il devenait difficile de distinguer quoi que ce soit dans la nuit. Il devinait plus qu'il ne voyait la maison de Fitzler, même si les lumières étaient allumées au rez-de-chaussée.

Comme il se retournait vers l'ancienne ferme, il vit qu'il y avait de la lumière dans la cuisine et le séjour, mais aussi dans une pièce qui aurait dû être plongée dans le noir.

Il y avait quelqu'un dans la chambre de Brick ! Pendant un instant complètement fou, il crut que son beau-père était revenu. Mais très vite, recouvrant ses esprits, il s'approcha. Les épais rideaux étaient tirés mais il n'avait pas imaginé le rai de lumière qui filtrait entre les deux pans de tissu.

Quelqu'un avait-il réussi à pénétrer dans la maison ?

Quelqu'un qui voulait s'en prendre à Raney ?

Il alla à pas de loup jusqu'à la porte d'entrée qu'il ouvrit lentement, puis il entra et tendit l'oreille, cherchant à entendre Raney et Toby. Il ne perçut rien, aucun bruit.

La maison sentait bon, il y faisait chaud. Quand il vit

que Toby et Raney avaient mis de la peinture « coucher de soleil » sur le mur, il sentit son cœur se serrer.

L'arme au poing, il se rendit dans la cuisine. Maintenant, il entendait des voix. Raney, Toby. Il ne comprenait pas ce qu'ils disaient, mais ils s'exprimaient normalement, leur ton ne trahissant pas de détresse particulière.

Il s'approcha de la chambre de Brick.

Raney et Toby se trouvaient à l'autre bout de la pièce, près de la salle de bains.

Il s'avança, prêt à tirer.

16

En voyant surgir Chase l'arme au poing, Raney poussa un petit cri et Toby laissa tomber le pot de peinture qu'il tenait. Heureusement, il était bien fermé.

L'ancienne chambre de Brick avait été totalement vidée de son contenu, le lit dépouillé du matelas. Les murs avaient été repeints. Le jaunâtre sordide avait été remplacé par la teinte « délice de pêche », officiellement destinée à la salle à manger. La pièce en était totalement métamorphosée.

Chase en resta un moment bouche bée.

— Mais… mais… comment as-tu fait ? balbutia-t-il enfin.

Raney sourit.

— Je voulais te faire une surprise.

Il s'avança, regardant autour de lui. Elle faisait plus que le surprendre, elle le sidérait. Conscient de la présence d'un autre officier de police, il s'efforça pourtant de maîtriser le flot d'émotions qui l'avait envahi.

— Comment as-tu pu sortir les meubles et le reste sans que je m'en aperçoive ? demanda-t-il.

Elle sourit.

— Ça n'a pas toujours été simple, mais j'attendais que tu sois sur le toit pour les emporter, ainsi que les sacs-poubelle, dans le garage. Je te montrerai où je les ai cachés. Bien sûr, j'ai mis de côté tout ce qui pourrait être utile à quelqu'un. J'ai pensé que tu n'avais pas envie de t'occuper de ce bazar, voilà pourquoi je m'en suis chargée.

Personne ne lui avait jamais fait un si beau cadeau, songea-t-il. Parler à Raney de sa jeunesse, des mauvais traitements dont il avait été victime l'avait soulagé, libéré. Le poids qui pesait sur sa poitrine depuis des années s'était allégé. Jusque-là, il n'en avait jamais dit un mot à quiconque ; il n'aurait évoqué Brick avec personne d'autre. Mais il avait senti qu'il pouvait s'abandonner à elle, lui faire confiance, qu'elle ne le jugerait pas.

Qu'elle l'aimait d'un amour inconditionnel.

Le fait qu'elle ait travaillé en secret pour transformer cette chambre, pour en exorciser les démons, en était la preuve.

Il avait envie de la prendre dans ses bras, de l'embrasser comme un fou, mais la présence de Toby l'en empêchait. Il ne voulait pas qu'il soit au courant de leur amour ni qu'il aille alimenter les potins.

N'y tenant plus, il finit pourtant par se tourner vers son collègue.

— Toby, peux-tu nous laisser un instant seuls, s'il te plaît ?

Alors que celui-ci s'apprêtait à quitter la pièce, le téléphone portable de Chase sonna. Il le tira de sa poche et, en reconnaissant le numéro, sut qu'il s'agissait de mauvaises nouvelles.

— Hollister, fit-il.

— Ici le chef Bates. Nous avons un problème. Nous avons de très bonnes raisons de croire que votre localisation est compromise. Vous devez ramener Lorraine Taylor à St Louis au plus vite.

Il alla se poster à la fenêtre, et écarta du doigt les épais rideaux.

— Dites-moi ce qui s'est passé.

— Une série de cambriolages ont été commis près de Patch Street.

Il s'agissait de la rue où se trouvait le salon de coiffure où Raney s'était fait couper les cheveux.

— Les rapports ont été rédigés par des policiers différents, et les rapprochements n'ont pas été faits aussi vite qu'il l'aurait fallu, poursuivit Bates, une pointe de colère dans la voix. Ce n'est que lorsque le magasin de yaourts glacés a été visité que nous avons enfin compris le véritable objectif des cambrioleurs. Quelqu'un cherchait à s'emparer des images prises par les caméras de surveillance des boutiques du quartier.

Chase mesura aussitôt la gravité de la situation. Vincenze avait révélé, volontairement ou sous la contrainte, l'endroit où il avait laissé le témoin. Qu'il ait parlé sous la torture ou par intérêt financier, le résultat était le même. Les hommes de Malone s'étaient alors donné les moyens de découvrir où Raney avait été ensuite transférée. Et avec qui.

— Vous croyez qu'ils ont maintenant assez d'éléments en leur possession pour comprendre qu'elle s'est rendue dans ce salon de coiffure, qu'elle a changé de look et que, quelques heures plus tard, elle est partie avec moi ?

— Nous en sommes certains. L'orientation des caméras de surveillance leur a permis de retracer son parcours, sa métamorphose, et de repérer qui l'accompagnait, c'est évident. Et donc vous.

— Mais mon nom n'était pas écrit sur mon front, répliqua Chase. Même s'ils m'ont vu sur ces images, comment auraient-ils pu deviner mon identité ? Et savoir que j'allais ensuite retourner avec elle dans ma maison d'enfance, une maison où je n'avais pas remis les pieds depuis des années ?

Le chef ne répondit pas tout de suite.

— Gavin Henderson est mort, dit-il enfin. Abattu d'une balle en pleine tête, tirée à bout portant, après avoir été torturé comme l'a été Luis Vincenze.

Gavin Henderson ! Un haut-le-cœur souleva Chase. Henderson était un excellent policier, un bon copain, un mari, un père de famille. Et il comprenait pourquoi les sbires de Malone l'avaient pris pour cible. Il était arrivé dans le salon avec un appareil photo au cou. S'il y avait de nombreux policiers à St Louis, rares étaient ceux qui étaient également photographes. Et parmi ceux qui cumulaient les deux fonctions, très peu étaient de sexe masculin. Il n'avait donc pas été difficile aux bandits de l'identifier.

— Prenez la route immédiatement, reprit le chef. Au besoin, je mettrai Lorraine en prison, si c'est le seul moyen de garantir sa sécurité.

Mieux valait la laisser ici, songea Chase. Il veillerait sur elle. Cependant, la logique du chef était compréhensible. Bates pouvait, bien sûr, envoyer davantage d'hommes à Ravesville pour assurer la protection de Raney, mais l'opération serait coûteuse et peu efficace. Ils ne pouvaient pas compter non plus sur la police locale pour leur donner un coup de main. De toute façon, quels que soient les arguments qu'il pourrait avancer, le chef ne prendrait pas le moindre risque. Il voulait être certain que le témoin principal, la seule personne qui puisse faire lourdement condamner Malone, resterait en vie jusqu'au procès.

— Très bien. Nous serons à St Louis dans deux heures.

Il raccrocha et se tourna vers Raney.

— Qu'est-ce qui ne va pas ? demanda-t-elle.

Il n'avait pas le temps de la préparer, de lui épargner un choc. Il ne pouvait que lui annoncer la nouvelle brutalement.

— C'était le chef Bates. Nous devons t'exfiltrer vers St Louis. Tout de suite. Cette planque a été compromise.

Il préféra ne pas lui dire ce qu'il était arrivé à Gavin.

— Tu as trois minutes, montre en main, pour plier bagage, ajouta-t-il.

— Mais…

— Raney, je t'en prie.

Elle hocha la tête et se précipita hors de la pièce, bousculant presque au passage Toby qui se tenait toujours sur le seuil.

Chase lui expliqua à mi-voix la situation, y compris le sort réservé à Henderson.

— Raney et moi monterons dans l'un des 4x4, conclut-il. Leo et toi, vous nous suivrez dans l'autre.

Il appela Leo *via* son portable pour le mettre au courant des événements.

— Nous levons le camp immédiatement, dit-il.

Au pas de charge, il alla chercher les armes que Dawson et le chef lui avaient procurées en même temps que la voiture. Il répartit cet arsenal dans le coffre des deux 4x4.

Lorsqu'il eut terminé, Raney était redescendue, sa petite valise à la main. Elle avait enfilé son manteau.

Ils fermèrent la maison et prirent place dans les voitures.

Avant de démarrer, Chase lança aux deux autres policiers :

— Suivez-moi de près. Vous ne devez me perdre de vue sous aucun prétexte.

Bien que Chase ait mis le chauffage, Raney frissonnait. Elle était glacée.

Le vent soufflait si fort que des rafales déportaient par moments le 4x4 sur le côté. Au carrefour, quand ils prirent à gauche et non à droite vers le village comme ils en avaient l'habitude, elle sentit son cœur se serrer.

Elle avait envie d'aller au Wright Here Wright Now Café. De s'asseoir sur l'un des hauts tabourets, de commander un chocolat chaud, une part de tarte aux cerises avec de la glace à la vanille. Elle serait en sécurité, là.

Mais non, ce ne serait pas le cas, elle le savait. Et en faisant preuve d'une telle irresponsabilité, elle exposerait d'autres personnes au danger. A commencer par Chase.

— Je suis désolée, dit-elle.

Il se tourna vers elle.

— De quoi parles-tu ?

— De toi. Je regrette de t'avoir mis dans une telle situation. Je suis désolée que tes supérieurs t'aient choisi, toi, pour me protéger.

Il lui prit la main et la porta à ses lèvres pour l'embrasser avec tendresse.

— La couleur « coucher de soleil » met en valeur les boiseries et la cheminée. Comme tu l'avais dit.

Elle essaya de se libérer de son emprise, mais il la retint.

— Tu veux parler peinture, maintenant ? demanda-t-elle d'un ton sceptique.

Il sourit avant d'embrasser de nouveau sa main.

— Je veux parler de la couleur des murs, de la beauté des parquets, de l'épaisseur des tapis, du modèle des robinets de la salle de bains. Je veux parler des fleurs que tu cultiveras dans la cour et des rosiers grimpants que je planterai sur la façade de la maison. Je veux parler de nos enfants et du bruit qu'ils feront dans l'escalier.

— Penses-tu sérieusement quitter St Louis pour t'installer dans le Missouri ? Et ton métier ?

— J'en trouverai un autre. Nous sommes faits l'un pour l'autre, Raney. Nous serons heureux à Ravesville. Epouse-moi, chérie.

Elle crut que son cœur allait exploser de bonheur. Comme elle se tournait vers lui pour lui dire qu'elle l'aimait, elle vit quelque chose sur le côté, quelque chose qui la fit hurler.

— Attention !

Surgissant d'une petite route latérale, un véhicule fonçait sur eux, tous phares éteints, dans la nuit noire. Chase braqua de toutes ses forces et, par miracle, parvint à éviter la collision.

Un énorme bruit de tôle froissée derrière eux leur apprit que Leo et Toby n'avaient pas eu la même chance.

— Il faut faire demi-tour ! cria-t-elle. Leur venir en aide !

— Non. Il ne s'agit pas d'un accident.

Chase lui tendit son téléphone.

— Appelle les secours et dis-leur qu'un 4x4 s'est fait emboutir par un autre véhicule au carrefour de Hawk et de Billow. Et qu'il y a au moins deux blessés graves.

Elle tremblait tellement qu'elle eut du mal à presser les touches et dut s'y reprendre à deux fois. Elle répéta à la personne qu'elle eut en ligne ce que Chase venait de lui dire, puis l'opérateur lui demanda son nom.

— Lorraine, Lorraine Hollister, murmura-t-elle avant de mettre fin à la communication.

Chase se tourna vers elle.

— Tiens bon, Raney. Nous allons nous en sortir.

Malheureusement, quelques kilomètres plus loin, leurs phares éclairèrent une voiture arrêtée en travers de la voie. La route à cet endroit était étroite et ne permettait pas de contourner l'obstacle.

Sans hésiter, Chase quitta la route et s'engagea sur le champ voisin, un champ de pois dont la récolte avait été faite récemment. Leur 4x4 patina un peu sur les mottes de terre mais recouvra vite son équilibre.

— Nous allons couper à travers champs, dit Chase.

Ils allaient s'en tirer. Il le fallait.

Mais, alors qu'il accélérait, une des roues avant heurta violemment une pierre. Sous le choc, l'essieu se cassa. Le 4x4 tangua et s'affaissa.

A la hâte, Chase coupa le contact, éteignit les phares et descendit de voiture. De nombreux nuages obstruaient le ciel et il pleuvait toujours, mais la lune pleine diffusait un peu de lumière.

Il contourna le 4x4, ouvrit la portière de Raney et la tira hors de l'habitacle.

— Cours, ordonna-t-il. Vite ! Il faut fuir !

Alors qu'elle pensait qu'il l'inciterait à regagner la route, il lui saisit la main et la tira plus loin dans le champ. Elle trébuchait à chaque pas, mais il la soutenait, l'encourageant à continuer.

Tout en courant, elle risqua un œil derrière elle. Leurs poursuivants avaient allumé de puissantes torches pour éclairer les alentours. L'angoisse s'empara d'elle. Maintenant, elle doutait de réussir à leur échapper.

Elle faillit heurter un arbre de plein fouet avant de

prendre conscience que le champ avait cédé la place à une forêt. Elle sentit l'odeur de la terre mouillée. Une branche la gifla au passage.

Ils coururent encore sur une petite distance puis Chase s'arrêta.

— Grimpe dans cet érable, dit-il. Ne fais pas de bruit et, surtout, ne redescends pas avant que je sois revenu te chercher. D'accord ?

Il allait la laisser et s'élancer dans une autre direction pour attirer l'attention de leurs poursuivants sur lui et loin d'elle.

— Non, fit-elle. Restons ensemble.

Il prit son visage entre ses mains et l'embrassa avec force.

— C'est trop dangereux. Ecoute-moi. Tu vas faire exactement ce que je te dis. Ils ne s'attendent pas à ce que nous nous séparions. C'est notre seule chance, chérie. Prends ce revolver, ajouta-t-il en tirant une arme de sa poche. Il est chargé. Tu n'as plus qu'à presser la détente. S'ils te voient, tire. N'hésite pas, n'attends pas. Comprends-tu ?

Elle fondit en larmes.

— D'accord.

Il l'embrassa de nouveau avec passion.

— Donne-moi ton pied, ajouta-t-il. Je vais te faire la courte échelle.

Il la souleva et, s'agrippant aux branches, elle se hissa le plus haut possible dans l'arbre. Elle avait dit à Chase qu'elle ne souffrait pas de vertige, mais elle était terrifiée à l'idée de se retrouver seule. Elle trouva une grosse branche sur laquelle elle put s'installer assez confortablement pour rester longtemps sans bouger.

Elle était gelée, trempée. Ses dents s'entrechoquaient et ses mains tremblaient. Après quelques instants, elle entendit du bruit et comprit que Chase essayait d'entraîner leurs poursuivants le plus loin possible d'elle.

Peu après, des pas précipités lui firent tourner la tête. Elle vit des lumières. Leurs agresseurs arrivaient.

Ils s'arrêtèrent sous son arbre.

Chase courait comme un dératé, cherchant à faire le plus de bruit possible pour mettre les types sur sa piste. Il buta soudain contre une racine. Sa jambe blessée était encore trop faible pour lui permettre de se rétablir, et il s'étala de tout son long sur le sol trempé. Le souffle court, il se releva, serrant les dents pour ne pas crier.

Il pria pour ne pas heurter un arbre dans l'obscurité et s'assommer avant d'être suffisamment éloigné de Raney. Il savait qu'il ne pourrait pas distancer longtemps ses poursuivants, mais ce n'était pas son intention. Il avait seulement besoin de gagner du temps.

Sans en être certain, il pensait qu'ils étaient deux, peut-être trois. S'il devait se battre avec eux, le combat ne serait pas égal, mais pas perdu d'avance non plus. Si les bandits se séparaient, il aurait une chance supplémentaire de s'en tirer.

L'essentiel était de les éloigner de Raney. Parce que, s'ils parvenaient à le rattraper et s'ils s'apercevaient qu'elle n'était pas avec lui, elle serait en grand danger.

Le terrain devenait boueux et descendait en pente douce vers un cours d'eau. Une petite rivière. La nuit était de plus en plus noire, et il ne voyait plus rien. Il s'engagea dans l'eau et avança, espérant que la rivière n'était pas trop large et qu'il la traversait bien. Il craignait que, désorienté, il soit en train de la remonter.

Lorsqu'il parvint sur la rive opposée, il s'accorda un moment pour souffler, puis il se traîna sur la terre ferme et grimpa le talus avant de s'effondrer, épuisé. Mais très vite il se redressa pour aller se cacher derrière un arbre.

Ses poursuivants arrivaient sur l'autre rive. Comme il

risquait un œil dans leur direction, il les vit allumer de puissantes torches pour éclairer le cours d'eau. Ils étaient deux.

Il les entendit entrer dans l'eau. L'un d'eux trébucha et poussa un juron. Chase profita de ce moment de diversion pour s'écarter de l'arbre.

Grâce à la torche que tenait l'un des hommes, il voyait parfaitement la scène. Il tint son arme à deux mains pour la stabiliser et assurer son tir.

Contrairement à son complice, sa première cible ne tenait pas de lampe. Peut-être lui avait-elle échappé quand il avait failli tomber. Chase attendit, compta jusqu'à trois et fit feu. Dans un jet d'écume, le gars s'effondra comme une masse.

Visant aussitôt l'autre, Chase tira de nouveau. La balle atteignit le malfrat en plein cœur et il s'abattit à son tour dans l'eau.

Ne les voyant plus bouger, Chase s'approcha d'eux avec précaution. Il saisit la torche que tenait toujours le deuxième homme et éclaira les cadavres. Il ne connaissait aucun de ces hommes.

Il chercha le pouls de celui qui était à ses pieds pour s'assurer qu'il était bien mort. Pour l'autre, la question ne se posait pas. Allongé sur le ventre, la tête sous l'eau, il était forcément passé de vie à trépas.

Au départ, ses agresseurs étaient trois, il en était certain. Il lui fallait trouver le troisième avant que celui-ci ne s'attaque à Raney.

Il traversa la rivière en sens inverse, tenant la torche d'une main, son arme de l'autre.

Il devait retourner vers l'endroit où il avait laissé Raney en veillant à ne pas se faire voir.

Pour revenir sur ses pas, il devait suivre ses propres traces, repérer les petites branches qui s'étaient cassées sur son passage, les empreintes de ses semelles sur la terre boueuse. Il espérait retrouver l'arbre de Raney sans trop de difficultés.

Tiens bon, chérie. J'arrive.

17

Chase marchait depuis un petit quart d'heure quand il entendit du bruit derrière lui. D'instinct, il se jeta à terre et réussit à éviter la balle, qui siffla au-dessus de sa tête avant de finir sa course dans un arbre. Roulant sur lui-même, il allait tirer à son tour quand un géant envoya valser son arme d'un coup de pied.

— Lève-toi ! fit le type.

Il s'exprimait avec un accent que Chase ne reconnut pas. L'homme lui arracha la lampe torche des mains et lui éclaira le visage.

— Où est-elle ?

— Qui ? demanda Chase.

Le géant lui envoya son poing en pleine figure. A demi assommé, Chase s'effondra sur le sol.

— Relève-toi !

Chase obtempéra. Lentement.

— Où est-elle ?

— Je n'en sais rien.

Cette fois, son agresseur lui frappa le crâne de la crosse de son arme. Chase tomba à genoux.

— Je vais te reposer la question. Si tu ne me donnes pas la bonne réponse, je commencerai à tirer. D'abord dans les coudes. C'est très douloureux, tu verras. Ensuite, dans les genoux. Ainsi, tu ne pourras plus bouger ni te défendre quand les coyotes viendront te finir. Où est la femme ?

Chase fit mine de réfléchir.

— Je lui ai dit de courir vers la cabane. Pour s'y réfugier.

— Quelle cabane ?

— Celle qui est en bordure de la forêt.

— Je n'ai vu aucune cabane par là.

— Vous ne connaissez peut-être pas bien la région ; moi, j'y ai grandi, répondit Chase en espérant que le type saurait que c'était vrai. Je lui avais montré cette cabane il y a quelques jours, au cas où. Ecoutez, je m'en fiche, de cette fille. Cette histoire n'est qu'une mission pour moi. Je refuse de mourir pour une affaire qui ne me concerne en rien. Il me reste sept ans à tirer avant ma retraite de flic. Alors laissez-moi et allez chercher la fille. Tirez-moi dans la jambe si vous voulez me ralentir.

— Conduis-moi jusqu'à cette cabane. Après je te tirerai dessus comme tu m'as demandé.

Le géant le tuerait, Chase en était certain. Mais il lui fallait d'abord l'entraîner le plus loin possible de Raney et trouver le moyen de le désarmer.

— J'ai besoin de la lampe, dit Chase. Pour me repérer dans la forêt.

L'autre lui rendit la torche et Chase se remit en marche.

— Malone doit bien vous payer, pour ce travail, dit-il après un moment en regardant par-dessus son épaule.

L'autre ne répondit pas.

— C'est un de vos amis ?

— Ferme-la !

— Si vous me tuez, sachez quand même que les meurtres de flics sont sévèrement punis dans le Missouri. Avec un bon avocat, descendre n'importe qui peut vous coûter quelques années de taule. Mais quand il s'agit d'un flic le tarif est plus élevé. En général, l'injection létale est le prix à payer.

Comme l'homme le poussait en avant, Chase trébucha mais réussit à ne pas tomber.

— J'ai déjà buté des flics. Alors un de plus, un de moins, je m'en moque. De toute façon, j'ai bientôt fini mon travail et je ne compte pas m'éterniser ici. Dès que j'aurai tué cette femme, je quitterai les Etats-Unis et personne ne me retrouvera jamais.

Chase marchait toujours devant le géant quand un coup de feu claqua. Il se jeta à terre et roula sur lui-même, persuadé que le malfrat avait changé d'avis et décidé de le tuer avant de chercher seul la cabane.

Puis il vit Raney, les pieds bien plantés sur le sol, les bras tendus à hauteur des épaules. Elle vida son chargeur sur le sbire de Malone.

L'homme s'écroula, le visage dans la boue.

Raney n'avait encore jamais tiré sur quelqu'un, ni même eu une arme entre les mains. Quand tout fut fini, elle tomba à genoux en gémissant.

Chase la prit tendrement dans ses bras.

— Je te tiens, c'est fini, Raney.

— Il… il t'a frappé…, balbutia-t-elle. Ta pauvre tête…

— Ne t'inquiète pas, chérie. J'ai la tête dure. J'ai eu très peur quand tu as tiré. La peur de ma vie.

— Je sais que tu m'avais dit de ne pas quitter l'arbre avant que tu reviennes me chercher, mais je…

— Je ne t'en veux pas du tout ! Tu m'as sauvé la vie. Je suis très heureux que tu n'aies pas obéi.

— Je ne pouvais pas attendre plus longtemps. J'avais entendu les coups de feu, je t'imaginais blessé dans le bois. Je pensais que tu avais besoin de moi. Tu prends toujours soin des gens, tu n'hésites jamais à sacrifier ton bien-être pour protéger les autres, pour qu'ils soient heureux. Je me suis dit qu'il était temps que quelqu'un veille sur toi.

— Raney…, dit-il d'une voix étranglée.

— Je ne pouvais pas rester là sans rien faire, poursuivit-elle. Et quand je l'ai vu te frapper et te frapper encore, j'ai su que j'allais le tuer pour qu'il arrête.

Il lui caressa les cheveux, les repoussa tendrement derrière ses oreilles.

— La blonde Raney en action. Je t'aime tant, mon amour. Que tu sois brune ou blonde, je t'aime, Raney. Toi.

Elle lui rendit ses baisers.

— Je t'aime pour toujours, Chase. Maintenant, rentrons à la maison.

LARA LACOMBE

La menace aveugle

Traduction française de
VÉRONIQUE MINDER

Titre original :
KILLER SEASON

83-85, boulevard Vincent-Auriol, 75646 PARIS CEDEX 13.

Service Lectrices — Tél. : 01 45 82 47 47

www.harlequin.fr

1

Nate Gallagher observait, sans conviction, les boissons énergisantes disposées sur les clayettes de la vitrine réfrigérée. Malgré l'heure tardive et son état de fatigue avancé, il allait devoir encore consulter quelques dossiers avant de se coucher, aussi avait-il grand besoin de vitamines tonifiantes.

Il sortit une bouteille dont il lut, sceptique, les promesses du slogan qui se détachait en noir sur le vert fluorescent : « Gonflé à bloc pendant toute la journée ! » Nate haussa les épaules avec indifférence. Pourquoi pas ? Ce breuvage aurait au moins le mérite de le changer du café… Il en faisait une telle consommation qu'il n'aurait pas été étonné de se réveiller un beau matin métamorphosé en caféier. Sa bouteille à la main, il s'approcha ensuite de l'espace de restauration rapide, regardant subrepticement dans la direction de la caisse.

Ou plutôt, de la jeune vendeuse.

Lorsqu'il était entré dans la petite épicerie, Fiona, qui assurait le service de nuit, lui avait souri, comme à son habitude. Elle avait repris sa lecture et ne lui accordait plus la moindre attention. Comme d'habitude aussi… Elle était si studieuse que, récemment, Nate lui avait demandé si elle était étudiante.

« Oui, en sociologie, lui avait-elle répondu. Je prépare une thèse de doctorat à l'université de Houston. Après, j'aimerais enseigner et faire de la recherche. »

Nate ne s'était jamais particulièrement intéressé à la

sociologie, en revanche il s'intéressait beaucoup à Fiona, qui incarnait, à ses yeux, l'image du professeur d'université sexy. Non seulement elle était intelligente, mais elle avait un charme fou avec ses cheveux auburn, son regard brun pétillant, et sa bouche bien ourlée et généreuse.

Il se l'était souvent imaginée vêtue d'un ensemble jupe-veste de tailleur cintrée mettant ses formes en valeur et juchée sur des talons vertigineux, en train d'officier dans un amphithéâtre de son université. Car si Fiona ne portait généralement qu'un jean et un T-shirt, il n'en avait pas moins remarqué sa silhouette harmonieuse. Quand il payait ses achats à la caisse, il éprouvait parfois le désir de l'enlacer et d'enfouir le visage dans sa chevelure. Quel parfum la jeune femme portait-elle ? Il avait fantasmé sur des fragrances de vanille, de rose ou d'agrumes. Mais dans le fond il n'avait aucune préférence et espérait seulement que le hasard lui donnerait l'occasion de le découvrir.

Chaque fois qu'il se rendait dans cette supérette mitoyenne d'une station d'essence, Nate s'interrogeait sur Fiona. Il ne connaissait que son prénom, inscrit sur son badge de vendeuse, ainsi que sa passion pour la sociologie dont elle avait fait sa spécialité universitaire. Etudiante de troisième cycle en fin de thèse, pourquoi travaillait-elle de nuit dans cet endroit sinistre ? N'avait-elle pas obtenu un poste de chargée de cours ? Quoi qu'il en soit, une fois qu'elle aurait soutenu sa thèse, elle deviendrait maître de conférences ou assistante, et quitterait cet emploi évidemment temporaire.

Nate savait qu'il serait déçu de ne plus la voir dans cette boutique où il se rendait souvent. Quand bien même le joli sourire de Fiona lui manquerait, il serait, en quelque sorte, rassuré sur son sort. Travailler dans cet endroit, de surcroît de nuit, ne devait pas être une sinécure.

Sur ces entrefaites, Nate s'arrêta devant les plats chauds à emporter et qui se réduisaient à des nachos et des hot-dogs. Rien d'appétissant, mais son petit déjeuner remontait à plusieurs heures, et il avait tellement faim qu'il se sentait proche de la nausée et du malaise hypoglycémique.

Nate prit la pince en inox et sélectionna un hot-dog qui ne semblait pas trop desséché dans les chauffe-plats au bain-marie. Simultanément, il se reprocha de mal s'alimenter mais, à partir de demain, se promit-il avec élan, il ferait des efforts. De fil en aiguille, il songea à la cuisine succulente de sa mère et soupira. Cette dernière était tellement furieuse qu'il n'ait pas fêté Thanksgiving en famille que, depuis, elle lui battait froid. Elle préférerait encore l'assommer avec une poêle à frire plutôt que de lui préparer un de ses petits plats dont elle avait le secret, conclut-il, attristé.

S'il regrettait d'avoir des relations aussi compliquées avec ses parents, Nate refusait de faire passer fêtes et réunions familiales avant ses obligations professionnelles. Tant pis si sa mère vivait chacune de ses absences comme un affront personnel.

« Encore ! s'était-elle exclamée lorsqu'il lui avait téléphoné, la semaine dernière, pour lui annoncer qu'il manquerait le dîner de Thanksgiving. Tu privilégies ton métier à ta famille ? Je comprends. Très bien. »

C'était évidemment une façon de parler. Nate savait que sa mère, loin de le comprendre, le taxait d'égoïsme, mais il s'épargnait la peine de se justifier et de s'engager dans une discussion stérile où, de toute façon, il n'aurait pas le dernier mot.

Nate aimait son métier et la quête de justice effrénée qui lui était indissociable, mais il voulait aussi gravir les échelons de la hiérarchie pour des motifs qu'il ne pouvait et ne voulait expliquer à ses parents.

Refoulant ses pensées, il saisit la bouteille de ketchup à côté des chauffe-plats. Ce soir, il se sentait épuisé et un peu démoralisé. Il ne doutait pas que, à Noël, sa mère lui adresserait des reproches en aparté afin que Molly ne les entende pas. Sa sœur, atteinte du syndrome de Down, était d'une extrême sensibilité et ne supportait pas les conflits.

Songer à Molly le fit sourire. Aujourd'hui, la benjamine de la famille avait dû recevoir, de sa part, vingt et une roses blanches pour son anniversaire. D'habitude, Nate le lui souhaitait entre deux dossiers d'un bref coup de téléphone, mais, cette année, il avait décidé de faire les choses en grand. Le bouquet, magnifique, lui avait coûté une jolie somme, mais Molly en valait la peine, songea-t-il avec tendresse. Sa sœur le réclamait souvent et s'attristait de si peu le voir à la maison mais, à la différence de leur mère, elle ne lui adressait jamais de reproches. Dans tous les cas, il espérait que ces roses calmeraient la rancune que sa mère nourrissait contre lui depuis Thanksgiving.

Une fois qu'il eut nappé son hot-dog de ketchup, Nate essuya ses doigts poisseux et, sa bouteille dans une main et son en-cas dans l'autre, se dirigea vers la caisse. Au même instant, la bouteille, que le phénomène de condensation avait rendue humide et glissante, lui échappa et roula, disparaissant sous le rayon des chips.

— Ah zut ! murmura-t-il.

Il hésita. Allait-il la laisser sous le rayon et retourner à la vitrine réfrigérée pour se resservir ? Mais, après avoir de nouveau tourné les yeux vers la caisse, il se ravisa. S'il ne la ramassait pas maintenant, Fiona serait obligée de le faire et il voulait lui épargner cette corvée. Résigné, il posa son hot-dog à côté des paquets de chips, se mit à genoux et tendit le bras à l'aveuglette sous le rayon.

Fiona entendit quelque chose tomber, une bouteille en plastique si elle en croyait le bruit sourd qui lui parvint. Elle leva les yeux dans la direction de son seul client, qu'elle vit subitement à genoux. Si Hot Guy, car ainsi le surnommait-elle en son for intérieur, réussissait à récupérer cette bouteille et aussitôt après la débouchait, la pression accumulée dans l'espace compris entre le bouchon et le liquide allait faire jaillir celui-ci sur son visage et son T-shirt. Qu'importe, elle viendrait à sa rescousse pour éponger les dégâts ! songea-t-elle avec un plaisir non dissimulé. Peut-être même l'aiderait-elle à retirer son T-shirt et verrait-elle enfin ses abdos qu'elle devinait en tablette de chocolat. Elle sourit à cette pensée sensuelle. Dévêtir des clients ne faisait évidemment pas partie de ses attributions mais, dans le cas de Hot Guy, elle était prête à faire une exception.

Hot Guy passait régulièrement à la supérette. Il ne venait jamais à la même heure, toujours en soirée cependant, aussi guettait-elle son arrivée avec impatience et l'espérait-elle chaque soir. Fiona ne savait rien de lui, mais elle voyait qu'il avait toujours l'air épuisé, comme s'il portait le poids du monde sur ses épaules. En dépit de ses cernes et de sa barbe de deux jours, il était incroyablement séduisant, en particulier à cause de la couleur de ses yeux, d'un vert printanier, profond et intense. Même si Hot Guy ne paraissait pas remarquer son existence et ne lui accordait de l'attention que lorsqu'il payait à la caisse, elle avait l'impression qu'il savait toujours où elle se trouvait et ce qu'elle faisait. Il n'y avait rien de mal à fantasmer, non ?

Elle se sentait toujours nerveuse devant lui. Non qu'il la mette mal à l'aise, loin de là, car il était très poli et souriant, mais il était tout simplement trop beau et elle était très sensible à son charme… Elle ne se lassait pas de l'observer à son insu, d'admirer son allure féline quand il se déplaçait dans les rayons. Elle avait même appris à l'épier en feignant d'être plongée dans ses manuels. Un jour, il lui avait demandé si elle était étudiante et le seul son de sa voix l'avait fait frissonner. Elle lui avait répondu, il lui avait souri pour seule réponse mais, depuis, ils n'avaient plus échangé un mot.

Et si je lui adressais de nouveau la parole ce soir ?

Après tout, l'occasion m'est offerte, se dit-elle tout à coup. En tant qu'employée, n'était-elle obligée de lui proposer son aide ? Il était en effet inapproprié qu'un client soit obligé de se mettre à genoux et de tâtonner sous un rayon pour récupérer un produit. Fiona mit donc un signet dans son manuel, qu'elle referma, puis se leva.

Elle ralentit le pas en s'approchant. Agenouillé, penché en avant et le bras tendu au maximum, Hot Guy lui cachait certes son séduisant visage mais il lui offrait la vue d'un postérieur parfait, moulé dans un jean qui lui allait comme une seconde peau, ainsi que de l'élastique de son boxer et d'une portion de dos bronzée.

Fiona sourit malgré elle. *Pas mal*. Elle avait eu l'intention de l'aider mais autant jouir du spectacle.

A peine s'était-elle fait cette réflexion qu'un tintinnabulement argentin s'éleva derrière elle : un client entrait. C'est donc à regret qu'elle revint vers sa caisse. Bon, au moins sa soirée aurait-elle été à peine plus captivante que d'habitude, conclut-elle en son for intérieur.

Le nouveau venu, grand et mince, avait les mains dans les poches de son sweat-shirt dont il avait relevé la capuche. L'attitude de cet homme, épaules rentrées et visage baissé, la mit d'emblée mal à l'aise. Prise d'un mauvais pressentiment, Fiona se tendit. Elle avait l'impression que l'individu tentait de se cacher, et non pas de se protéger du froid vif de la soirée.

Mais elle n'eut pas le temps de s'interroger davantage, car elle le vit soudain sortir une arme et la braquer sur elle.

— L'argent. Maintenant.

Pétrifiée, Fiona fixa l'arme. Si petite et cependant mortelle…

— T'es sourde ou quoi ? reprit son agresseur. L'argent ! Et vite !

Il la prit par le bras et la conduisit sans ménagement vers la caisse. Ainsi malmenée, Fiona heurta le comptoir. Le choc la fit grimacer, et elle sentit les larmes lui monter aux yeux. La douleur physique eut au moins le mérite de la soustraire pour un temps à la panique.

Quand elle avait commencé à travailler dans cette épicerie d'appoint, Ben Carter, le gérant, lui avait expliqué la procédure à suivre en cas de vol à main armée et d'agression. En apparence, elle devait coopérer, ne surtout pas résister et éviter qu'il y ait des blessés parmi les éventuels clients. Enfin, elle devait presser le bouton d'appel destiné à avertir la police. Fiona avait écouté ces recommandations avec attention, à peu près certaine toutefois que jamais elle n'aurait à vivre pareille situation. Maintenant qu'elle faisait face à sa réalité, elle tremblait tellement qu'elle eut de la peine à ouvrir la caisse et se sentit incapable de chercher, à tâtons, le bouton d'alerte.

— Plus vite ! l'exhorta l'homme tandis qu'elle vidait le tiroir-caisse.

Il ne cessait de jeter des regards vers la porte. Redoutait-il une interruption ? L'arrivée d'un client ?

Fiona fourra l'argent dans un sachet en plastique et le lui tendit sans le regarder. L'inconnu en conclurait qu'elle ne pourrait l'identifier, et ne lui ferait aucun mal.

Mais il fixait toujours la porte. Qu'attendait-il ? Un complice ? Pourquoi tergiversait-il, son forfait accompli ?

Comme il s'était détourné, Fiona osa relever les yeux sur lui et, en même temps, tâtonna sous le comptoir à la recherche du bouton d'alerte. Bon sang, où était-il ? Quand elle le sentit enfin sous ses doigts glacés et tremblants, elle se mordit la lèvre pour ne pas crier de soulagement. Elle pressa dessus de toutes ses forces, mais brièvement afin que son agresseur ne soupçonne pas son geste.

Il s'en était fallu de peu, car ce dernier reporta soudain son attention sur elle et lui arracha le sachet contenant l'argent. Ce faisant, il effleura ses doigts et Fiona ne put contenir un mouvement de recul. Elle essuya subrepticement sa main sur son T-shirt tandis que le voleur posait le sachet sur le comptoir et l'ouvrait prestement pour en vérifier le contenu. Cela fait, il leva sur elle un regard méchant.

— Où est le reste ?

Fiona secoua la tête.

— Je… je suis désolée. C'est tout ce qu'il y a…

Terrorisée, elle recula tandis qu'il se penchait par-dessus le comptoir pour regarder dans le tiroir-caisse maintenant vide.

Un mouvement dans le fond du magasin attira soudain son attention. Fiona sentit son cœur battre plus vite.

Hot Guy s'approchait à pas de loup, une arme à la main. Il la regardait, l'index posé sur les lèvres.

2

Nate était impressionné par le calme de Fiona. Il savait par expérience que les victimes d'une agression à main armée perdaient vite leur sang-froid et parfois devenaient hystériques.

Il s'approcha rapidement et en silence pour ne pas alerter le voleur, qui était de plus en plus agité. Celui-ci hurlait et agitait son arme devant le visage de Fiona. Etait-il sous l'emprise de la drogue ?

Au même instant, l'homme prit cette dernière par le bras, pressa son arme contre sa tempe et la fit sortir de derrière la caisse. Ainsi malmenée, la jeune femme fit tomber le présentoir des tickets de Loto.

— Où est le reste de l'argent ? s'écria le voleur, la secouant.

Fiona laissa échapper un gémissement de douleur. Nate se raidit. Il aurait tiré s'il n'avait redouté de la blesser.

— Je vous en prie..., dit-elle à son agresseur en tentant de se dégager. C'est... c'est tout ce qu'il y a... Je vous le jure.

— Non. Tu mens !

Il était hors de lui.

Nate comprit que, s'il n'agissait pas très vite, le voyou la tuerait. Cette pensée lui serra le cœur alors qu'il continuait de s'approcher, cherchant une stratégie, un angle d'attaque.

Fiona, qui le regardait, ouvrit aussitôt de grands yeux.

— Non ! s'écria-t-elle tandis qu'elle arrimait son regard au sien. Je vous en prie, non !

Non quoi ? Elle était en danger, mais elle ne voulait pas

qu'il intervienne et se mette lui aussi en danger ? traduisit Nate, confondu, en son for intérieur.

Son estime à l'égard de la jeune femme grandit. Il opina en silence pour la tranquilliser, sans cesser de s'approcher.

A cet instant, le voleur recula avec elle, et Nate, qui était désormais tout proche, fut obligé de l'imiter. Aussitôt après, le jeune malfrat fit volte-face et l'aperçut. Il serra Fiona contre lui, pressant plus fort le canon de son pistolet sur sa tempe.

— Lâche ton arme ou je la tue !

— Ecoutez, je suis officier de police, déclara Nate d'une voix calme. Posez votre arme et laissez cette femme.

L'homme regarda partout dans l'épicerie vide, et recula, tenant toujours Fiona.

— Non ! N'approchez pas sinon je la tue ! répéta-t-il, l'index maintenant sur la gâchette. Baissez votre arme !

Nate se rendit compte que l'individu était sur le point de craquer et décida d'obtempérer. Il n'avait pas d'autre choix.

L'homme suivit sa reddition des yeux et, aussitôt qu'il ne fut plus menacé, parut se détendre.

— On va parler, reprit Nate, espérant le distraire pour le prendre par surprise et le désarmer.

— Non ! s'exclama l'homme, qui secoua la tête avec vigueur.

— D'accord. Alors voilà ce que je vais vous proposer, déclara Nate sans élever la voix. C'est moi qui vais parler et vous allez m'écouter.

Après une brève hésitation, le voleur opina. C'était un bon début.

— Je m'appelle Nate. Et vous ?

L'homme étrécit le regard, méfiant.

— Joey, marmonna-t-il à contrecœur.

— Joey, répéta Nate. Vous êtes sûrement un brave type, Joey.

— Vous me prenez pour un imbécile ? Je ne suis pas un brave type. Vous en avez la preuve devant les yeux !

Nate opina lentement, l'air pensif.

— Je suis certain que vous agissez par nécessité. Parce que vous avez des problèmes. Un besoin d'argent urgent. Mais je sais aussi que vous n'avez pas envie de faire du mal à cette jeune femme. Et moi, je ne veux pas que vous lui en fassiez.

Nate tourna les yeux vers Fiona qui le dévisageait, les yeux écarquillés. Elle gardait une immobilité de statue et était d'une pâleur alarmante. Il aurait voulu lui adresser quelques paroles de réconfort, mais il risquait de contrarier Joey, et ne voulait surtout pas prendre ce risque.

— Mais si elle est blessée, ce sera votre faute ! s'écria ce dernier.

Le plus vif désespoir perçait dans sa voix. A l'évidence, cette petite frappe n'était pas dans son état normal. Si tant est que cette maudite engeance en eût un…

Sur ce, il recula vers la porte, sans doute pour prendre la fuite, mais, au même instant, Nate surprit un mouvement sur le parking. Une voiture de patrouille s'y garait. Par chance, ni les gyrophares ni la sirène n'étaient en marche.

— Je comprends, déclara Nate.

Il leva sa main libre, pour lui montrer qu'il n'était pas animé d'intentions belliqueuses.

— Personne ne sera blessé si vous m'écoutez, reprit-il, pour retenir l'attention de Joey afin qu'il ne prenne pas conscience de la présence de la police.

— Posez votre arme ! s'obstina Joey sans le quitter des yeux.

Il déglutit. Sa pomme d'Adam oscilla. Nate hocha la tête.

— Très bien. Mais avant, promettez-moi de ne pas faire de mal à cette jeune femme, insista-t-il.

Joey ne répondant pas, Nate sourit.

— Je suis policier, donc je ne lâcherai pas mon arme

tant que je n'aurai pas la certitude que cette jeune femme est hors de danger.

Il vit ses deux collègues arriver devant la porte de l'épicerie, où ils s'arrêtèrent.

— Posez-la, sinon..., insista Joey en serrant plus fort Fiona contre lui, ce qui arracha à la jeune femme un gémissement.

Nate, de nouveau, secoua la tête, se souvenant de la formation qu'il avait reçue à l'académie de police, notamment de la stratégie à adopter lors d'une prise d'otage : négocier et non céder, identifier les demandes et les besoins, argumenter sur l'utilité des requêtes, invoquer des solutions satisfaisantes permettant de trouver un compromis. Ne jamais parler de mort. Ne pas non plus provoquer le preneur d'otage.

— D'accord. Je vais la poser sur le comptoir, près du tiroir-caisse. Cela vous convient ?

Tout en parlant, Nate s'avançait, ce qui forçait ainsi Joey à reculer. Son but était de l'acculer contre la porte vitrée de l'épicerie.

A l'extérieur, les policiers avaient compris le sens de sa manœuvre et, leurs armes pointées sur Joey, attendaient. Nate espéra qu'ils avaient éteint leur radio.

Quand il eut déposé son arme sur le comptoir, il s'approcha de Fiona.

— Voilà, Joey. J'ai agi comme vous me l'avez demandé. Alors maintenant, lâchez cette jeune femme.

Le malfrat semblait hésiter. Nate fit davantage pression.

— J'ai rempli ma part du marché, reprit-il sans cesser de se rapprocher. Je ne suis plus armé, vous avez l'argent. Alors laissez-la et partez.

Sur ces mots, Nate posa les doigts sur le bras de Fiona.

Joey relâcha son emprise. Nate, qui osait à peine respirer, attira la jeune femme à lui.

— Laissez-la, reprit-il d'une voix basse et douce. Vous n'avez pas envie de la prendre en otage.

Joey la lâcha brusquement. Nate pressa alors Fiona contre

sa poitrine et recula entre les rayons, où il se jeta à terre, l'entraînant avec lui. Il la recouvrit de son corps pendant que les policiers entraient en trombe et neutralisaient Joey.

Plaquée à terre sous Hot Guy qui la protégeait, Fiona réussissait à peine à respirer.

Elle ne voyait rien, mais c'était tant mieux. Si elle avait pu aussi ne rien entendre… Malheureusement, ce n'était pas le cas. Il y eut une première sommation, suivie d'une deuxième, puis un *pop*, le genre de son que seul peut produire une arme à feu munie d'un silencieux, et, enfin, un cri de douleur à glacer les sangs. Fiona, épouvantée, se nicha contre l'épaule de son sauveur, essayant, en vain, de ne plus entendre les gémissements continus qui désormais lui parvenaient.

Elle était trop choquée par les événements qui venaient de se dérouler pour les rendre intelligibles. Dans cet amalgame de sensations indicibles, elle n'identifiait que son soulagement à ne plus sentir le canon d'une arme sur sa tempe. Elle avait envie d'y porter la main, de toucher cet endroit meurtri et ainsi effacer la sensation du métal toujours présente. Mais c'était impossible, elle avait les mains plaquées sous le ventre.

La voix de Hot Guy, douce et profonde, lui parvint soudain. Elle en percevait les vibrations qui se communiquaient à elle. C'était à la fois très intime et très troublant.

— Ça va, Fiona ?

Incapable de parler, elle acquiesça d'un signe de tête. En vérité, elle ne savait pas comment elle se sentait. Elle venait d'être menacée de mort et avait du mal à ordonner ses pensées. Hot Guy recula pour la dévisager de son regard si vert et intense. De plus en plus troublée, elle lui déroba le sien.

— Vous êtes certaine que vous n'êtes pas blessée ?

demanda-t-il en passant le doigt sur sa tempe, à l'endroit où avait été pressé le canon de l'arme.

Sous cet effleurement inattendu, presque une caresse, Fiona retint son souffle et frissonna.

— Certaine…

Sa voix se brisa. Elle toussota et chercha à se ressaisir. Elle n'allait pas s'évanouir ni avoir une crise de nerfs parce qu'un petit voyou l'avait prise en otage pendant quelques minutes ! Malgré le choc qu'elle venait de subir et dont elle ne se remettait que lentement, elle tirait un vif plaisir d'être réconfortée et protégée par Hot Guy.

Il était musclé et vigoureux, de plus il sentait très bon. La fragrance boisée alliée à une note imperceptible de musc créait un bouquet d'effluves très séduisant, et lui donnait même envie de presser le nez dans son cou pour mieux jouir de son odeur.

Enfin, il se leva et lui tendit la main pour l'aider à se relever aussi. Elle la saisit mais, une fois debout, chancela. Aussitôt, il posa sa main sur son épaule. Elle ferma les yeux, appréciant ce nouveau contact intime.

La voix d'un des policiers s'éleva :

— Mais je vous connais, vous !

Fiona rouvrit les yeux. C'était son sauveur que le policier apostrophait, cherchant manifestement, vu ses sourcils froncés, à mettre un nom sur son visage.

— Steve ? commença Hot Guy après une hésitation.

— Exact, Steve Rodriguez. Et vous, vous êtes… ?

— Nate Gallagher. Police criminelle de Houston.

Steve opina, un sourire aux lèvres.

— Ah oui, bien sûr, Gallagher ! Le quarterback vedette du dernier match de soccer qui a opposé la police de Houston aux pompiers ! Un grand moment !

Nate sourit.

— Ravi que le spectacle vous ait plu !

Puis il reprit son sérieux.

— Ecoutez, je savais que je prenais un risque en braquant mon arme dans votre direction.

Steve hocha la tête.

— Ne t'inquiète pas, Nate. On a tout de suite compris la situation quand on est arrivés.

Puis Nate attira Fiona à ses côtés.

— Je n'avais qu'une idée en tête : qu'elle garde la vie sauve, ajouta-t-il simplement.

Le policier regarda Fiona, comme s'il la remarquait pour la première fois.

— Vous allez bien, madame ?

Fiona opina mécaniquement. Pourquoi ne cessait-on de lui poser cette question ?

— Nous allons devoir prendre votre déposition, continua-t-il en lui indiquant d'un geste de le précéder.

Elle obtempéra à contrecœur, elle n'avait pourtant aucune envie de s'éloigner de Hot… de Nate : elle se sentait tellement en sécurité auprès de lui, bien que leur contact se soit désormais limité à sa main sur son épaule.

Au silence qui était retombé, parfois entrecoupé par les crépitements intermittents de la radio des policiers, Fiona se rendit compte que son agresseur avait cessé de gémir. Quand elle passa devant lui, elle réalisa qu'il était à demi inconscient.

A sa vue, elle déglutit et eut un mouvement de recul instinctif. Non qu'elle soit impressionnée par l'effusion de sang, mais cet individu l'avait agressée, violentée, et menacée de mort. Et cependant, comme il paraissait petit et faible, maintenant. Réduit à l'impuissance, le malfrat n'avait plus le pouvoir d'attenter à sa vie, pourtant elle restait pétrifiée sur place, consciente de la panique qui, de nouveau, montait et serrait sa gorge.

Agenouillé devant le voleur, l'équipier de Steve pressait une compresse sur son épaule blessée. Il leva les yeux sur elle et lui adressa un signe de tête. Fiona y répondit par un hochement mécanique.

— Vous allez bien, mademoiselle ? Vous êtes très pâle.

Incapable de parler, elle toussota.

— Excusez-moi…, parvint-elle enfin à prononcer dans un murmure. Je crois… que…

Fiona fit demi-tour et courut vers les toilettes, dont elle ouvrit la porte avec une telle violence que celle-ci heurta le mur bruyamment. Elle s'y enferma, tomba à genoux devant la cuvette des W-C, la main sur le ventre.

Prise de vertiges, elle vit passer devant ses yeux le film des derniers événements. Pour finir, elle posa son poing sur sa bouche pour étouffer les violents sanglots qui lui montaient aux lèvres. Elle avait appris à contenir ses émotions depuis l'époque où sa mère se battait contre la maladie. Aguerrie par l'épreuve, elle se savait forte, mais cette émotion-là était inédite et la submergeait. Toutes ses forces l'abandonnèrent et les larmes coulèrent malgré elle. Fiona arracha une feuille de papier toilette pour se tamponner les yeux, s'intimant l'ordre de se calmer. Elle ne voulait pas que ses yeux rouges et son visage marbré ne trahissent son désarroi quand elle reviendrait dans la boutique. De plus, elle devait avoir les idées claires pour faire sa déposition. Elle pleurerait tout son soûl une fois à la maison ! Elle se releva, jeta le papier dans la corbeille, alla s'asperger le visage d'eau fraîche, puis se regarda dans la glace, se concentrant sur la marque que le canon avait laissée sur sa tempe. Elle y porta ses doigts tremblants, et la sentit bel et bien.

Une telle nausée la souleva qu'elle n'eut que le temps de se pencher au-dessus de la cuvette des W-C, où elle vomit un flot de bile.

— Fiona ?

La voix calme de Nate lui parvint, de l'autre côté la porte. Fiona, de honte, eut envie de disparaître sous terre.

Depuis combien de temps était-il là ? L'avait-il entendue pleurer ? Vomir ?

— J'arrive ! dit-elle, s'efforçant de parler d'une voix ferme.

— Je peux entrer ?

Et sentir l'odeur âcre de la bile qu'elle venait de vomir ? Surtout pas !

— J'arrive..., répéta-t-elle, s'essuyant la bouche avec de l'essuie-mains, puis se recoiffant d'un geste preste mais malhabile.

Cette fois, le silence seul lui répondit, mais elle était certaine que Nate l'attendait. Elle se regarda dans le miroir une dernière fois, se reprochant ses sanglots. Si les pleurs embellissaient certaines femmes, ils en enlaidissaient d'autres et, malheureusement, elle faisait partie de cette dernière catégorie. Elle avait les yeux bordés de rouge, les lèvres gonflées et le visage marbré. La pensée que le beau policier courageux la voie dans un tel état la remplissait de honte.

Elle but une gorgée d'eau, lissa son T-shirt froissé et, poussant un gros soupir, sortit des toilettes.

3

Elle avait pleuré.

Ce fut la première chose que Nate remarqua. Certes, elle marchait la tête haute et le menton levé dans une attitude de défi et de détermination, mais sa pâleur et ses yeux gonflés trahissaient sa détresse. Sans doute avait-elle même vomi, une réaction normale au choc qu'elle venait de subir.

Bien qu'il n'en ait pas été à sa première prise d'otages, Nate n'en fut pas moins bouleversé. Constatant que Joey n'avait pas encore été évacué, il dirigea Fiona dans la direction opposée pour lui en épargner la vue. Il s'approcha plutôt des vitrines réfrigérées, d'où il sortit une bouteille de soda.

— Tenez, buvez, dit-il, la lui donnant. Cela vous fera du bien.

Elle rougit mais ne détourna pas les yeux.

— Merci, répondit-elle avec un sourire brave. Je crois que j'ai été plus secouée que je ne le pensais !

— Le contraire aurait été étonnant. Ne vous inquiétez pas, c'est normal.

Il posa sa main sur son épaule. C'était plus fort que lui, il avait besoin de la toucher.

— J'ai vu des grands gaillards de plus de cent kilos s'effondrer et pleurer comme des bébés après avoir été menacés par une arme, alors ne vous reprochez pas votre surcroît d'émotion.

Elle fixa la bouteille, puis haussa les épaules avant de la déboucher.

— Un problème ? s'enquit Nate, étonné.

— Non, pas vraiment. Je me disais seulement qu'on n'avait pas le droit de se servir et de consommer sans payer au préalable.

— C'est pour moi, dit-il, sortant spontanément son portefeuille.

Mais elle l'arrêta d'un geste et, de nouveau, sourit.

— Laissez. Après ce qui vient de se passer, le gérant de l'épicerie peut bien me faire le don d'un soda.

— Vous avez raison.

Il posa la main sur sa taille pour la conduire dehors, et l'éloigner de son agresseur. Il entendait déjà les sirènes de l'ambulance, et il voulait que Fiona sorte de l'épicerie avant que les urgentistes n'y entrent pour donner les premiers soins à Joey avant de le conduire à l'hôpital.

Plus vite Fiona aurait fait sa déposition, plus vite elle pourrait rentrer chez elle. Sur ces entrefaites, Nate regarda autour de lui et avisa la caméra de surveillance orientée vers la caisse. L'agression avait été filmée, et la séquence, une pièce à conviction, soutiendrait le témoignage de Fiona et le sien.

Ils arrivaient sur le pas de la porte quand Fiona se figea.

— Il faut absolument que j'appelle Ben ! lâcha-t-elle en pâlissant.

Ben ? Son mari ? Son petit ami ? Pourquoi semblait-elle si malheureuse tout à coup ? Et lui, pourquoi avait-il eu ce sursaut de contrariété ?

— Qui est Ben ? ne put-il s'empêcher de demander.

Il retint son souffle malgré lui.

— C'est le gérant de l'épicerie.

Nate poussa un soupir de soulagement. Fiona lui adressa alors un regard à la fois intrigué et interrogateur. Il en fut gêné. Quel idiot il faisait ! Il ne parvenait pas, surtout, à s'expliquer cette réaction ridicule.

— C'est moi qui vais l'appeler, proposa-t-il.

Fiona lui adressa un sourire de reconnaissance.

— Vraiment ? Vous feriez cela pour moi ? Je vous remercie…

Si elle continuait à lui parler si ardemment, avec ce regard lumineux, il allait lui promettre la lune !

— C'est mieux si c'est moi qui l'avertis, dit-il. Cela fait partie de mes attributions, après tout.

A ces mots, Fiona se figea et pâlit.

— Fiona ? Que se passe-t-il ? Ça va ?

— C'est juste que…

Elle se tut, et avala sa salive.

— Je me rends compte maintenant que vous avez risqué votre vie pour sauver la mienne, acheva-t-elle d'une voix tremblante.

— Et je m'en félicite ! répondit-il, souriant pour masquer sa propre émotion. Encore une fois, c'est mon métier. Mais vous avez été extraordinaire, Fiona : votre calme m'a permis de gérer la situation.

Fiona secoua la tête.

— Vous ne comprenez donc pas ?

Nate fronça les sourcils, confondu.

— Comprendre quoi ?

Le regard de Fiona devint soudain plus brillant.

— Je… je ne l'oublierai jamais. Je… je ne vous oublierai jamais… J'imagine que vous faites souvent face à de telles situations, puisque vous êtes dans la police. N'empêche, je ne connais pas beaucoup de personnes qui auraient eu votre courage, ce soir. Vous êtes un héros, Nate.

— Mais non…, dit-il avec embarras, et conscient de rougir.

Il baissa les yeux, gêné par le petit sourire en coin ému de Fiona.

— Le nier vous rend encore plus héroïque…, susurra-t-elle.

De plus en plus gêné, Nate détourna la tête. Comment lui expliquer qu'il aurait fait de même avec n'importe qui ?

Même s'il n'était pas en service, il avait eu une réaction professionnelle. Une personne s'était trouvée en danger sous ses yeux. Donc il avait agi. Rien de plus normal.

Lorsque les urgentistes entrèrent enfin dans l'épicerie, Nate prêta l'oreille à leur échange avec les deux autres policiers.

— Vous pensez qu'il va s'en tirer ?

Nate tourna un regard étonné vers la jeune femme. Avant qu'elle ne pose sa question, il devait bien s'avouer qu'il ne s'en était pas inquiété, ou plutôt que l'état de Joey l'indifférait complètement. Mais, sans bien la connaître, il se doutait qu'une telle réponse déplairait à Fiona. Il la devinait très sensible.

— J'en suis certain. Il a été touché à l'épaule et, même s'il a beaucoup saigné, je doute qu'une artère ait été sectionnée. Une fois qu'il aura reçu les soins nécessaires, il sera placé en détention provisoire.

Fiona fronça les sourcils. Elle semblait perplexe.

— Il s'est tout de même évanoui.

Nate haussa les épaules.

— C'est à cause de la douleur. Une blessure par balle, même superficielle, cela fait très mal, vous pouvez me croire !

Le visage de la jeune femme s'adoucit. Des larmes surgirent dans son regard.

— On vous a déjà tiré dessus, n'est-ce pas ?

— Oui, mais c'était ma faute, expliqua-t-il à contrecœur. A l'époque, j'étais jeune, enthousiaste et par conséquent très imprudent… Je n'ai pas attendu les renforts, et j'ai foncé.

— Où avez-vous été touché ?

— Dans une vieille maison, non loin de Westhemer.

Un rire échappa à Fiona.

— Je voulais seulement savoir sur quelle partie du corps vous avez été blessé.

Elle le regarda ensuite de la tête aux pieds, comme si elle cherchait à le deviner.

— La cuisse, répondit-il, la lui montrant.

Il avait eu de la chance.

— Et vous souffrez toujours ?

— Non. Enfin, si, de temps en temps, quand la météo change.

— J'ai l'impression d'entendre un vieillard chenu ! s'exclama Fiona.

— Attention, jeune fille, vous ne savez pas à qui vous vous adressez ! plaisanta-t-il d'une voix chevrotante.

Fiona éclata de rire.

Nate était ravi de l'avoir un instant distraite, et il se sentit même inondé d'un bonheur inexplicable qui le fit sourire sans arrière-pensée. Il revint à la réalité quand il vit les urgentistes transporter Joey. Fiona, qui avait suivi son regard, s'assombrit immédiatement.

Steve s'approcha au même instant.

— Madame ? Vous devez nous accompagner au poste de police pour y faire votre déposition. Si vous voulez bien me suivre…

Il lui fit signe, mais Fiona fronça les sourcils.

— C'est que je ne peux pas laisser l'épicerie…

— Steve se chargera de prévenir le gérant, déclara aussitôt Nate.

Sur ces mots, Steve sortit son bloc et le tendit à la jeune femme.

— Donnez-nous le numéro de téléphone du gérant de l'épicerie. Mon collège va rester sur les lieux. Il l'appellera. Ne vous inquiétez pas.

Fiona obtempéra.

— Et si je venais avec vous ? proposa Nate, mû par une impulsion subite.

L'expression de Fiona se détendit aussitôt. Il s'en réjouit.

— J'en profiterai pour faire ma déposition, moi aussi, ajouta-t-il.

— Parfait. Tu nous suis dans ta voiture ? reprit Steve.

— D'accord, dit Nate.

Puis s'adressant à Fiona :

— Une fois que nous aurons terminé les formalités d'usage au poste de police, je vous reconduirai à l'épicerie. Vous pourrez reprendre votre voiture et rentrer chez vous.

— Merci, répondit-elle avec élan.

Puis elle s'éloigna avec Steve. Nate la suivit des yeux et reconnut, en son for intérieur, que ses motifs n'étaient pas seulement dictés par la simple générosité.

En vérité, il voulait passer le maximum de temps avec la jeune femme.

Fiona avait enveloppé le gobelet de café de ses deux mains. Le goût du breuvage était si exécrable qu'elle avait renoncé à le boire, mais elle appréciait la chaleur qui se dégageait du contenant. Car elle tremblait, en dépit de la chaleur ambiante, et ne parvenait pas à se réchauffer. Sans doute était-elle en état de choc.

Fiona savait qu'à travailler de nuit dans une supérette elle courait des risques. Mais, jusqu'à ce soir, c'était plus ou moins resté une pensée abstraite.

Elle était la seule employée de nuit, et les clients, peu nombreux, étaient différents des clients de jour. En fin de soirée, si des fonctionnaires ou des mères de famille pressées passaient encore, au fil de la nuit elle voyait des individus parfois louches qui se fondaient parmi les travailleurs nocturnes dont les allées et venues s'égrenaient jusqu'au petit jour.

En revanche, sa mère s'était terriblement inquiétée en apprenant qu'elle avait trouvé cet emploi. Selon elle, la question qui se posait n'était pas de savoir *si* un jour elle serait agressée, mais *quand*.

« Je refuse que tu travailles de nuit ! », s'était-elle exclamée d'une voix très faible. « Je te l'interdis ! »

A l'époque, elle était hospitalisée et très diminuée par la maladie.

« Ne t'inquiète pas, maman, avait reparti Fiona, posant un gant de toilette humide sur son front moite. Je suis sûre que ce sera assez calme les trois quarts du temps. Les clients ne seront pas nombreux, je n'aurai pas grand-chose à faire. Je pourrai ainsi me consacrer à ma thèse ! N'oublie pas que je ferai également d'une pierre deux coups, puisque le travail de nuit constitue le thème de mes recherches. Tu ne dois vraiment pas te faire de souci !

— Tu peux dire ce que tu veux, ma fille, je m'en fais ! avait riposté sa mère d'une voix fiévreuse. La presse quotidienne relate sans cesse des faits divers, des agressions à main armée et je ne sais quoi encore. Tous ces événements se déroulent dans ces épiceries d'appoint ouvertes vingt-quatre heures sur vingt-quatre. Tu es jeune, jolie, tu es donc une proie toute désignée ! Une cible facile !

— Tu sais, je peux être intimidante ! »

Fiona s'était efforcée de prendre un air belliqueux, mais sa mère, si elle avait souri, était restée triste et inquiète.

« Tu aurais dû choisir un sujet de thèse moins complexe, Fiona. Du moins, un sujet pour lequel tu n'aurais pas eu besoin de travailler de nuit… »

Fiona n'avait pas trouvé l'argument décisif pour désamorcer les inquiétudes de sa mère. Elle lui avait réexpliqué la finalité et la nécessité de son étude sur les effets et conséquences du travail de nuit sur la santé, mais sa mère s'était obstinée.

« Tu ne pourrais pas plutôt étudier les travailleurs diurnes ? Ou effectuer tes recherches par le biais d'Internet ? », avait-elle coupé.

Face à cette objection, Fiona avait ravalé un soupir.

« Cet emploi me donne une occasion unique d'observer l'attitude de ces personnes à leur insu et, en même temps, de me mettre en situation. Les clients sont moins sur leurs gardes et sont plus spontanés que si je leur posais des questions ciblées. Enfin, les clients douteux sont plus rares que tu ne le penses. La plupart du temps, je vois seulement des travailleurs de nuit harassés qui rentrent chez eux.

— Tu auras beau dire, je ne cesserai de m'inquiéter pour ta sécurité ! D'un autre côté, je suis plutôt contente que tu te passionnes pour la sociologie, et que tu en fasses ton métier… J'ai hâte que tu soutiennes ta thèse ! Quand je ne serai plus de ce monde, tu pourras enseigner, mieux gagner ta vie et, surtout, cette passion comblera un peu le vide que je laisserai… »

Ainsi rappelée à ces tragiques souvenirs, Fiona soupira.

Elle était fille unique, et née sur le tard — sa mère avait alors la quarantaine et n'espérait plus tomber enceinte. Son père, officier de police, avait été tué en service lors d'une intervention dans une dispute conjugale alors qu'elle n'était qu'une enfant. Malgré la solidarité indéfectible de la police de Houston, la vie à la maison avait ensuite été très difficile et, cependant, l'absence de père pour l'une, de mari pour l'autre, avait rapproché Fiona de sa mère et créé entre elles deux des liens exceptionnels.

Fiona avait vingt-trois ans lorsque les médecins avaient diagnostiqué chez sa mère un cancer, maladie dont elle souffrirait pendant cinq ans. Dès le début, Fiona s'était organisée. Elle avait conjugué ses études et un emploi à mi-temps pour lui offrir un soutien inconditionnel sur tous les plans : visites biquotidiennes à l'hôpital lorsque sa mère était hospitalisée et, le reste du temps, soins à domicile coûteux. Rédiger une thèse dans ces conditions, sans jamais se dérober à ses responsabilités, avait été difficile, mais jamais Fiona ne s'était laissé décourager.

Trouver un emploi de vendeuse à mi-temps dans cette supérette avait été une chance ; elle n'en avait jamais eu d'aussi bien payé et c'est pourquoi elle avait décidé de le garder après la mort de sa mère. Non seulement ce travail de nuit lui permettait de suivre des cours à l'université ou de fréquenter la bibliothèque universitaire pendant la journée, mais il lui permettait aussi d'être sur le terrain et de se mettre en situation. Les clients étant également plus rares, Fiona en profitait pour synthétiser ses notes ou lire des essais ou études sur le sujet. En définitive, sa thèse avait si bien avancé qu'elle était sur le point de la terminer.

Autant dire que, parallèlement, sa vie sociale — et amoureuse — était un désert. Même si elle n'avait jamais regretté d'avoir consacré ces cinq dernières années à sa mère et à son projet universitaire, Fiona enviait toutefois les couples ou les familles qu'elle croisait dans les rues. Elle n'avait pas eu de petit ami depuis si longtemps… Quand aurait-elle eu le temps de tomber amoureuse et de se distraire ? Elle s'efforçait de ne pas trop y penser. Depuis la mort de sa mère, elle s'était résignée à se consacrer à la prochaine soutenance de sa thèse et à l'obtention d'un poste de maître de conférences.

Quoi qu'il en soit, Fiona ne s'en était pas moins intéressée à Hot Guy, enfin, à Nate. Elle était contente de connaître son prénom, même si les circonstances dans lesquelles elle venait de faire plus ample connaissance avec lui n'avaient pas été idéales. D'un autre côté, elle regrettait presque de renoncer au sobriquet dont elle l'avait affublé. « Hot Guy » lui allait si bien !

Resserrant ses mains autour du gobelet de café bien chaud, elle sourit en imaginant Nate en uniforme de policier, récompensé pour son courage et son héroïsme. Aussitôt après, elle revit son père et se rembrunit. Elle en gardait un souvenir mitigé : si ce dernier avait été un policier exemplaire et un héros, il avait aussi été un mari infidèle, accumulant les liaisons extraconjugales. Séduisant, sûr de lui et intrépide, il conquérait les femmes éperdues d'admiration par ses actes de bravoure et par son uniforme.

Marquée par cette image paternelle ambivalente, Fiona

avait décidé de ne jamais tomber amoureuse d'un policier, si sexy fût-il. Donc Hot Guy ou plutôt Nate n'était pas pour elle.

Ainsi parlait sa raison, mais son cœur tenait un tout autre discours. Et, de nouveau, elle repensa, non sans complaisance, à l'instant où Nate avait fait bouclier de son corps pour la protéger. Sous le choc, elle n'avait pu savourer pleinement la situation.

Cela faisait trop longtemps qu'elle n'avait pas été étreinte par un homme, songea-t-elle avec une pointe de tristesse. Alors pourquoi ne pas en profiter pour flirter avec Nate ? Après tout, ce dernier avait promis de la reconduire à l'épicerie une fois qu'elle aurait fait sa déposition.

L'embrasser ne prêterait pas à conséquence, non ?

Fiona secouait la tête pour dissiper ses fantasmes déraisonnables au moment où l'officier Steve Rodriguez entra.

— Ça va, Fiona ? lui demanda-t-il d'une voix inquiète. Vous avez la migraine ?

Fiona se sentit rougir.

— Euh, non... Et oui, ça va. Je... je me demandais juste si j'allais finir mon café...

Steve lui sourit.

— Je comprends, oui... Il est détestable mais, nous, on a l'habitude.

— Cela n'a aucune importance, déclara-t-elle, plus détendue. J'imagine que « mauvais café » doit forcément rimer avec « poste de police », non ?

L'officier Rodriguez éclata de rire.

— C'est juste !

Il s'assit en face d'elle, puis lui tendit quelques feuillets et un stylo.

— Quand vous aurez signé ces papiers, vous pourrez rentrer chez vous. Relisez attentivement votre déposition, assurez-vous que tout y est. Si vous êtes d'accord, mettez vos initiales en bas de chaque page, et signez la dernière. OK ?

Fiona parcourait déjà le texte quand Steve lui tendit une autre feuille de papier.

— Et enfin, vous devez signer ce document si vous voulez porter plainte contre votre agresseur.

— Il sera jugé ?

L'officier Rodriguez haussa les épaules.

— Au préalable, son avocat essaiera d'obtenir sa libération sous caution.

Fiona, qui allait signer, se ravisa.

— Cet individu va-t-il connaître mon nom ?

— Lors du procès, oui.

Fiona posa le stylo.

— Vous ne devez pas vous inquiéter pour autant, reprit Steve rapidement. Je ne connais aucune affaire de ce genre où la victime a subi des représailles après son témoignage devant une cour.

Fiona, à moitié rassurée, hésitait toujours. Si un proche payait la caution de Joey, ce dernier serait libéré. Ne reviendrait-il pas rôder aux abords de l'épicerie pour la harceler ou la menacer ?

Sa perplexité dut se refléter sur son visage car l'officier Rodriguez lui sourit, rassurant.

— Porter plainte, c'est reconnaître le préjudice qui vous a été causé, Fiona. Et c'est très important. Croyez-en mon expérience.

— Ce type ne me cherchera-t-il pas des noises ? insista-t-elle.

L'officier Rodriguez secoua la tête.

— C'est peu probable. S'il tente de rentrer en contact avec vous d'une façon ou d'une autre, il courra au-devant de plus graves problèmes ! Les criminels sont idiots, mais ils ne sont pas stupides. Vous comprenez la différence ?

Pas vraiment, non, songea Fiona, que ces derniers mots ne parvinrent pas à rassurer.

D'un autre côté, si elle ne portait pas plainte, le malfrat

dont elle avait été victime récidiverait et, la prochaine fois, il n'y aurait peut-être pas un officier de police présent par miracle sur les lieux pour éviter que le pire se produise.

Fiona signa donc la plainte et la tendit au policier.

— Vous avez pris la décision qui s'imposait, Fiona, dit l'officier Rodriguez en souriant.

Puis il quitta la salle.

Bon, et maintenant ? Elle avait fait sa déposition, répondu aux questions et signé les documents nécessaires. Pourquoi la faisait-on encore attendre ?

— J'aimerais rentrer, maintenant, dit-elle à voix haute en remuant son café.

— Ça peut s'arranger.

Elle sursauta au son de cette voix, et s'éclaboussa copieusement. Elle secoua sa main tachée de café et se retourna. Hot Guy, non, Nate était sur le pas de la porte et la fixait de son regard incroyablement vert.

— Désolé, Fiona, je ne voulais pas vous effrayer.

Il entra. Fiona, submergée par son charisme, eut l'étrange impression de suffoquer.

— Ce n'est pas votre faute, Nate. Je suis un peu trop impressionnable, ce soir…

Elle lui sourit tandis qu'il prenait place en face d'elle et s'accoudait à la table. Il semblait décontracté, songea-t-elle, mais elle n'en remarqua pas moins ses épaules tendues et son regard vigilant.

— Quand pourrais-je rentrer ? demanda-t-elle sans cacher son impatience.

— Cela ne va plus durer très longtemps, à présent. Je me suis dit que j'allais vous tenir compagnie en attendant que les formalités d'usage soient terminées. Ensuite, comme convenu, je vous reconduirai à l'épicerie, et vous rentrerez enfin chez vous.

Fiona ne put contenir un frisson à la perspective de revenir sur les lieux de l'agression. Elle ne s'en sentait pas la force, du moins pas pour le moment. Elle n'avait d'autre envie que de rentrer chez elle au plus vite. Ah, prendre un bain et dormir…

— Que se passe-t-il, Fiona ? demanda Nate au même instant.

— Nate… écoutez… J'aimerais… que vous me reconduisiez directement chez moi, si cela ne vous ennuie pas.

Elle se sentit rougir d'embarras.

— Je… n'ai pas le courage de retourner à l'épicerie dans l'immédiat.

Il sourit, et son regard devint chaleureux.

— C'est d'accord. Je vous conduirai où vous le désirez, Fiona.

Etonnamment, sa voix profonde avait été plus rauque, sur la fin.

Fiona, frappée, fixa sa bouche, puis ses yeux verts qui lui semblèrent plus expressifs que jamais. Flirtait-il ? se demanda-t-elle, interloquée et toutefois flattée. Puis elle se ravisa. Des hommes aussi beaux que Nate ne la regarderaient même pas. A l'évidence, elle était sous le choc de son agression, au point d'avoir des hallucinations… L'heure était venue de battre en retraite, et de se ressaisir dans la solitude de sa maison.

Fiona allait répondre quand l'officier Rodriguez revint. Dès qu'il aperçut Nate, il se figea, surpris.

— Je te cherchais. Je ne savais pas que tu étais là.

Nate se renversa sur son siège, et croisa les mains derrière sa nuque.

— J'avais terminé ma déposition. J'ai pensé que je pourrais tenir compagnie à mademoiselle…

Fiona le vit se tourner vers elle, avec un regard interrogateur.

— Sanders, l'informa-t-elle. Fiona Sanders.

Il lui fit un clin d'œil, et Fiona sentit son cœur battre avec une violence inattendue.

— Je voulais tenir compagnie à Mlle Sanders, répéta Nate. Elle semblait bien seule.

Steve les regarda tour à tour. Fiona, intimidée de nouveau, rougit.

— Ah, je vois…, insinua-t-il enfin.

Fiona toussota avec embarras.

— Puis-je partir, maintenant ?

L'officier Rodriguez lui sourit.

— Oui, Fiona. Merci pour votre aide.

Elle se leva.

— C'est à moi de vous remercier.

Sur ces entrefaites, Nate se leva et posa sa main sur sa taille.

Fiona eut un tressaillement à ce contact, et espéra que Nate ne l'avait pas perçu.

Ils sortirent de la salle des interrogatoires, pour entrer dans la salle de rédaction des rapports, étonnamment bondée en dépit de l'heure tardive. Etonnée par cette effervescence, Fiona marqua une hésitation avant de la traverser.

— Allez-y, Fiona, lui murmura Nate à l'oreille.

— Je ne m'attendais pas à ce qu'il y ait tant de monde, si tard, lui confia-t-elle.

Il lui sourit.

— Il se passe beaucoup de choses, la nuit, croyez-moi !

A peine avait-il prononcé ces mots qu'un cri de rage s'éleva d'une des cellules qui se trouvaient au bout de la pièce. Les mains autour des barreaux, un individu hurlait des insanités aux policiers. Mais ces derniers y restaient complètement indifférents et continuaient de faire leur travail.

— Que se passe-t-il ? demanda-t-elle, intriguée.

Nate suivit son regard.

— C'est sans doute un ivrogne. Lors des nuits de pleine lune, c'est la folie.

Fiona le dévisagea, croyant à une plaisanterie, mais Nate était sérieux.

— La pleine lune a donc une incidence sur les comportements ?

Il lui tint la porte, et ils sortirent dans la nuit.

— Oui. C'est bien connu, à ce moment-là les fous pointent leur nez ! Il y a quelques années, la pleine lune a coïncidé avec la nuit d'Halloween.

Il frissonna en lui ouvrant la portière.

— Ce soir-là, je patrouillais dans les rues de Houston. Pour vous dire la vérité, j'ai mis des semaines à m'en remettre.

Fiona monta et s'installa dans le véhicule. Dans le silence de l'habitacle, Fiona se détendit un peu et s'appuya sur l'appuie-tête.

Elle prit une grande et longue inspiration. La première depuis l'agression…, constata-t-elle en son for intérieur.

4

Nate s'engagea dans la rue où habitait Fiona. D'un regard circulaire, il nota l'absence de lampadaires urbains. Les lieux semblaient déserts et presque abandonnés. Ce quartier, manifestement prospère autrefois, était désormais à l'abandon. Saisi par une vive inquiétude, il s'arrêta, sur les indications de la jeune femme, devant une maison d'allure modeste.

— C'est là ?

Elle opina de la tête.

— Oui. C'est ma maison. J'en ai hérité à la mort de ma mère.

Elle n'avait pas mentionné son père. Soit il était mort depuis fort longtemps, soit il ne faisait pas partie de la configuration familiale, conclut Nate *in petto.*

— Vous vivez là depuis longtemps ?

— J'y ai grandi. Mais j'y vis seule depuis deux ans.

Récemment, donc.

— Vous vous êtes longtemps occupée de votre mère ?

Fiona tourna brusquement la tête dans sa direction et, au bout d'un moment, acquiesça.

— Comment le savez-vous ?

Il haussa les épaules.

— Une impression comme ça. Vous me faites l'effet d'être un brave petit soldat.

Fiona baissa les yeux sans répondre. Avait-il été indélicat ? se demanda-t-il.

Confus, il chercha un autre sujet de conversation.

— Vous avez des problèmes avec le voisinage ?

Fiona fronça les sourcils, et il regretta aussitôt sa question. Décidément, la délicatesse n'était pas son point fort. Il agissait plutôt en policier interrogeant un témoin…

— C'est parce que je ne vois pas de lampadaires urbains, expliqua-t-il. Les rues sont sombres, alors je me demandais s'il n'y avait pas de risques de vols ou de vandalisme…

Fiona hocha la tête et des effluves de son parfum lui parvinrent. Des notes d'agrumes. Très discrètes. Cette fragrance, il ne l'avait pas remarquée jusqu'à maintenant, bien qu'ils aient été à un moment donné étroitement serrés l'un contre l'autre, mais il n'avait alors été préoccupé que par la sécurité de la jeune femme, se rappela-t-il. A présent, il se sentait irrésistiblement attiré par cette délicate senteur.

— Je ne crois pas, murmura-t-elle. En tout cas, je n'ai jamais rien entendu dire de tel. D'un autre côté, je ne suis pas souvent à la maison. Entre mes cours à l'université et mon emploi, je n'y passe que quelques heures par jour…

— Je sais ce que c'est : je ne rentre chez moi que pour y dormir, dit-il en riant.

A peine avait-il prononcé ces mots qu'il vit une expression indescriptible traverser le visage de Fiona. Elle ouvrit la bouche, comme si elle allait répondre, mais ne dit mot. Déconcerté, Nate décida de garder lui aussi le silence.

Ils restèrent ainsi un bon moment sans parler. Nate continuait d'observer la maison. A priori, elle avait l'air en bon état mais, à la faveur du clair de lune, il remarqua que la pelouse n'avait pas été tondue depuis longtemps et que les volets auraient eu besoin d'une bonne couche de peinture. Puis, par déformation professionnelle, il s'intéressa aux accès. La porte du garage semblait solide, de même que la porte d'entrée. Quel en était le système de fermeture ? Quelques fenêtres donnaient sur la rue. Combien y en avait-il en tout ? Quant au jardin, derrière, il était délimité par une clôture : s'agissait-il de haies vives ou d'une palissade facile à franchir ?

Il s'arracha à ses questions en entendant Fiona toussoter.

— Je vais y aller, dit-elle. Je suis fatiguée et je suis sûre que vous l'êtes aussi. Je ne veux donc pas vous retenir plus longtemps…

— Laissez-moi vous raccompagner jusqu'à chez vous.

— Oh non, vous me gêneriez ! s'exclama-t-elle, l'air surpris.

— J'insiste, dit-il d'une voix calme mais ferme. Vous venez de vivre une situation traumatisante, et je veux juste vérifier que tout est en ordre avant de vous laisser.

Fiona restant silencieuse, il poursuivit :

— Je vais vous faire un aveu, Fiona, je dormirai mieux si je vous sais en sécurité.

Elle rit de bon cœur. Charmé, il sourit malgré lui.

— En vérité, moi aussi je dormirai mieux si vous faites un tour d'inspection ! s'exclama-t-elle en ouvrant sa portière.

Quand ils eurent monté les marches du perron, il fut rassuré de constater que la porte d'entrée de la maison comportait un système de fermeture à deux verrous. Cela dit, des voleurs ou des criminels pouvaient toujours passer par les fenêtres.

Une fois que Fiona eut allumé la lumière, il découvrit le salon. Un canapé recouvert d'un tissu Liberty était adossé au mur. Des napperons au crochet décoraient des commodes et autres tables basses. Un fauteuil aux dimensions généreuses complétait l'ensemble. Les meubles étaient beaux et semblaient anciens, mais la décoration était surannée, comme si Fiona avait tenu à préserver les souvenirs de sa mère.

Elle lui adressa un sourire timide.

— C'est là que j'ai grandi…

— Pas de frères et sœurs, dit-il, à peu près certain qu'elle était fille unique.

— Non. Maman avait quarante-cinq ans quand je suis née. J'ai été une surprise.

Il allait répondre quand un bruit, dans la pièce voisine, se fit entendre.

Aussitôt, il sortit son arme et repoussa Fiona vers la porte d'entrée d'un geste ferme.

— Retournez m'attendre dans la voiture ! lui ordonna-t-il d'un ton sans réplique. Verrouillez les portières et baissez-vous. Ensuite, appelez le 911. Expliquez qu'une personne s'est introduite par effraction chez vous et que vous demandez des renforts d'urgence.

— Nate, écoutez, je…

— Vite ! la coupa-t-il en la poussant.

Nate traversa le salon et entra dans la cuisine, puis prit le couloir qui conduisait vers deux pièces dont les portes étaient entrouvertes. Une chambre et une salle de bains, subodora-t-il. Puis il secoua la tête, fataliste et inquiet.

Un événement en entraîne d'autres, et ça ne s'arrête plus…

Pourquoi Fiona était-elle de nouveau en danger ? Nate ne croyait pas aux coïncidences, et les incidents de la soirée lui faisaient soupçonner que la jeune femme était devenue une cible. De qui ? Pourquoi ? Elle avait une vie a priori tranquille et sans histoires, donc il doutait qu'elle ait des ennemis mais, après tout, il ne la connaissait pas.

Du moins, pas encore.

Nate s'approcha de la porte de la chambre avec la plus grande prudence, et prêta l'oreille. De nouveau un bruit feutré s'en éleva, puis un autre, plus fort. A l'évidence, l'intrus s'approchait de la porte entrebâillée.

— Plus un geste ! ordonna-t-il. Police de Houston, lâchez votre arme si vous êtes armé, et sortez les mains en l'air.

Le silence retomba aussitôt, comme si l'intrus avait pris sa sommation très au sérieux et était tétanisé.

Mais ce ne fut que momentané.

Nate recula et se mit en position de tir.

— Dernier avertissement ! lança-t-il. Rendez-vous ou je tire !

Un « miaou » étonné lui répondit. Et un gros chat noir sortit avec circonspection de la chambre puis, à sa vue, s'arrêta net. Nate recula, également stupéfait.

Un chat ?

Déconcerté, Nate baissa son arme. Le chat, sans plus se soucier de lui, s'assit et se lécha tranquillement les pattes. Nate soupira, et décida de regarder dans la salle de bains par acquit de conscience.

Comme il s'y attendait, elle était vide.

Il ravala sa fierté pour revenir auprès de Fiona, qui était restée devant la porte d'entrée.

— La voie est libre ? demanda-t-elle, se retenant manifestement de rire.

Nate fit comme si de rien n'était.

— Tout semble en ordre, dit-il gravement.

Elle passa devant lui, et les effluves d'agrumes l'enveloppèrent.

— J'imagine que vous avez rencontré Slinky ? insinua-t-elle.

— Slinky ? Ce gros chat tranquille ?

— Gros ? Non, tout juste un peu enveloppé ! Tranquille ? Pas vraiment, rectifia Fiona en lui lançant un regard moqueur. Il ne cessait de faire des bêtises quand il était chaton. C'était un bonheur de le regarder. Maman et moi, on ne s'en lassait pas. On riait à gorge déployée.

Le chat entra au même instant dans le salon et se frotta aux jambes de sa maîtresse. Fiona posa un genou à terre et lui flatta les flancs. Aussitôt, le matou roula sur le dos, offrant son ventre aux caresses de Fiona, en ronronnant de contentement.

— Bon, eh bien, je crois que je vais vous laisser…, conclut Nate.

Fiona se leva d'un mouvement vif.

— Vous n'êtes pas obligé, vous savez…

Nate en resta tout interdit. Qu'insinuait-elle ? Etait-ce une proposition pour qu'il reste passer la nuit ?

La jeune femme rougit, comme si elle avait deviné ses pensées.

— Je veux dire…, se ravisa-t-elle avec hésitation, c'est que… il est vraiment très tard. Vous pouvez dormir sur le canapé du salon si vous n'avez pas envie de reprendre la voiture pour rentrer chez vous.

Nate hésita, vraiment tenté. Mais il savait qu'il ne trouverait pas le sommeil dans ces conditions. En définitive, il valait mieux qu'il rentre et revienne demain matin pour conduire la jeune femme à l'épicerie, où était resté son véhicule.

— C'est gentil, Fiona, je vous remercie, mais je vais y aller. Je ne voudrais pas vous déranger… quand bien même cela me plairait beaucoup de…

Il n'acheva pas, lui adressant au lieu de cela un petit clin d'œil qu'il regretta en la voyant rougir.

— A quelle heure dois-je venir demain ? reprit-il en toussotant, en espérant que le changement de sujet dissiperait le malaise. Pour vous permettre de récupérer votre voiture, précisa-t-il comme, manifestement, elle ne voyait pas à quoi il faisait allusion.

Elle se détendit aussitôt.

— Vers 9 h 30. Ou est-ce trop tôt pour un samedi ?

— Pas du tout. C'est parfait.

Nate la dévisagea avec attention pour s'assurer qu'il pouvait prendre congé en toute quiétude. Fiona semblait certes épuisée mais aussi plus calme. L'expérience lui avait cependant appris qu'une réaction suite à un événement traumatique survenait souvent à retardement, une fois le choc et la sidération passés.

Il se garda bien toutefois d'en toucher un mot à la jeune femme. Inutile de lui communiquer son inquiétude. Après tout, peut-être Fiona passerait-elle une bonne nuit. Il espéra que sa crise de larmes, un peu plus tôt dans les toilettes de l'épicerie, lui avait permis d'évacuer une partie du stress dû à l'agression.

Fiona ouvrit la porte d'entrée et lui sourit.

— Merci encore pour tout, Nate.

Elle posa la main sur son bras. La tiédeur de sa paume traversa sa chemise.

— Vous m'avez sauvé la vie…, reprit-elle. Je ne sais pas comment je pourrai un jour vous remercier.

Subitement, des larmes surgirent dans ses yeux. Nate, consterné, la vit tourner précipitamment la tête pour les dérober à sa vue.

Il n'y tint plus et l'attira à lui.

— Fiona…, murmura-t-il.

Et il enfouit son visage dans ses cheveux, se délectant de leur délicate fragrance d'agrumes.

— Vous n'avez pas besoin de me remercier, continua-t-il à voix basse. Ce que j'ai fait est normal. L'essentiel, c'est que vous soyez saine et sauve.

Fiona acquiesça d'un signe de tête.

— Vous avez raison…

Il recula et la regarda bien en face.

— Vous ne risquez plus rien, maintenant. Vous pouvez compter sur moi. Vous me faites confiance ?

Pour seule réponse, elle lui adressa un petit sourire timide.

Alors il la vit s'approcher de lui, imperceptiblement, sans hâte. Lorsque son souffle chaud lui effleura le menton, Nate hésita. Attendait-elle qu'il l'embrasse ? Ou allait-elle au contraire prendre l'initiative ? Il s'avança, mû par un élan irrésistible. Puis il se figea, toujours incertain. Fiona s'humecta alors les lèvres. Cette fois, il n'y avait pas à s'y tromper. Elle voulait un baiser. Cette pensée provoqua en lui une explosion de désir déconcertante.

Alors, le cœur battant violemment, Nate lui prit le menton. Fiona ferma les yeux avec un soupir qui le fit sourire d'anticipation. Il s'inclina, lentement, pour faire durer un plaisir qui promettait d'être délicieux.

Fiona poussa un gémissement qui le fit sourire davantage tandis que, à son tour, il s'humectait les lèvres. C'est alors qu'un coup de patte sur sa jambe le fit sursauter. Surpris, il s'écarta un peu vivement et se cogna, ce faisant, au nez de Fiona.

Et voilà, l'enchantement est brisé ! pesta-t-il en son for intérieur.

— Aïe ! s'exclama la jeune femme de son côté.

Et elle porta, tout comme lui, la main à son visage.

— Désolé… C'est votre chat…

Le félin s'était réfugié sous la table basse, d'où il les toisait en toute impunité.

— J'ai l'impression qu'il ne m'aime pas beaucoup, conclut Nate.

Fiona secoua la tête avec fatalisme.

— Ne lui en voulez pas. Slinky désire juste un peu d'attention. Il est presque toujours seul, par conséquent, quand je rentre à la maison, il mendie les caresses.

Nate fit contre mauvaise fortune bon cœur.

— Dans ces conditions… je ne vais pas le faire patienter plus longtemps. Je vous rends à lui, Fiona !

— C'est peut-être mieux comme ça. Et puis, de toute façon, il est très tard…

Elle souriait, mais elle semblait déçue. Devait-il insister pour rester ?

Nate hésita, puis renonça. Fiona avait été agressée quelques heures plus tôt. Ce qu'il lui fallait à présent, c'était du repos, pas les assauts d'un policier séduit et impatient ! L'attente décuplerait leur plaisir si par bonheur ils pouvaient reprendre demain là où ils en étaient restés aujourd'hui.

— J'espère que vous passerez une bonne nuit. J'imagine que Slinky vous tiendra compagnie ?

Fiona s'esclaffa.

— Oh oui ! Et vous, soyez prudent sur la route.

— Surtout, n'oubliez pas de bien fermer derrière moi.

Nate s'éloigna mais il attendit qu'elle ait verrouillé la porte pour monter dans sa voiture. Avant de démarrer, il regarda une dernière fois dans la direction de la maison. Il vit les lumières s'éteindre dans le salon et aussitôt après s'allumer dans la chambre à coucher.

Un instant, il fut tenté de passer la nuit devant chez elle, puis il se ravisa. C'était stupide ! Il était certes très attiré par la jeune femme, mais de là à dormir dans sa voiture... De plus, si Fiona s'avisait qu'il restait là, peut-être paniquerait-elle.

— Allez, va plutôt te coucher, Gallagher, s'exhorta-t-il en démarrant. Tu la reverras dans quelques heures.

Mais il savait qu'il compterait chaque minute jusqu'à leurs prochaines retrouvailles.

Adossé au mur en béton de sa cellule, Joey essayait de trouver la position la plus confortable possible. Les effets des analgésiques commençaient à se dissiper et son épaule le faisait beaucoup souffrir, l'empêchant d'avoir les idées claires. Il pressa le front contre le béton froid. Le bref soulagement qui s'ensuivit fut une distraction à sa douleur ainsi qu'à ses inquiétudes croissantes. Car il se savait dans de sales draps. Pour autant, ce n'était pas les accusations de vol à main armée et d'agression qui lui faisaient souci. Non, ce qui l'inquiétait au plus haut point, c'était la réaction de son oncle Sal.

Ce dernier n'était pas homme à pardonner les erreurs, quelles qu'elles soient.

Big Sal dirigeait le plus important réseau de paris truqués de tout Houston ; il avait acquis sa mainmise sur ce monde interlope grâce à un mélange de brutalité et d'une absence totale d'empathie à l'égard de son prochain. Sal était impitoyable et ne faisait jamais de cadeau ni ne donnait une seconde chance à qui trompait sa confiance, ou ses attentes.

Ses victimes étaient contraintes de rembourser leurs dettes jusqu'au dernier cent. Si elles renâclaient à le faire, Sal dépêchait ses hommes, de véritables brutes dont la vue seule suffisait à motiver les débiteurs. Dans le cas contraire… Bref, quoi qu'il en soit, il n'y avait jamais d'autre sommation…

Joey frémit en pensant à la réaction de son oncle quand celui-ci aurait connaissance des événements de ce soir. Si seulement il avait pu disparaître de la surface de la terre…

Il avait attaqué cette épicerie dans un but précis : son propriétaire, un certain Ben Carter, n'avait pas réglé ses dettes à Sal. Etonnamment, cependant, cet homme avait échappé aux représailles.

C'était sans doute une question de temps avant que les sbires de son oncle ne s'occupent de lui, mais Joey avait vu là l'occasion de faire ses preuves. Depuis longtemps, en effet, il voulait montrer qu'il était quelqu'un sur qui on pouvait compter. Et obliger Ben Carter à acquitter sa dette était selon lui un excellent moyen d'afficher ses compétences et son efficacité.

Il s'agissait, en quelque sorte, d'une mission de routine. Qui ne présentait aucune difficulté particulière. Il n'avait qu'à entrer dans ce petit commerce, s'emparer de l'argent dans la caisse et laisser ensuite à Ben Carter un message dont il comprendrait le sens. Malheureusement, rien ne s'était passé comme prévu et, maintenant, Joey, du fond de sa cellule, cherchait quelle explication il allait pouvoir donner à Sal.

Quoi qu'il dise ou fasse, il ne se faisait pas d'illusions : son oncle serait furieux. En définitive, mieux valait croupir en prison assez longtemps pour se faire oublier de Big Sal et de ses hommes.

Le bruit métallique de clés l'arracha à ses sombres pensées.

— Tu as de la visite, annonça le policier.

Joey se leva, certain d'avoir mal compris. Personne ne savait encore qu'il était en détention provisoire, si ?

— Moi ?

— Oui, toi ! Tu m'as bien entendu, reprit l'agent d'un ton rogue. Approche-toi et tourne-toi, mains derrière le dos.

Joey obtempéra et grimaça à la douleur que lui causa ce mouvement. Le policier lui passa les menottes, lesquelles se refermèrent avec un claquement sec, avant de le pousser devant lui.

Joey n'eut de cesse de s'interroger sur l'identité de son visiteur tandis que le policier remontait, à ses côtés, le long couloir. Qui pouvait-il bien être ? Sa mère était morte depuis longtemps, son frère aîné était militaire de métier et vivait sa vie — et il n'y avait jamais eu de père dans la configuration familiale. Quant à ses quelques amis, ils ne savaient pas encore qu'il avait été arrêté. Et, pour finir, il s'était bien gardé de contacter Sal. A l'évidence, c'était une erreur. Mais il n'allait pas tarder à en avoir le cœur net.

Ils arrivèrent devant une porte que le policier ouvrit. Il le fit entrer et asseoir, puis accrocha ses menottes à un anneau sur la table.

Une voix perça soudain le silence :

— Merci, officier. Ce sera tout. Vous pouvez nous laisser, maintenant.

Alors Joey découvrit, à l'autre bout de la pièce, un homme distingué, portant une chemise blanche et un costume anthracite élégants et impeccables. Tout en lui respirait le luxe et l'argent. D'instinct, Joey se méfia.

Comme le policier refermait bruyamment la porte derrière lui, le mystérieux visiteur s'approcha. Il posa une sacoche en cuir sur la table et, prenant place en face de lui, déboutonna sa veste.

— Vous savez qui je suis ? demanda-t-il.

Joey le jaugea d'un air glacé et méprisant, mais son interlocuteur resta de marbre.

— Absolument pas, répondit-il enfin, instillant dans ces mots toute sa morgue.

— Richard Beck, avocat. Je suis là pour défendre vos intérêts.

— Qui vous envoie ? demanda Joey, de plus en plus méfiant.

Cet avocat tiré à quatre épingles n'était certainement pas commis d'office.

— Je suis là à la demande de mon client.

— Et qui est votre client ? Sûrement pas moi.

— Votre oncle. Sal.

Joey se figea, et sentit le sang se retirer de son visage.

Il était un homme mort.

— Comment mon oncle sait-il que je suis là ?

— Sal a ses sources. Et des ressources.

Evidemment…

— Et il veut m'aider ?

Le premier choc passé, Joey se ressaisit.

Si Sal avait été furieux contre lui, il l'aurait laissé croupir en prison et n'aurait pas demandé à un avocat dont les honoraires étaient sans aucun doute exorbitants d'intervenir.

— C'est une façon de parler…, déclara l'avocat.

Que signifiaient ces paroles sibyllines ?

— Votre oncle est contrarié par vos actes de ce soir, reprit l'avocat, qui avait manifestement perçu son malaise. Mais il m'a prié de payer votre caution. A la seule condition que vous vous conformiez à une requête.

C'était de bon augure. Joey se sentit aussitôt rasséréné.

— Très bien. Qu'attend-il de moi ?

— Le gérant de cette épicerie a en sa possession certains documents sensibles. Précisément, des photos que votre oncle aimerait vivement récupérer. Malheureusement, Ben

Carter les utilise pour le faire chanter, et ainsi annuler la dette qu'il a contractée à son égard.

Joey comprit en un éclair pourquoi les hommes de Sal avaient épargné Ben Carter jusqu'à maintenant.

— Et ensuite ? insista-t-il.

— Si vous réussissez à mettre la main sur ces photos, votre oncle oubliera l'incident de ce soir.

Vu le ton de sa voix, l'avocat semblait douter de ses compétences à remplir cette mission.

— Dans le cas contraire, il aura le regret d'agir en conséquence.

La menace était implicite. Joey ignora le frisson de panique qui courut le long de son échine. Il savait que Sal serait impitoyable avec lui en cas d'échec, malgré leurs liens de parenté.

— Il veut connaître mon mode opératoire ?

Richard haussa les épaules.

— Non. Sal exige seulement que vous soyez discret. Quoi qu'il en soit, vous n'avez pas droit à l'erreur. Sal veut récupérer ces photos à tout prix.

Joey opina de la tête. Il réussirait. Ce ne serait pas bien difficile.

— C'est d'accord. Quand les veut-il ?

— Le plus vite possible, évidemment. Vous pensez être en mesure d'accomplir cette tâche ?

— Oui, bien sûr !

Joey sentait l'assurance revenir.

Sal, qui ne donnait jamais de seconde chance, venait de lui en faire la faveur. Joey se promit de lui prouver qu'il n'était pas un bon à rien, et qu'il était digne de sa confiance. Son oncle lui serait alors tellement reconnaissant qu'il lui donnerait la place qu'il méritait dans l'affaire familiale.

— Mais, vous, comment comptez-vous me faire sortir de là ? demanda-t-il à l'avocat. On m'a pris en flagrant délit…

Richard Beck lui adressa un sourire condescendant.

— Ne vous occupez pas de ces détails. C'est mon travail.

Richard Beck se leva.

— A vous de faire le vôtre, ajouta-t-il avant de sortir.

Le portable sur la table de nuit sonna. Mal réveillé, Big Sal décrocha.

— Qui appelle si tard ? maugréa Sylvia, sa femme, contrariée d'être tirée de son sommeil.

Sal consulta l'écran de son portable.

— C'est Richard.

— Il ne dort jamais ?

— Je le paie en conséquence.

Sal se leva, saisit son peignoir et sortit en l'enfilant. Sylvia ne connaissait pas les détails de son étroite collaboration avec Richard, en particulier les services que ce dernier lui rendait. Et Sal voulait qu'il en reste ainsi.

— Oui ? fit-il en entrant dans son bureau.

La voix de Richard lui parvint :

— C'est fait.

— Il connaît sa mission ?

— J'ai été très clair.

— Parfait.

Sal avait la plus grande confiance en Richard ; en revanche, il jugeait son neveu complètement stupide.

A la vérité, il doutait que Joey accomplisse la tâche qui lui avait été confiée, mais il n'avait d'autre choix que de lui donner une seconde chance. Il le devait à feu sa sœur. Et puis, qui sait, Joey le surprendrait peut-être favorablement ? Sal ne s'en étonnait pas moins de sa mansuétude, inhabituelle.

— Je paierai sa caution demain, après la comparution, déclara Richard. Autre chose ?

— Non. Pas pour le moment. Merci, Richard.

— Je vous en prie. Me permettez-vous de vous poser une question ?

Sal sentit sa curiosité s'éveiller. En général, l'avocat ne posait jamais de questions. Il se contentait de faire le travail pour lequel il était grassement payé.

— Oui, bien sûr.

Beck hésita, comme s'il choisissait ses mots avec soin, et précaution.

— Eh bien, je m'interroge sur la pertinence de confier cette mission à ce jeune homme. Il ne me semble pas être le meilleur candidat pour l'accomplir. Etes-vous certain de pouvoir lui accorder toute votre confiance ?

— C'est mon neveu, repartit Sal d'un ton neutre. Et puis, je n'ai pas le choix, actuellement.

— Très bien, monsieur, conclut Richard Beck. Bonne nuit.

Sal raccrocha puis, s'approchant de la fenêtre, embrassa du regard le jardin qu'occupait en grande partie la piscine. Avec la clarté de la pleine lune, il voyait jusqu'aux rides formées par le vent à la surface de l'eau.

C'était une piscine magnifique, malheureusement il n'avait guère le temps d'en profiter. Pourtant, le médecin lui avait conseillé à maintes reprises de faire de l'exercice pour perdre du poids. La nage était un sport agréable, idéal qui plus est pour se détendre.

Il soupira comme ces maudites photos redevenaient l'objet de ses pensées. *Si jamais elles tombaient entre les mains de Sylvia…* Son épouse n'était pas de ces femmes qui pardonnent. Mais, par-dessus tout, il redoutait les représailles d'Isabella. Si cette dernière apprenait qu'ils avaient été vus ensemble et photographiés…

A cette seule perspective, Sal, si endurci fût-il, se sentit parcouru par un frisson d'horreur. Un flux d'une bile âcre et amère envahit sa bouche. Il s'obligea à se ressaisir. Il ne devait pas envisager le pire. Dans quelques jours tout au plus, Joey aurait récupéré les photos. Et si jamais son neveu échouait, il lui ferait son affaire, sans le moindre sursaut de conscience.

Ensuite, il trouverait un autre moyen de récupérer ces maudites photos.

Il le faut, se répéta-t-il.

L'échec était exclu dans cette affaire.

Car les conséquences seraient absolument terribles.

5

Sitôt qu'elle se réveilla, après une nuit étonnamment calme, Fiona songea à Nate et se sentit envahie par la plus vive impatience à l'idée de le revoir.

Souhaitant se préparer à cette rencontre comme s'il s'agissait d'un premier rendez-vous amoureux, elle se leva d'un bond. Elle voulait se présenter à Nate sous son meilleur jour, car il ne l'avait jamais vue qu'à l'épicerie, à la lueur blafarde des néons, le cheveu souvent terne et plat, et rarement maquillée. Pire, hier soir, après avoir pleuré et vomi, elle avait sans doute dû lui offrir le plus affligeant des spectacles.

Puis une autre pensée la saisit. Ce matin, serait-elle toujours aussi attirée par Nate ? Ou ne resterait-il plus rien de l'élan intense qui l'avait portée vers lui, au cours de la nuit ?

Lors de ses cours d'anthropologie, elle avait en effet appris que, confronté à la mort, l'homme était très affecté, consciemment, inconsciemment et physiquement, et que la peur alors ressentie pouvait provoquer des réactions sur le cycle reproductif. Le mélange d'hormones et de neurochimie stimulait l'instinct de survie, relevant ainsi les niveaux de dopamine et de testostérone — cette dernière étant l'hormone de la libido. En clair, ce n'était pas le désir qui s'exprimait alors, mais seulement le besoin biologique de survivre.

D'un autre côté, n'avait-elle pas remarqué Nate dès la

première fois où il était venu à l'épicerie ? Les événements de la veille, bien que tragiques, lui avaient permis de faire sa connaissance et de donner libre cours à son attirance latente pour lui. *Comme quoi, à quelque chose malheur est bon…*, conclut-elle, philosophe.

De fil en aiguille, elle repensa au baiser qu'ils avaient failli échanger, hier, avant de se séparer pour la nuit. Les lèvres de Nate, qu'elle n'avait fait qu'effleurer, étaient tièdes et, étonnamment, très douces. Cette ébauche de baiser avait surtout contenu la promesse d'une vraie passion.

Fiona soupira. Si un simulacre de baiser la mettait dans un tel état d'effervescence, que ressentirait-elle si le beau policier l'embrassait vraiment ? Non, *quand* il l'embrasserait ! corrigea-t-elle en pensée.

Elle souleva Slinky et le serra contre elle.

— C'est ta faute si ce matin je suis aussi frustrée, chuchota-t-elle. Sans toi, ma nuit aurait peut-être été plus passionnante et passionnée…

Slinky se mit aussitôt à ronronner, indifférent à ce reproche formulé sans colère. Et de sa langue râpeuse, il lui lécha le nez.

Elle reposa le chat sur son lit, où il se lova, prêt à s'assoupir. Elle le regarda avec envie. Seule la perspective de revoir Nate l'avait poussée à se lever, car elle n'avait pas la moindre envie de retourner à l'épicerie. Non seulement elle devait y récupérer sa voiture, mais il lui faudrait en plus s'entretenir avec Ben. Et après ? Aurait-elle le courage de revenir travailler dans ce lieu ?

Et si elle démissionnait ? songea-t-elle tout à trac. Elle avait presque terminé ses recherches et pouvait peut-être les poursuivre différemment. Ce serait sans doute plus long, mais elle n'aurait plus ainsi à redouter une agression à main armée.

D'un autre côté, en plus de lui assurer des revenus non négligeables, cet emploi avait donné à son travail de recherche une dimension très originale qui avait beaucoup intéressé son directeur de thèse. « Vous avez réussi à mettre en évidence quelque chose de très singulier ! lui avait-il confié lors de leur dernière rencontre. Vos observations sur le terrain, tant d'après votre expérience personnelle du travail de nuit que de l'étude des travailleurs nocturnes également clients de cette épicerie, affinent considérablement votre analyse ! Si vous poursuivez dans cette voie et que votre thèse est à la hauteur de vos travaux, je vous prédis un brillant avenir ! »

Devait-elle compromettre ses chances de succès au nom de sa sécurité personnelle ? Elle aspirait à obtenir un poste à l'université et, ensuite, à faire publier sa thèse. Alors allait-elle gâcher ses chances parce qu'elle avait été agressée ?

Non, certainement pas !

En revanche, rien ni personne ne l'empêcherait de prendre quelques jours de repos.

Période au cours de laquelle elle pourrait peut-être apprendre à mieux connaître Nate..., songea-t-elle soudain, tout sourire.

Ce dernier lui inspirait confiance. Mais son père n'avait-il pas, lui aussi, inspiré confiance ?

Et Fiona, rappelée à ses souvenirs, fronça les sourcils.

« Comment as-tu supporté qu'il te trompe ? », avait-elle un jour demandé à sa mère.

Celle-ci lui avait lancé un regard rempli de tristesse.

« — Je l'aimais, Fiona...

— Certes, mais ta dignité ?

— Tu sais, personne n'est parfait, ma fille. J'ai certes souffert mais j'ai aimé véritablement, et, crois-moi, c'est une chance... »

Fiona avait eu du mal à comprendre la résignation et la mansuétude, sur le tard, de sa mère. De son côté, elle avait encore de la peine à pardonner ses infidélités à son père et l'atmosphère parfois lourde qui en résultait à la maison. Elle avait souvent épié, à leur insu, les discussions de ses parents en pressant l'oreille contre la porte de leur chambre. Elle avait ainsi entendu les confessions de son père et les reproches de sa mère. Les larmes de cette dernière ainsi que les demandes de pardon de son père. Elle était jeune, alors, mais elle avait gardé un souvenir terrible de ces scènes.

Mais tout cela n'avait maintenant plus d'importance, se dit Fiona. A quoi bon ressasser une histoire qui ne lui appartenait pas ? Et puis, en vertu de quoi Nate serait-il sur le même modèle que son père ? Elle devait prendre des distances avec son passé pour se projeter dans l'avenir sans idées préconçues.

Une demi-heure plus tard, elle entendit sonner. Aussitôt, son cœur battit plus vite, plus fort. *Nate !*

Prenant une grande inspiration pour se calmer, elle alla ouvrir, un sourire aux lèvres. *Il est encore plus séduisant au grand jour !* songea-t-elle.

Nate lui sourit aussi. Et le vert de ses yeux devint plus tendre.

— Comment ça va aujourd'hui ? lui demanda-t-il d'emblée.

C'était incroyable, le seul son de sa voix réussissait à la troubler.

— Encore un peu fatiguée, mais je vais bien.

— Des problèmes pour vous endormir ? Des insomnies ?

Fiona baissa les yeux. Avant de sombrer dans le sommeil, elle n'avait pas repensé un seul instant à son agression. Non, au lieu de cela, elle s'était complaisamment imaginé quelles auraient été les suites de leur ébauche de baiser si Slinky n'avait pas joué les trouble-fête. Aussi s'était-elle endormie sur des images plutôt sensuelles.

— Ni cauchemars ni insomnies, répondit-elle sobrement.

— J'en suis heureux. Mais le choc que vous avez éprouvé a été violent alors, sans vouloir jouer les oiseaux de mauvais augure, il se peut que vous vous en ressentiez dans les jours à venir. Si c'est le cas, vous ne devrez pas vous affoler, c'est normal.

Bien que touchée par sa sollicitude, Fiona rongeait son frein. S'il continuait à s'inquiéter pour elle, quelle place y aurait-il pour la romance ? Et pour un vrai baiser qu'elle appelait de tous ses vœux.

Choquée par le tour que prenaient ses pensées, elle s'exhorta à revenir à l'instant présent.

— Vous voulez une tasse de café ? proposa-t-elle.

— J'ai une meilleure idée : et si nous prenions le petit déjeuner en chemin ?

— Magnifique ! s'exclama Fiona, ravie.

Aussitôt dit, aussitôt fait. Quelques minutes plus tard, ils prenaient la route.

— Comment va Slinky ce matin ? demanda Nate.

Fiona sourit.

— Bien, merci. C'est un petit compagnon facile à vivre. Parfois, j'aimerais être un chat… Enfin, tout dépend du foyer dans lequel on se trouve, bien sûr… Vous avez des animaux domestiques ?

— Non. En revanche, mes parents ont un chien, un golden retriever. Parker. Nous l'avons eu lorsque j'étais au lycée.

— Il doit vous faire la fête chaque fois qu'il vous voit.

— Plus que ma mère, c'est certain ! s'exclama Nate.

C'était un cri du cœur. Fiona leva les sourcils.

— Vous plaisantez ? Je suis sûre que votre mère se réjouit de vos visites.

— Mes visites sont trop rares à son goût. A cause de mes obligations professionnelles, je manque souvent des réunions familiales. Ma mère ne le comprend pas, elle ressent même mes absences comme un affront personnel.

— Je suis désolée…, dit-elle, faute de mieux. Vous avez des frères et sœurs ?

— Une sœur, Molly. Elle a neuf ans de moins que moi. C'était son anniversaire, hier.

— Vous lui avez rendu visite ?

Il hésita avant de répondre.

— Non, mais je lui ai fait livrer des fleurs. Je n'ai pas eu le temps de passer chez mes parents.

Il se tut soudainement.

— Molly habite chez eux, ajouta-t-il avec hésitation.

Fiona comprit qu'il n'avait pas envie de s'étendre sur le sujet et n'insista donc pas.

— Ce n'est pas votre faute si je n'ai pas rendu visite à Molly, reprit-il très vite, se méprenant manifestement sur son silence. Hier, la journée a été mouvementée bien avant l'agression à l'épicerie.

Il marqua une petite pause avant d'ajouter :

— Vous, vous n'avez ni frère ni sœur, c'est bien ça, n'est-ce pas ?

— Oui, dit-elle, ravie qu'il se souvienne de ce détail.

— C'est comment d'être enfant unique ? reprit-il avec curiosité. Molly et moi étions inséparables quand nous étions petits, d'autant que nous habitions dans une maison grande comme un mouchoir de poche.

— Vous vous disputiez souvent ? demanda Fiona, curieuse elle aussi.

Il éclata de rire.

— Non !

Face à son air surpris, il prit une grande inspiration et s'expliqua.

— Molly est trisomique. Elle est très affectueuse et toujours heureuse. Elle n'a pas une once de méchanceté.

— Oh ! Elle doit être adorable, commenta Fiona.

— Plus que vous ne le pensez..., dit Nate avec tendresse. Mais parlez-moi de vous. Vous ne vous êtes pas ennuyée d'être fille unique ?

— Non. J'aimais la solitude. Cela dit, j'avais aussi beaucoup de camarades.

En revanche, lorsque sa mère était tombée malade, comme elle avait regretté de n'avoir ni frère ni sœur sur qui s'appuyer.

Sur ces entrefaites, Nate se gara devant une cafétéria.

— Cet établissement ne paie pas de mine, mais je vous garantis qu'on y mange les meilleurs pancakes de Houston ! lui confia-t-il en descendant de voiture.

Fiona en eut soudain l'eau à la bouche.

— Magnifique. Je meurs de faim !

Ils venaient de s'installer à une table quand le portable de Nate sonna.

— Excusez-moi, Fiona, dit-il d'un air contrit, mais je suis obligé de prendre la communication.

— Je vous en prie.

Fiona saisit le menu et le consulta.

Œufs, pancakes ou gaufres ? Ou les trois à la fois ?

En même temps qu'elle réfléchissait, elle s'efforçait d'ignorer le murmure de Nate. Quelques minutes plus tard, il raccrocha, rempocha son téléphone et lui adressa un regard coupable.

Oh non, il va me dire qu'il doit partir…, conclut-elle, consternée.

Il soupira.

— Je suis désolé mais je suis obligé de me rendre au poste…

Fiona opina de la tête, masquant sa déception.

— Je comprends. C'est urgent ?

Nate parut soulagé par sa réaction.

— Malheureusement, oui. On remet à plus tard ?

— Oui, bien entendu.

— Allons-y, alors. Mais, avant, je vais vous conduire à l'épicerie.

Une fois là-bas, ils prirent congé à la hâte. Nate semblait sincèrement contrit, et Fiona restait sur sa faim. Dans les deux sens du terme, d'ailleurs…

Une moitié de baiser, une moitié de rendez-vous… Ce n'est vraiment pas de chance…

Mal résignée mais un peu fataliste, elle secoua la tête et

entra dans l'épicerie. Pour commencer, elle devait parler à Ben et lui demander quelques jours de congé. Ensuite, elle étudierait la question de savoir si cela valait la peine de revoir le beau policier. Somme toute, le destin venait par deux fois de leur dérober une chance de mieux se connaître. N'était-ce pas un signe ?

Ben Carter se passa nerveusement la main dans les cheveux tandis qu'il observait la pile de papiers et documents sur son bureau. Où étaient donc ces maudites photos ? Il avait vidé ses tiroirs, dérangé l'ordre de ses étagères pour les retrouver.

Il les avait regardées, l'autre jour, mais il avait été distrait et ne les avait pas rangées dans le coffre. Bon sang, il devait absolument remettre la main dessus ! D'instinct, il devinait que l'agression d'hier était liée à leur existence, et il avait un très mauvais pressentiment.

Soudain, alors qu'il n'y croyait plus, il les retrouva sous une pile de factures.

Soulagé, Ben se renversa sur sa chaise. Ces photos, c'était sa seule garantie contre Big Sal. Il savait qu'il prenait un gros risque, car personne ne défiait impunément Big Sal dans le milieu. Mais Ben ne voulait plus être sous la férule de ce sinistre individu, le maître des manipulations de compétitions sportives et des paris truqués dans le monde du sport à Houston et sa région.

Mal conseillé, à dessein, par les crapules qui travaillaient main dans la main avec Big Sal, il avait fait des paris hasardeux et malheureux. Il savait que les victimes de Sal payaient contraintes et forcées, mais lui, Ben, s'y refusait catégoriquement. Orgueilleusement. Si le gain de ces paris avait été à la hauteur de ses espérances, il se serait certes acquitté de sa dette sans se poser de questions, mais il avait la certitude qu'il avait été manipulé et floué, donc il refusait de l'honorer.

Tirant une enveloppe d'un des tiroirs de son bureau, il y glissa les photos. Où les cacher ? se demanda-t-il ensuite. Les laisser ici, même dans le coffre, était trop risqué. Les ramener chez lui aussi…

Au même instant, on frappa. Distrait, il leva les yeux.

— Entrez.

Fiona entrouvrit la porte.

— Bonjour, Ben. Je vous dérange ? Vous avez une minute ?

— Je vous en prie, entrez, Fiona.

Elle s'avança, jetant un regard circulaire à la pièce.

— Vous faites du rangement ?

— Si on veut…

Ben posa l'enveloppe avec les photos sur une pile de documents.

— Il y a certains papiers que j'aimerais emporter à la maison.

Et il fit un geste vers la pile où se trouvait la précieuse enveloppe.

— Mais parlons plutôt de vous, Fiona. Comment allez-vous, après l'agression de cette nuit ?

Avait-il l'air assez inquiet, au moins ? se demanda-t-il. Il l'espérait, sinon il éveillerait les soupçons.

— Un peu secouée. C'était…

Fiona soupira.

— … intense. Terrifiant.

— J'imagine…, déclara Ben.

Si pénible qu'ait été l'événement pour son employée, l'affaire était banale, donc la police n'avait aucune raison de s'intéresser de trop près à ses affaires, se dit-il. Puis, se rendant compte que la jeune femme attendait une réaction de sa part, il reprit à la hâte :

— Vous avez fait ce qu'il fallait, Fiona. Le magasin vous doit une fière chandelle.

— Merci... Euh... je... j'ai une faveur à vous demander, Ben.

— Je vous écoute.

— J'aimerais prendre quelques jours de congé. Je ne suis pas encore prête à revenir travailler... C'est trop récent.

Fiona frissonna, et Ben remarqua ses traits tirés et son regard cerné. Pauvre petite, elle semblait vraiment sous le choc.

— C'est d'accord. Je vous donne la semaine !

Heureux d'avoir retrouvé ses photos, il se sentait en veine de générosité.

— Ah ? fit-elle, surprise. Eh bien, merci, Ben. J'apprécie.

— C'est bien le moins ! se récria-t-il. Et même si vous en avez été quitte pour une belle peur, la nuit dernière, vous avez besoin de vous reposer.

Machinalement, Ben porta les yeux vers la caméra de sécurité placée à l'entrée de sa boutique. C'est alors qu'il vit un homme de grande taille, coiffé d'un bonnet brun et blanc à motifs ethniques, pousser la porte. Il eut un sombre pressentiment. Ce type ne venait pas faire des achats...

Fiona se leva.

— Je vais vous laisser...

— Vous voulez bien me donner un coup de main, avant de partir ? demanda Ben, mû par une inspiration.

Il lui montra les documents empilés sur son bureau.

— Vu la quantité, je ne pourrai pas les transporter en une seule fois. Cela vous ennuierait d'en prendre une partie et de m'attendre près de ma voiture ?

Fiona sourit et tendit les mains en réponse. Ben s'empressa de lui confier le dessus de la pile dans laquelle se trouvait l'enveloppe avec les photos.

— J'arrive tout de suite ! ajouta-t-il.

Une fois Fiona partie, il se leva prestement pour donner un

tour de clé à la porte de son bureau et reporta son attention vers la caméra de surveillance. L'inconnu au bonnet se tenait à présent au milieu du magasin, l'air fureteur. Il semblait bel et bien en mission, et animé par l'intention d'aller droit au but.

Etait-ce l'un des sbires de Big Sal ? s'interrogea Ben.

Fiona le croisa en sortant. Ben retint son souffle, redoutant que l'individu ne prête attention à la jeune femme. Par chance, ce ne fut pas le cas et Ben soupira de soulagement quand Fiona franchit le seuil de la boutique. Les photos étaient momentanément en sécurité. Et aussi longtemps qu'elles le resteraient, il garderait l'avantage.

L'homme se dirigeait maintenant vers son bureau. Ben sentit son cœur battre plus fort. La porte fermée à clé constituait un obstacle de taille pour son visiteur. D'un autre côté, lui se trouvait piégé dans cette pièce aveugle... Il espéra que l'envoyé de Big Sal en conclurait qu'il n'y avait personne et repartirait sans s'obstiner.

Pourquoi n'appellerait-il pas la police ? se demanda-t-il, oppressé. Il chassa aussitôt cette idée. Non, après les événements de la veille, mieux valait qu'il n'attire pas l'attention des forces de l'ordre sur ses affaires.

Il ne lui restait donc qu'à attendre.

Au même instant, on frappa à la porte. Un coup sec.

— J'ai besoin de te parler, Carter. Ouvre !

Ben se tint coi.

De nouveaux coups retentirent, assenés avec brutalité.

— Ouvre, Carter, je sais que tu es là.

Les yeux braqués sur la caméra de surveillance, Ben retenait son souffle. L'expression inquiète de Kevin, son jeune employé de jour, entra soudain dans son champ de vision. Il blêmit. Pas question que Kevin fasse les frais de son inconséquence. Quel orgueil de sa part d'avoir pensé pouvoir tenir tête à un caïd de l'envergure de Big Sal !

— Partez ! s'écria-t-il alors dans un élan de bravoure.

Les coups redoublèrent, de plus en plus violents et rapprochés. Sous l'impact, la porte se mit à vibrer.

— Partez ! répéta Ben. Je n'ai rien à vous dire !

Horrifié, il vit bientôt le battant céder. L'homme au bonnet surgit alors dans l'embrasure et s'approcha de lui d'un pas ferme.

— Il faut qu'on parle, Ben, déclara-t-il entre ses dents.

6

En quittant le bureau de Ben, Fiona faillit se cogner à un homme de haute taille coiffé d'un bonnet blanc et brun qui se tenait au beau milieu de la boutique.

— Désolée, murmura-t-elle en s'écartant.

L'individu ne se donna pas la peine de lui répondre. Ni ne lui accorda un seul regard. Fiona en ressentit un malaise inexplicable, et quitta la boutique au plus vite.

Une fois sur le parking, elle se dirigea vers la voiture de Ben, qui était garée à côté de la sienne, puis elle attendit que ce dernier la rejoigne. Mais il tardait. Que se passait-il ?

Son impatience allait grandissant. Elle avait faim, elle n'avait toujours pas pris de petit déjeuner, et commençait à avoir un léger mal de tête. A la fin, n'y tenant plus, elle déverrouilla sa propre voiture, déposa sur le siège passager les papiers et dossiers de Ben, et revint vers l'épicerie. A peine y était-elle rentrée qu'elle comprit qu'il se passait quelque chose d'anormal. Le regard effaré de Kevin était dirigé vers le bureau de Ben d'où s'élevaient des éclats de voix.

— Je vous ai déjà dit que je ne les avais pas ! entendit-elle son employeur s'écrier.

Il semblait complètement paniqué. A qui parlait-il ? Et de quoi ?

Fiona regarda dans tout le magasin, mais n'y vit pas le client mal élevé qu'elle avait croisé un instant plus tôt. Donc ça ne pouvait être que lui qui se trouvait dans le bureau de Ben.

— Tu mens !

Au son de cette voix tonitruante, Fiona tressaillit. Cette violence verbale lui rappelait l'agression de la veille.

— Partez ! reprit Ben.

— Pas tant que tu ne m'auras pas donné ce que je veux !

— Fiona, qu'est-ce qu'on fait ? intervint Kevin.

Mais Fiona, terrorisée, était incapable de réfléchir. Fallait-il avertir la police ? Etait-ce une simple dispute ? Ou était-ce plus grave ?

Puis elle se pétrifia quand elle entendit des bruits de bagarre.

— J'appelle la police ! s'exclama Kevin.

Fiona eut à peine la force d'acquiescer. L'altercation dégénérait, mieux valait parer à toute éventualité. Mais la perspective de se trouver à nouveau sur un théâtre d'opérations violentes lui serra le cœur d'une irrépressible panique. Elle n'en était certes pas la victime, seulement le témoin, cette fois, mais elle avait eu son compte d'émotions quelques heures plus tôt.

Malgré son jeune âge, son collègue mesura sa détresse, car il lui intima :

— Va-t'en, Fiona ! Ça vaut mieux pour toi.

Fiona recula.

— Ne reste pas là non plus, Kevin. Sors, tu attendras la police dehors.

Le jeune lycéen acquiesça d'un signe de tête.

— Oui, oui. Et maintenant, file, toi.

Fiona battit en retraite, mais elle dut s'y reprendre à deux fois avant de réussir à démarrer. Elle fut soulagée quand elle se mit enfin en route. Elle se sentait certes un peu coupable d'avoir abandonné Kevin à son sort, et elle s'inquiétait aussi pour Ben, mais c'en était trop. Si ce matin elle n'avait pas eu l'impression de se ressentir de l'agression de la veille, de nouveau elle paniquait et frissonnait.

— Finalement, je ne vais pas aussi bien que je le pensais…, marmonna-t-elle.

S'agissait-il de l'effet retard dont lui avait parlé Nate ? Elle porta la main à sa tempe, à l'endroit où le canon de l'arme avait été pressé, hier. La trace avait disparu, mais elle gardait un souvenir encore vivace de l'horrible sensation.

Hier, elle avait failli mourir.

Combien de temps faudrait-il avant que le traumatisme se dissipe ? Jamais comme hier soir elle ne s'était sentie aussi impuissante de sa vie. Ses pensées, son corps avaient été comme tétanisés.

Fiona secoua la tête, se répétant à voix haute qu'elle était en sécurité à présent et qu'elle finirait par surmonter l'épreuve. Bientôt, sa vie redeviendrait normale et elle pourrait se consacrer entièrement à sa thèse.

Tiens, à ce propos, pourquoi ne pas consacrer un chapitre sur les risques accrus, pour un employé de nuit, de se trouver confronté à une agression sur le lieu de son travail ? Elle réfléchit aussitôt à la façon d'introduire cette nouvelle thématique dans sa recherche.

Le fait d'intellectualiser ce qu'elle avait vécu la veille l'aida à prendre des distances avec l'agression, et à recouvrer un semblant de calme. Une fois chez elle, elle se rendit à la cuisine et s'obligea à grignoter une barre aux céréales. Curieusement, sa faim avait disparu. Enfin, épuisée par ce début de matinée pour le moins agité, elle gagna sa chambre. Slinky, en boule sur le lit, entrouvrit un œil en l'entendant arriver. Il bâilla et, changeant de position, reprit sa sieste.

— Tout oublier… Une excellente idée…, murmura-t-elle en s'allongeant.

Elle dormirait quelques heures et ensuite travaillerait sur sa thèse. Un peu de repos lui serait bénéfique ! conclut-elle avec un soupir de bien-être.

Fiona se sentait glisser dans le sommeil quand un bruit imperceptible lui fit rouvrir les yeux. Les branches des pommiers qui griffaient le mur de devant ? Il faudrait les faire élaguer, c'était le bon moment, se dit-elle. Elle bâilla, prête à refermer l'œil, quand le même bruit se répéta, plus insistant cette fois. Il semblait provenir de l'arrière de la maison. Mais… les branches des pommiers ne pouvaient pas atteindre la porte de derrière !

Tous ses sens en alerte, Fiona se redressa. Puis elle se leva et s'engagea dans le couloir, perplexe. Un animal égaré en quête d'un endroit chaud ? Les températures avaient considérablement chuté dernièrement. Slinky ne serait pas ravi, mais elle ne saurait laisser un animal sans défense à la merci du froid.

Avec cette idée en tête, elle arrivait au bout du couloir quand elle vit la poignée de la porte de la cuisine, qui donnait sur le jardin de derrière, tourner. Elle se figea. Aucun animal, si intelligent fût-il, ne pouvait faire cela…

Paniquée, elle revint sur ses pas et se réfugia dans sa chambre à coucher, où elle s'enferma à clé, dans l'espoir que cet obstacle suffirait à dissuader quiconque cherchait à s'introduire chez elle de pénétrer dans cette pièce.

Mais une autre pensée fusa aussitôt de son esprit en ébullition. Elle ne pouvait pas rester ici. Il lui fallait fuir. Remettant ses chaussures, Fiona chercha ses clés de voiture. Oh non ! Elle avait laissé son sac à main sur la table de la cuisine !

Elle contint un cri de frustration avant de se souvenir qu'elle possédait un double dans le tiroir de sa commode. Elle le récupéra, puis marqua une pause pour tendre l'oreille. L'intrus était dans le salon. Manifestement, il fouillait dans ses affaires, mais à la recherche de quoi ? Elle n'avait aucun bien de grande valeur.

Sans perdre davantage de temps à essayer de comprendre le pourquoi du comment, Fiona prit son sac de sport, en vida le contenu pour y fourrer Slinky à la place. Le chat émit un miaulement contrarié.

— Désolé, Slinky, mais tu pars avec moi, murmura-t-elle en refermant la fermeture Eclair sur lui.

Puis, en essayant de faire le moins de bruit possible, elle ouvrit la fenêtre, en enjamba le rebord et sauta sur la pelouse avant de courir vers sa voiture, les clés au creux de sa paume. Elle déverrouilla les portières et s'installa en volant, tout en déposant rudement le sac de sport sur le siège passager. Un nouveau miaulement se fit entendre, de désespoir cette fois. Mais Fiona, persuadée d'agir pour le bien de son chat, ne s'en émut pas.

Elle démarra mais cala aussitôt. *Oh non !*

Juste à cet instant, la porte d'entrée s'ouvrit et un homme de haute taille apparut sur le seuil. Fiona reconnut, au bonnet blanc et brun à motifs ethniques, l'individu mal embouché qu'elle avait croisé tout à l'heure à l'épicerie, celui-là même qui était venu chercher noise à Ben dans son bureau. Que faisait-il donc chez elle ?

Elle n'eut pas le temps de s'interroger davantage, car l'homme l'avait manifestement repérée. Fiona l'entendit hurler, mais ne comprit pas le sens de ses propos. Tétanisée, elle le vit courir dans sa direction, le visage décomposé de fureur.

Réagis ! Ne te laisse pas encore victimiser, lui intima une petite voix intérieure. Les mains tremblantes, elle tourna de nouveau la clé de contact.

Les miaulements de Slinky redoublaient.

— Tout va bien, dit-elle, ne sachant qui des deux, entre elle et son chat, elle voulait rassurer.

Enfin, le moteur ronronna. Elle fit une marche arrière trop rapide, qui lui fit heurter le muret où était logée la boîte aux lettres de son voisin. Elle grimaça puis haussa les épaules. Il serait toujours temps de régler les dommages plus tard.

Quand elle quitta son allée en trombe, elle aperçut, dans le rétroviseur, le visage furieux de l'homme qui s'était inutilement élancé à sa suite.

Une fois sur la route, elle essaya, à grand renfort d'exercices de respiration, de recouvrer un semblant de calme. Une seule pensée occupait son esprit : *Il faut que je parle à Nate. Nate saura quoi faire.*

Se rendant compte de sa vitesse excessive, elle freina.

Je suis en sécurité à présent, se répétait-elle. Inutile de prendre des risques inconsidérés.

Alors pourquoi tremblait-elle de tout son corps ?

7

— Gallagher ?

Levant les yeux, Nate vit Charlie, le sergent à l'accueil, sur le pas de la salle de rédaction des rapports.

— Oui ? Que se passe-t-il ?

— Il y a une femme qui veut s'entretenir avec toi. Fiona Sanders. Tu la connais ?

D'un bond et le cœur battant, Nate rejoignit son collègue.

Fiona ? Ici ?

Toute la matinée, il avait voulu lui téléphoner, mais il n'en avait pas trouvé le temps. Et voilà qu'elle venait à lui ! Accepterait-elle qu'il l'invite à dîner ? Il le lui devait bien, après l'avoir abandonnée ce matin. Peut-être même pourraient-ils achever ce qu'ils avaient ébauché hier soir… Cette pensée fit battre son cœur encore plus fort.

Mais son euphorie disparut sitôt qu'il vit Fiona. A l'évidence, la jeune femme ne venait pas le relancer dans l'intention de passer un instant romantique avec lui. Elle était livide, décoiffée, et ses cernes s'étaient accentués. Elle portait un sac de sport qui, étonnamment, semblait doué de mouvements. Que se passait-il donc ?

— Fiona ?

Elle sursauta, et se détendit visiblement à sa vue.

— Nate…

Il aurait voulu la serrer dans ses bras, mais dut se contenter de poser une main sur son épaule.

— Que se passe-t-il ?

Elle regarda autour d'elle, mal à l'aise.

— Pouvons-nous parler tranquillement ?

— Oui, suivez-moi.

Il la conduisit vers la salle des interrogatoires, et prit place à ses côtés.

— Que vous arrive-t-il, Fiona ? reprit-il.

Il la vit alors poser le sac de sport à terre et en défaire la fermeture Eclair. La tête de Slinky en surgit. Le chat avait les prunelles dilatées de peur, le poil hérissé et les oreilles couchées.

— Du calme, Slinky, murmura-t-elle à son attention d'une voix douce en le caressant.

Le chat, un peu tranquillisé, regarda autour de lui. Nate eut l'impression qu'il le fixait longuement.

— Salut, toi, lui dit-il, tendant la main vers son museau.

A l'évidence, Fiona avait quitté son domicile à la hâte. Et si elle avait emporté son chat, cela signifiait qu'elle ne tenait pas à y retourner de sitôt.

— Quelqu'un est entré par effraction chez moi…, commença Fiona.

Quoi ? Cette information le frappa avec une violence déroutante. S'agissait-il d'un voleur ? En plein jour ? D'après ce qu'il avait vu hier soir de son intérieur, Fiona ne possédait pas grand-chose de valeur à part de beaux meubles. Mais, bien entendu, les cambrioleurs ne savaient pas forcément ce que possédaient les personnes chez qui ils s'introduisaient.

— J'étais en train de me reposer dans ma chambre quand j'ai entendu du bruit à l'arrière de la maison. J'ai pensé que ce pouvait être un animal égaré mais, quand je suis allée à la cuisine, j'ai vu que quelqu'un cherchait à entrer.

Nate se figea, consterné et inquiet à l'idée que Fiona ait subi un nouveau choc après le traumatisme de la veille. D'un geste, il lui fit signe de continuer son récit.

— Je suis retournée dans ma chambre en catimini. Par chance, je laisse toujours un double de mes clés de voiture dans ma commode. J'ai mis Slinky dans ce sac, et j'ai pris la fuite par la fenêtre.

Il admira son sang-froid.

— L'intrus vous a vue ?

— Oui.

Elle baissa les yeux et se massa les bras comme si elle avait froid.

— Il m'a entendue démarrer et s'est précipité à mes trousses. Il semblait furieux.

— L'avez-vous bien vu ?

— Pas assez pour en dresser un portrait-robot, mais je suis certaine que c'est l'homme qui est venu voir Ben ce matin à l'épicerie. Vous êtes au courant de ce qui s'est passé, bien sûr.

Nate fronça les sourcils.

— De quel homme parlez-vous ?

Elle lui adressa un regard étonné.

— Kevin a pourtant prévenu la police. J'ai pensé que vous seriez tout de suite informé, et même qu'on vous demanderait d'intervenir vu que ça s'est passé sur les mêmes lieux qu'hier soir.

— J'ai été appelé sur une autre affaire. Mais, je vous en prie, expliquez-moi ce qui s'est passé ce matin à l'épicerie.

Fiona prit une grande inspiration.

— Eh bien, je sortais du bureau de Ben quand j'ai croisé cet homme dans le magasin. J'ai tout de suite eu une drôle d'impression…

Elle se tut.

— Que voulez-vous dire ? la relança Nate.

— Il m'a donné la chair de poule…

— Je vois. Continuez, Fiona.

Elle lui relata ce qu'elle avait entendu de l'altercation de l'inconnu avec son patron.

— Je ne suis pas restée, j'en étais incapable. Je ne connais donc pas l'issue du conflit.

Sur ces mots, elle baissa les yeux, et rougit.

— C'en était trop, vous comprenez ?

Nate serra ses mains entre les siennes.

— Ne vous excusez pas, Fiona. Vous avez bien fait de partir. Dans votre cas, c'était la meilleure solution.

Fiona laissa échapper un petit cri plaintif.

— Pourquoi cet individu est-il à mes trousses ? Et comment sait-il où j'habite ?

— Reposez-vous un instant, Fiona. Pendant ce temps, je vais aller aux nouvelles. Entre autres, essayer de savoir qui, parmi mes collègues, est intervenu ce matin à l'épicerie.

Une fois qu'il fut dans le couloir, Nate fronça les sourcils, soucieux. Que se passait-il au juste ? Fiona, qui avait apparemment une vie sans histoires, avait été victime de deux attaques violentes en l'espace de quelques heures. C'était pour le moins curieux…

Une idée s'insinua dans son esprit. Et s'il s'agissait d'une mise en scène ? Se pouvait-il que la jeune femme soit de mèche avec le voleur d'hier soir et que, l'affaire ayant mal tourné, quelqu'un d'autre, son visiteur d'aujourd'hui, soit venu lui demander des comptes ?

Il rejeta aussitôt cette idée. Non, impossible. Même s'il ne connaissait finalement pas très bien Fiona, il avait été témoin de ses réactions hier, lors de l'attaque à main armée. Elle n'aurait pas pu simuler ses tremblements, encore moins la crise de larmes et les nausées qui l'avaient prise ensuite. Et il avait également vu le malfrat à l'œuvre. La manière dont ce dernier avait rudoyé Fiona n'était certainement pas le comportement d'un complice… d'autant plus qu'il ignorait alors la présence de quelqu'un d'autre dans l'épicerie.

Il hocha la tête. Non, même s'il ne croyait pas trop aux coïncidences, il ne doutait pas que, dans ces deux affaires, Fiona ait été une victime.

Revenu dans la salle de rédaction des rapports, il chercha Owen du regard.

— Un problème, Nate ? fit aussitôt ce dernier dès qu'il s'avisa de sa présence.

Nate lui relata brièvement la situation.

— J'aimerais que tu écoutes son histoire, conclut-il. Tu y repéreras peut-être un détail qui m'aura échappé.

Ils revinrent dans la salle des interrogatoires. Fiona salua son collègue d'un bref hochement de tête.

— Bonjour. Owen Randall, dit ce dernier.

Il lui tendit la main, avec ce sourire chaleureux dont il avait le secret.

— Fiona Sanders, murmura-t-elle d'une voix lasse.

— J'ai cru comprendre que vous veniez de traverser quelques épreuves, au cours de ces dernières heures.

— En effet, déclara Fiona, posant machinalement la main sur son sac de sport.

Un ronronnement s'en éleva. Nate contint un sourire.

— Fiona ? Pourriez-vous raconter une nouvelle fois pour Owen les événements de la matinée ?

La jeune femme s'exécuta.

Nate écouta avec attention. En général, les gens ne racontaient jamais un incident de la même façon. Dans le cas contraire, c'était le signe qu'ils mentaient. Fiona utilisa d'autres mots pour relater ce qu'elle venait de vivre. Elle ne mentait pas, donc.

Pour autant, elle ne révéla pas de nouveaux détails.

— Vous n'avez donc pas identifié l'homme qui est entré chez vous par effraction, souligna Owen.

Fiona secoua la tête.

— Tout ce que je sais, c'est que je l'ai croisé à l'épicerie, plus tôt dans la matinée, mais je n'ai pas prêté attention à son visage.

— Dans ces conditions, comment savez-vous que c'était le même individu ?

— Il portait les mêmes vêtements, et avait la même

corpulence. Et surtout, le même bonnet brun et blanc avec des motifs ethniques.

Owen lui sourit.

— Je vois.

— Hier, il y a eu une tentative de vol à main armée dans cette épicerie et, ce matin, un homme affronte assez violemment Ben Carter, le gérant du magasin, énonça Fiona en fronçant les sourcils. Se pourrait-il qu'il y ait un lien entre ces deux événements ?

— C'est possible…, intervint Nate. Vous avez entendu de quoi ils parlaient ?

— Cet homme voulait quelque chose que Ben, manifestement, n'avait pas. Ou ne voulait pas lui donner.

— Avez-vous une idée de ce que cela pouvait être ? demanda Owen.

Fiona haussa les épaules.

— Je n'en sais rien. Je n'ai pas entendu la suite.

Soudain, Nate eut une intuition.

— Je reviens ! Je dois vérifier quelque chose.

Lorsqu'il eut procédé aux vérifications, il eut un choc. Précisément, il n'en crut pas ses yeux. Il revint à la hâte dans la salle des interrogatoires.

— Fiona ? A votre avis, l'homme qui a affronté Ben ce matin pourrait-il être Joey, votre agresseur d'hier soir ?

Elle le dévisagea, surprise.

— La voix de cet individu m'y a fait penser un instant, c'est vrai, mais je me suis dit que c'était impossible puisqu'il a été arrêté. Il est bien toujours en détention provisoire, n'est-ce pas ?

Nate secoua la tête.

— Non, malheureusement ; sa caution a été payée, et il a été libéré ce matin.

— Quoi ? s'écria-t-elle, pâlissant subitement. Mais… cet individu a braqué une arme sur ma tempe, il m'a menacée de mort. Pourquoi a-t-il été libéré ?

Nate et Owen échangèrent un regard tant perplexe que gêné.

— Le montant de la caution était très élevé. En général cela suffit à ce que les prévenus restent en détention jusqu'au procès, expliqua Nate. Mais, dans ce cas précis, son avocat a payé le montant demandé. Donc il a été libéré.

— Comment se fait-il qu'un petit voleur ait autant d'argent ? Et s'il est aussi riche, pourquoi braquer une modeste épicerie ? interrogea Fiona, troublée.

Des questions que Nate s'était lui-même posées.

— Oui, il y a quelque chose qui ne colle pas, renchérit Owen. Je vous laisse avec Nate, je vais essayer d'en savoir plus.

— Oh mon Dieu…, murmura Fiona, atterrée. S'il s'agit vraiment de l'homme qui m'a menacée hier, il sait désormais où j'habite. Je ne peux plus rentrer chez moi…

— Ne vous faites pas de souci à ce sujet, la rassura aussitôt Nate. Nous allons vous trouver un hôtel, en attendant.

— Non !

Son cri du cœur lui fit hausser les sourcils.

— Non ? répéta-t-il sans comprendre.

— Je ne peux pas m'offrir le luxe d'aller à l'hôtel, lâcha-t-elle, désespérée. Ne puis-je pas rester ici ?

— Au poste ? C'est impossible. Vous n'avez pas une amie qui pourrait vous héberger ?

— Non…, murmura-t-elle, mal à l'aise cette fois. La plupart de mes anciennes connaissances ont déménagé, et j'ai perdu le contact avec les autres au moment où ma mère est tombée malade.

— Je vois. Et vous n'avez pas de proches parents.

Ce n'était pas une question.

Fiona hocha la tête.

— Non, je n'ai personne, dit-elle doucement.

Nate la dévisagea, le cœur serré. Elle n'avait que Slinky… Un bien maigre soutien !

— J'ai une idée ! dit-il, mû par une inspiration. Je vous demande juste un instant.

Il revint auprès d'Owen, qui étudiait l'écran de son ordinateur avec concentration.

— Tu as trouvé quelque chose ?

Owen inclina la tête.

— Possible. J'ai le nom de l'avocat. Il s'agit d'un certain Richard Beck. Je n'ai pas grand-chose sur lui. Il ne semble pas avoir beaucoup de clients : je doute qu'il plaide.

— En clair, ses clients sont une entreprise ou des gens riches qu'il aide à devenir encore plus riches, c'est ça ?

— Oui, à grand renfort de montages juridiques plus ou moins tordus et avec la collaboration de professionnels du chiffre.

— Il nous faut trouver le trait d'union entre un petit voyou et un avocat d'affaires.

— Exact. Je vais continuer à chercher.

— Owen, Fiona ne sait pas où passer la nuit. Elle a trop peur de rentrer chez elle, et n'a pas les moyens de s'offrir un hôtel. J'ai pensé…

— A Hannah ! Bien sûr, Fiona peut s'installer chez elle, déclara son équipier sans quitter son écran des yeux.

— Au fait, pourquoi Hannah a-t-elle toujours son propre appartement ? Ne vit-elle pas chez toi les trois quarts du temps ?

— Cela lui revient moins cher de payer son loyer que de rompre le bail. Celui-ci prend fin dans trois semaines. Le 1er janvier, Hannah et moi habiterons ensemble officiellement.

— Ravi pour toi.

Nate lui donna une grande tape sur l'épaule.

Owen avait traversé des moments difficiles, après la mort de son précédent équipier, et Nate avait redouté qu'il ne soit incapable de reprendre ses fonctions dans la police. Mais sa rencontre avec Hannah l'avait ramené à la vie.

Owen sourit. Son regard pétillait, comme à chaque fois qu'il parlait de Hannah.

— Merci. C'est un grand pas et nous sommes fous de joie.

— Je te crois ! Elle est extraordinaire.

— Mieux que ça.

— Tu crois que Hannah acceptera que Fiona séjourne quelque temps chez elle ?

— J'en suis convaincu ! Mais je vais tout de même m'en assurer. Je l'appelle de suite.

— Quelle chance pour Fiona !

— A propos…

Owen marqua une pause.

— Il y a quelque chose entre vous deux ?

Nate toussota avec embarras.

— Heu… non, pas vraiment.

Owen leva un sourcil.

— Ah bon.

— Pourquoi me poses-tu la question ?

Owen reporta son attention sur son ordinateur, mais Nate eut le temps de voir son petit sourire en coin.

— Je ne sais pas…, répondit-il. Il y a comme une vibration entre vous deux.

Nate se sentit rougir.

— Qui émane de moi ou d'elle ? ne put-il s'empêcher de demander.

— De toi *et* d'elle.

Bien que ravi, Nate s'efforça de garder un air dégagé.

— Je retourne lui annoncer que le problème de son hébergement est résolu. Confirme-moi toutefois que Hannah est d'accord. Et avertis-moi sitôt que tu auras trouvé quelque chose sur cet avocat.

— Cela va de soi.

Nate se sentait soudain intimidé à l'idée de revenir auprès de Fiona. Etait-il donc si transparent pour que son équipier ait remarqué l'attirance que la jeune femme exerçait sur lui ? Et Fiona ? L'avait-elle remarqué, elle aussi ?

De retour dans la salle des interrogatoires, il fut de nouveau frappé par la fragilité et la vulnérabilité qui émanaient de Fiona, et surtout par sa solitude.

— J'ai une bonne nouvelle : je vous ai trouvé un hébergement ! annonça-t-il avec un sourire encourageant.

— C'est vrai ?

Fiona leva vers lui des yeux brillant de joie et de soulagement. Nate eut même l'impression d'y lire de l'admiration à son endroit.

— Vous allez séjourner chez la compagne d'Owen, Hannah. Elle ne vit plus dans son appartement mais elle est liée par son bail jusqu'à la fin du mois de décembre.

— Mais Hannah acceptera-t-elle que je vienne avec mon chat ? demanda Fiona.

L'inquiétude l'avait reprise.

— Je suis certain que cela ne posera pas de problème, répondit Nate avec assurance.

— Quand pourrai-je m'y rendre ? Et est-ce Owen qui va m'accompagner là-bas ?

— Non, c'est moi qui vais vous y conduire. Vous me suivrez avec votre voiture.

Nate se leva, lui prenant la main pour qu'elle fasse de même.

— Mais, au préalable, je vais devoir prendre vos empreintes. Une équipe de la police technique et scientifique va en effet se rendre chez vous pour relever les indices éventuels, en particulier des empreintes autres que les vôtres.

— J'aimerais que l'on fasse vite… C'est à cause de Slinky, dit-elle avec un regard inquiet. Il est mort de peur.

Nate, touché par la sollicitude de la jeune femme à l'égard de son chat, ne put s'empêcher de sourire.

— Ne vous inquiétez pas, ce sera rapide. Venez.

Et, posant une main au bas de son dos, il la conduisit dans le couloir.

— Merci pour tout, Nate, murmura-t-elle d'une voix basse et émue. Je ne sais pas ce que j'aurais fait sans vous.

Nate, flatté, se rengorgea. Et c'est sans doute son instinct de protection plus que jamais en éveil qui lui fit ensuite dire :

— Ne vous faites pas de souci, Fiona, je m'occupe de tout. A partir de maintenant et jusqu'à ce que cette affaire soit résolue, c'est moi en personne qui vais assurer votre sécurité !

Puis, avisant le sac de sport qu'elle tenait, il ajouta :

— Et aussi celle de Slinky !

Fiona reconnaissait en son for intérieur que tout était plus facile et plus simple maintenant que Nate avait pris la situation en main.

Après avoir quitté son domicile dans la précipitation avec Slinky, elle avait éprouvé le plus grand désarroi, et s'était sentie très déprimée. La tranquille assurance de Nate avait réussi à l'apaiser, et pourtant ses problèmes actuels étaient loin d'être réglés.

Hier soir, Nate lui avait sauvé la vie ; aujourd'hui non seulement il la soutenait moralement, mais il lui avait trouvé un hébergement temporaire. C'était vraiment un homme providentiel. Et si beau avec cela…

Fiona se fustigea intérieurement. Pauvre idiote ! Avait-elle donc oublié que sa vie, par le plus grand des mystères, était devenue totalement chaotique ?

Elle s'engagea dans le parking de la résidence de Hannah derrière la voiture de Nate, à côté de laquelle elle se gara. Quand elle coupa le moteur, un gros soupir lui échappa. Si elle était soulagée de ne pas avoir à retourner chez elle, séjourner dans un appartement inconnu n'était pas non plus l'idéal. Elle se sentait infiniment triste de devoir renoncer à son environnement familier et rassurant pour des raisons de sécurité. Même si c'était temporaire.

Mais était-ce si sûr ? Peut-être ne se sentirait-elle plus jamais à l'aise chez elle. Son intimité n'avait-elle pas été violée par un inconnu animé de mauvaises intentions ?

Cette pensée la secoua d'un violent frisson. Elle avait grandi dans cette maison, elle y avait de bons et de mauvais souvenirs, mais c'était *ses* souvenirs. Et le choc psychologique causé par cette intrusion était d'autant plus violent qu'elle avait été victime d'une agression la veille.

Mais le pire, en fin de compte, c'était qu'elle n'avait personne à qui se confier, et auprès de qui vider son cœur. Elle regretta amèrement que sa mère ne soit plus de ce monde, tout en se réjouissant que cette dernière n'ait pas non plus été témoin de ces derniers événements…

Un petit coup frappé contre la vitre la fit sursauter, l'arrachant à ses pensées. Elle tourna les yeux et vit Nate qui la regardait d'un air inquiet.

— Je suis désolé, dit-il sitôt qu'elle fut descendue de voiture. Je ne voulais pas vous effrayer, seulement vous proposer de porter le sac où se trouve Slinky.

— Volontiers !

Comme Nate s'emparait du sac, il fit dégringoler une pile de documents en équilibre précaire sur le siège passager.

— Aïe…, dit-il en reposant le sac pour les ramasser. J'aurais mieux fait de m'abstenir…

— Ce n'est pas grave, le rassura-t-elle. Et d'ailleurs, ces papiers ne m'appartiennent pas. Ce matin, Ben m'a demandé de les prendre et de l'attendre près de sa voiture. Mais, comme il n'arrivait pas, j'ai fini par les mettre dans la mienne.

— Vous savez ce que c'est ?

— Aucune idée.

Nate les empila, pensif.

— Vous m'avez bien dit que Ben et son interlocuteur

se disputaient, et que ce dernier voulait récupérer quelque chose que votre patron affirmait ne pas avoir, n'est-ce pas ?

— C'est ce que j'ai entendu, oui.

— Et comme par hasard, un inconnu surgit peu après chez vous…

— Vous pensez qu'il peut y avoir un rapport ? demanda Fiona, tout à coup frappée par cette coïncidence.

Nate haussa les épaules.

— Je ne sais pas, mais c'est une possibilité que nous ne pouvons exclure. Ben a très bien pu dire à son visiteur que c'était vous qui possédiez ce qu'il voulait. Et aussi lui transmettre votre adresse… Ce qui expliquerait que vous soyez devenue une cible.

— Dans ce cas, il nous faut examiner ces papiers ! Ils doivent être drôlement importants pour avoir déclenché tout cet imbroglio !

— Oui, qui sait, nous y découvrirons peut-être un indice, dit Nate.

Et il lui adressa un sourire radieux qui lui fit battre le cœur.

— Vous prenez les documents de Ben, et moi, je m'occupe de votre chat, d'accord ? ajouta-t-il.

Fiona s'exécuta, perplexe soudain. Ben l'avait-il piégée et mise en danger volontairement en lui demandant de prendre ces documents, au prétexte qu'il voulait les ramener chez lui ? Pourtant, il n'avait pu anticiper l'altercation qui avait ensuite eu lieu dans son bureau…

Quoi qu'il en soit, Nate avait sans doute raison : si un inconnu s'était introduit chez elle, c'était à cause de Ben. Elle se sentit alors gagnée par une vive colère. Comment avait-il osé ? Etait-il à ce point dénué de scrupules ?

Sa rage dut transparaître parce que Nate la dévisagea avec inquiétude.

— Ça va ?

— Non, ça ne va pas. Je ne m'explique pas que mon employeur ait voulu m'attirer tous ces ennuis.

— Nous allons l'interroger, et nous en aurons vite le cœur net.

— Encore faudrait-il que vous puissiez le faire ! Peut-être a-t-il quitté la ville après les événements de ce matin.

— A mon avis, il est toujours à Houston, objecta Nate avec assurance. S'il vous a transmis un document important, il va tenter de le récupérer le plus vite possible. Ne soyez donc pas surprise s'il vous contacte dans les jours à venir.

— Je ne veux plus jamais entendre parler de lui ! s'exclama Fiona avec feu. Je n'arrive pas à croire qu'il se soit joué de moi !

— Je vous comprends, prononça Nate d'une voix apaisante. Mais s'il vous téléphone, informez-m'en. Je vais demander à Owen de le tenir à l'œil et, le cas échéant, d'émettre un avis de recherche.

Sur ces entrefaites, ils arrivèrent devant un appartement. Nate frappa.

Une mince jeune femme brune leur ouvrit aussitôt.

— Nate ! s'exclama-t-elle. Je suis contente de te voir !

Elle l'embrassa sur la joue.

— Cela fait si longtemps que nous ne nous sommes vus !

— Le boulot, tu sais ce que c'est… Mais toi aussi tu m'as manqué, Hannah.

Fiona attendait, immobile et intimidée. La jeune femme lui sourit.

— Vous êtes Fiona ? Je m'appelle Hannah, ajouta-t-elle en lui tendant la main. Entrez, je vous en prie.

— Ravie de faire votre connaissance, Hannah. Et, surtout, merci de me prêter votre appartement pour quelques jours.

— Cela ne me pose aucun problème. Je n'y vis presque plus, et je regrette qu'il soit désormais vide.

Au même moment, Slinky lança un miaulement désespéré.

— Oh, le pauvre ! s'exclama Hanna.

Elle prit le sac que tenait Nate avec empressement, le

posa sur le canapé, puis l'ouvrit. Slinky pointa prudemment sa tête.

— J'ai installé une litière dans la salle de bains, ajouta Hannah.

Elle tendit la main dans la direction du chat, qui la renifla avec prudence, avant de s'aventurer en dehors du sac.

— On dirait qu'il traverse un champ de mines, fit observer Nate.

Fiona, qui n'avait pas réalisé que Nate se tenait juste derrière elle, sursauta.

— Désolé, lui dit-il en posant une main sur sa taille, je ne voulais pas vous effrayer.

— C'est moi qui m'excuse, je suis trop nerveuse.

Elle avait répondu sans se retourner, les yeux fixés sur Slinky. En fait, elle était ravie par la proximité de Nate et, surtout, par la sensation de sa main sur sa taille.

— Votre chat est mignon comme tout, déclara Hannah.

La voix de son hôte s'insinuant dans ses pensées, Fiona reporta son attention sur Slinky, qui explorait son nouvel univers avec circonspection.

— Je vous remercie de tout cœur, Hannah, dit-elle à nouveau, si émue cette fois que les larmes lui vinrent aux yeux.

Hannah la serra dans ses bras.

— Je vous laisse vous installer. Nate vous fera visiter les lieux. Oh ! A propos, j'ai fait des courses sitôt qu'Owen m'a prévenue de votre arrivée. Vous ne mourrez donc pas de faim ! J'ai même prévu des croquettes pour le chat. Et je suis certaine que Nate va également vous montrer le quartier.

Elle pressa affectueusement ce dernier contre elle.

— J'espère que l'on te verra bientôt plus longuement ?

— Je l'espère aussi. Mais tu sais comme je suis débordé.

Sur ces mots, il la raccompagna jusqu'à la porte. Fiona, restée seule, tenta de reprendre le contrôle de ses émotions.

L'amitié de Nate et de Hannah soulignait sa profonde

solitude, et sa vie, soudain, se déroulait devant ses yeux avec une netteté glaçante. Elle avait de gros problèmes, mais elle n'avait d'autre ressource que de se remettre entre les mains d'inconnus. C'était pathétique…

Un tel désespoir l'envahit qu'elle en eut la nausée. Elle déglutit pour ravaler ses larmes tandis qu'un spasme la soulevait.

Déjà, Nate revenait. Il la dévisagea longuement, l'air inquiet.

— Venez ! s'exclama-t-il soudain, la prenant par la main.

— Où ? Nous venons à peine d'arriver, s'exclama-t-elle d'une voix qu'elle ne put empêcher de trembler.

— Je sais, mais je viens d'avoir une idée !

— Mais… et Slinky ?

Elle ne pouvait le laisser seul dans un appartement inconnu. Slinky avait besoin d'elle, mais en vérité, conclut-elle, c'était plutôt elle qui avait besoin de lui… De le serrer dans ses bras pour puiser du réconfort. C'est ce qu'elle faisait quand elle était démoralisée.

Nate lui montra, d'un air entendu, le chat qui s'était installé sur le canapé pour y faire sa toilette.

— Regardez-le : il y est comme un roi. Nous pouvons le laisser.

Fiona hésita, puis elle hocha la tête.

— D'accord. Vous me laissez tout de même le temps de passer à la salle de bains ?

Sans attendre sa réponse, Fiona gagna le couloir.

La salle de bains de Hannah était petite mais bien aménagée, et ses couleurs, acidulées. Fiona remarqua que le rideau de douche était le même que chez elle et se sentit réconfortée par ce détail insignifiant. Hannah avait manifestement les mêmes goûts qu'elle, en matière de décoration. Dans une autre vie, peut-être auraient-elles été amies… Elle sourit à cette idée.

Sourire qui s'estompa très vite quand elle avisa son reflet

dans le miroir. Mon Dieu, quelle horreur ! Avec son teint blême, ses cernes violacés et sa coiffure hirsute, elle avait l'air d'une folle.

Elle s'aspergea longuement la figure d'eau fraîche et, de ses doigts, tenta de remettre un peu d'ordre dans sa chevelure. Voilà, c'était déjà un peu mieux. Et elle avait repris quelques couleurs, constata-t-elle avec soulagement.

Pour finir, elle prit une grande inspiration et s'essaya à sourire, avant d'aller retrouver Nate.

— Je suis prête ! lança-t-elle.

Ce dernier sortait de la cuisine.

— Je viens de préparer un bol d'eau, au cas où Slinky aurait soif.

Fiona tourna aussitôt les yeux vers son chat. Sans doute terrassé par les émotions, ce dernier dormait, roulé en boule sur le canapé. Quelle délicate attention de la part de Nate d'avoir songé au bien-être de Slinky !

S'approchant de Nate, elle se hissa sur la pointe des pieds pour déposer un baiser sur sa joue.

— Merci…, murmura-t-elle.

— Si j'ai droit à un tel élan de reconnaissance pour un geste aussi simple que de remplir un bol d'eau, que dois-je espérer pour un second bol ? Et un troisième ? J'ai remarqué que Hannah en avait une dizaine dans son placard, plaisanta-t-il.

Un sourire aux lèvres, il fit mine de revenir dans la cuisine.

Fiona ne put s'empêcher de rire.

— Vous verrez ce que je vous réserve quand nous rentrerons, insinua-t-elle, volontairement ambiguë. Et vous, que me réservez-vous ?

Il l'observa avec un demi-sourire avant de la prendre par la main.

— Vous allez adorer mon idée. Et puis, cessons de nous vouvoyer ! Soyons moins cérémonieux et plus simples l'un envers l'autre ! *Tu* es d'accord, Fiona ?

— Oui, v… *tu* as raison, Nate !

Elle se sentit plus légère, tout à coup, et heureuse tout simplement que Nate la tienne par la main. Les moindres attentions de sa part avaient le don de faire remonter son moral en flèche. C'était un peu comme d'être amoureuse !

Troublée par cette pensée intempestive, Fiona coula un regard vers Nate tandis qu'ils s'approchaient de sa voiture. Ressentait-il lui aussi ce même mélange de joie et d'appréhension en sa compagnie ? Etait-elle la seule à se poser des questions sur l'étonnante complicité qui les liait depuis hier ? Après l'agression de la veille et l'intrusion d'aujourd'hui, Fiona se savait toutefois très vulnérable sur le plan émotionnel. N'était-ce pas plutôt le besoin de protection qui parlait en elle, et non son cœur ? Raison de plus pour ne pas s'emballer, lui souffla une petite voix intérieure.

Oui, prends donc les choses comme elles viennent, s'adjura Fiona. *Et profite du temps présent.*

Pressé de savoir à quoi s'en tenir, Sal téléphona à Joey. Il n'ignorait pas que ce dernier n'avait été libéré que ce matin, mais il espérait tout de même qu'il avait pu effectuer la mission demandée. L'affaire était en effet de la plus haute importance.

Dès qu'il entendit la voix de son neveu, un peu tremblante, à l'autre bout du fil, Sal se crispa. Joey était à l'évidence très nerveux. Il y avait donc fort à parier qu'il n'avait pas encore mis la main sur les photos.

— Où en es-tu ? demanda-t-il, sans s'embarrasser de salutations, comme à son habitude.

— Heu…

Prenant sans doute le temps de concocter un mensonge, son neveu marqua une pause avant d'ajouter :

— J'y travaille…

— En clair ?

— En clair : j'y travaille, répéta Joey, cette fois avec insolence.

— Pourrais-tu être plus précis, je te prie ? reprit Sal d'une voix dangereusement calme.

Il se sentait prêt à exploser.

— J'ai eu une petite discussion avec le gérant de l'épicerie, ce matin. Il n'a plus les photos : il les a données à une employée. Alors je suis allé chez cette fille.

— Et ensuite ?

— Elle a quitté son domicile avant que j'aie eu le temps de les lui demander.

Sal serra les dents pour contenir le flot de reproches qui lui montait aux lèvres. Son neveu était vraiment un incapable de première.

— Mais je n'ai pas dit mon dernier mot ! ajouta précipitamment Joey, qui avait dû sentir son agacement croissant.

— J'ai besoin de ces photos le plus vite possible, compris ? martela Sal.

La pensée d'Isabella lui fit de nouveau froid dans le dos. Habituée à traiter avec des criminels, celle-ci n'avait peur de rien ni de personne. Sal était conscient des risques qu'il avait pris en acceptant de s'associer avec elle — c'est-à-dire avec le cartel de la drogue. Mais l'offre que lui avait faite ce dernier était trop belle pour qu'il la refuse.

S'il acceptait de procéder à des opérations de blanchiment pour le cartel, Sal verrait en contrepartie sa zone d'influence s'étendre sur toute la région. C'était ce dont il rêvait depuis pas mal de temps, alors il avait sauté sur l'occasion.

Puis Isabella lui avait fait des avances sur un plan plus personnel, et Sal, flatté, n'avait pas non plus refusé. Il se savait bel homme, et il aimait les femmes.

Le cartel n'avait eu qu'une seule condition, drastique, à leur association : celle-ci devait rester absolument secrète. Sal y avait consenti sans la moindre hésitation, certain, en effet, que cette clause ne poserait jamais le moindre problème.

Jusqu'à maintenant…

— J'aurai bientôt ces photos ! reprit Joey avec une arrogance exaspérante. Ne t'inquiète pas !

Facile à dire ! songea Sal en rongeant son frein.

— Tu as vingt-quatre heures, assena-t-il. Si tu n'as pas récupéré ces photos demain, je ne donne pas cher de ta peau.

Et il raccrocha aussitôt pour s'épargner les éventuelles récriminations ou supplications de Joey. Ce dernier avait beau être son neveu, il le châtierait sans pitié s'il échouait dans sa mission. Il n'y avait pas de place pour la pitié dans les affaires. C'était la clé de la réussite.

Sal soupira. Il aurait certes pu envoyer quelqu'un de plus chevronné que son neveu pour récupérer ces maudites photos, mais il savait que plus il y aurait de monde au courant de leur existence, plus il courait le risque qu'Isabella le soit aussi. D'ailleurs, il n'était pas naïf : certains de ses propres hommes de main étaient sans doute des espions à la solde du cartel. Et il ne se faisait pas non plus d'illusions. Ce n'était qu'une question de temps avant que le cartel découvre qu'il avait manqué de parole. Mais peut-être pouvait-il encore arrondir les angles…

Il lui fallait trouver une parade. Orienter les espions d'Isabella et du cartel sur Ben Carter ? Après tout, c'était ce dernier qui avait pris ces foutues photos. Le cartel serait contraint d'agir et éliminerait Ben.

Ce qui lui rendrait service…

Oui, ce stratagème pouvait fonctionner.

Sal hocha la tête, à moitié satisfait.

Il n'ignorait pas que ce plan B le plaçait dans une position extrêmement périlleuse. Cela dit, il ne laisserait pas non plus un petit gérant d'épicerie menacer son empire.

Dans tous les cas, ce ne serait pas sans se battre.

8

Nate avait du mal à se concentrer sur sa conduite.

Fiona distrayait son attention. Bien entendu, elle n'en avait pas conscience. Il était ému par la confiance qu'elle avait placée en lui au cours de ces dernières vingt-quatre heures. Il devait donc honorer cette confiance par un surcroît de vigilance routière ! se dit-il. Mais il ne pouvait s'empêcher de lui glisser des regards en biais. C'était comme s'il avait été aimanté par quelque force irrésistible et inexplicable.

A chaque feu rouge, il devait également se contenir pour garder ses mains sur le volant, alors qu'il n'avait qu'une envie : saisir l'une des siennes, posées sagement sur ses genoux, puis l'attirer à lui et l'embrasser. Tout à l'heure chez Hannah, le léger baiser qu'elle avait plaqué sur sa joue l'avait électrisé. Nate était cependant certain que Fiona n'avait pas flirté. Elle n'était pas de ces femmes qui jouent avec les hommes, leurs sensations ou leurs sentiments. Elle avait seulement voulu le remercier d'avoir pensé à son chat.

Toutefois, Nate savait qu'il ne lui était pas indifférent. Pour preuve, le baiser passionné qu'ils avaient failli échanger la veille… A ce souvenir, il sentit monter en lui un désir ardent qui semblait ne pouvoir se calmer.

De nouveau, il s'exhorta au calme. D'un point de vue déontologique, il n'était pas souhaitable qu'il entretienne une relation trop intime avec la protagoniste d'une affaire dont il avait la charge. En fût-elle l'innocente victime. Il risquait en effet d'y perdre en impartialité…

Sa destination atteinte, il coupa le moteur.

— Prête ? fit-il en se tournant vers Fiona.

— Eh bien… je pense, oui, murmura-t-elle d'un air sceptique en jetant un regard alentour. Mais je ne vois pas en quoi une droguerie et une parapharmacie peuvent être distrayantes…

Nate ne put s'empêcher de rire.

— C'est seulement la première phase de mon plan… Cela dit, tu as besoin d'objets de première nécessité pour ton séjour chez Hannah : brosse à dents, dentifrice, etc. Pour le reste, nous passerons demain chez toi prendre des vêtements ; à ce moment-là l'équipe de la police technique et scientifique aura fini de relever les indices éventuels.

— C'est vrai, je n'avais pas pensé aux détails pratiques. Je n'ai pas eu le temps d'emporter quoi que ce soit.

Fiona s'était rembrunie.

— Tu as emporté l'essentiel : ton chat, reprit-il en lui tapotant la main. Ne t'accable pas de reproches, c'est inutile.

Pour chasser ses pensées moroses, il ajouta :

— Bon, voilà ce que je te propose : tu achètes ce dont tu as besoin et, pendant ce temps, je fais quelques achats de mon côté. On se retrouve aux caisses, d'accord ?

Fiona lui sourit.

— Tout cela me semble bien mystérieux, mais je vais me laisser surprendre…

— J'espère que tu ne seras pas déçue.

Nate réunit les articles nécessaires à la réalisation de sa surprise en quelques instants et se précipita vers les caisses afin que Fiona ne les voie pas. Quand il les eut payés, il l'attendit de pied ferme.

— On y va ? demanda-t-il quand elle l'eut rejoint.

Elle leva les sourcils en avisant ses sacs rebondis. Avant qu'elle ne lui pose des questions à leur sujet, il reprit :

— Et maintenant, passons à la phase deux de mon plan !

— Un bon repas ? demanda-t-elle, presque suppliante. Je n'ai rien mangé aujourd'hui…

Elle semblait si désespérée qu'il rit.

— Cela peut s'arranger. Mais dans une vingtaine de minutes, d'accord ?

Elle sembla hésiter, mais en fin de compte acquiesça d'un signe de tête.

Peu après, il s'engageait dans un autre parking.

— Dernier arrêt avant le dîner ! Promis.

Fiona ouvrit de grands yeux en avisant les articles entreposés dehors.

— Mais… que faisons-nous ici ?

— C'est évident, non ? Nous allons acheter un sapin de Noël !

Fiona battit des cils. Et une lueur s'alluma dans son regard.

— Je n'en ai pas acheté depuis la maladie de ma mère…, murmura-t-elle.

Aïe ! Avait-il en croyant bien faire réveillé des souvenirs douloureux ?

— Depuis quand ?

— Longtemps… Maman est morte il y a deux ans mais, auparavant, elle a été malade pendant cinq ans.

Sa voix était calme, et résignée.

— Ecoute, si tu n'en as pas envie…, commença Nate, nous pouvons tout de suite aller manger un morceau.

— Non ! s'exclama Fiona en posant une main sur son bras. J'aimerais beaucoup que l'on achète un sapin. Cela fait tellement longtemps que je n'ai pas fêté Noël comme il se doit !

— Certaine ?

— Absolument certaine ! Allons-y.

Nate avait été convaincu que cet achat serait rapide, d'autant que Fiona avait faim. Mais elle semblait l'avoir oublié dans son obstination à dénicher le plus bel arbre du marché.

Enfin, elle trouva l'arbre de ses rêves. Nate ne comprit pas ce qui le distinguait des autres, ni en quoi il était mieux que tous ceux qu'il lui avait proposés jusque-là, mais la joie de Fiona suffit à le satisfaire. Il n'avait en effet d'autre désir que de la combler.

Ils revinrent à la voiture, Nate chargea l'arbre et le fixa sur la galerie.

— Mission accomplie. Nous rentrons ! dit-il quand il eut terminé.

— En avant ! s'exclama Fiona.

Son excitation était palpable, et Nate en fut ravi. L'idée d'acheter un arbre de Noël lui était venue quand il l'avait vue si abattue, tout à l'heure, après le départ de Hannah.

— Où allons-nous le dresser ? s'enquit ensuite Fiona.

Il fut charmé par ce « nous », intime, qui faisait d'eux un couple. C'était un peu hâtif de sauter à de telles conclusions, mais il en puisait un plaisir modeste et inoffensif.

— Dans le salon ? Près de la bibliothèque ? hasarda-t-il.

En vérité, ça lui était complètement égal. Il ne se réjouissait que de l'impatience de Fiona à l'installer.

— Oui… peut-être. Devant la fenêtre, ce serait bien aussi, non ? Ainsi, les passants pourront l'apercevoir de la rue.

— Comme tu veux !

L'enthousiasme de Fiona se communiquait peu à peu à lui. En définitive, il était ravi de cet emploi du temps inédit. En général, le soir, il restait tard au bureau pour rédiger ses rapports, ou alors ramenait du travail à la maison.

S'il aimait son métier pour les missions variées qu'il englobait et parce qu'il avait soif de justice, il aspirait aussi à gravir les échelons au plus vite et à avoir un salaire en conséquence, et ce afin de pourvoir aux besoins de sa sœur quand ses parents ne seraient plus.

Nate n'aimait pas y penser, mais les faits étaient là : ses parents vieillissaient et un jour viendrait où ce serait son tour de prendre en charge Molly, et de s'assurer qu'elle ne manque de rien. Chaque fois qu'il pensait à l'avenir, il avait le cœur serré par une sourde inquiétude.

C'est pourquoi il ne pouvait expliquer à sa mère pourquoi il faisait passer sa vie professionnelle avant tout le reste. Et comme il ne voulait pas que cette dernière culpabilise, il préférait subir sa colère et ses reproches injustifiés.

Mais, pour l'heure, une activité réjouissante l'attendait, songea-t-il en entrant dans le parking de la résidence de Hannah.

Une fois qu'ils furent arrivés dans l'appartement, Slinky, toujours à sa place sur le canapé, leur accorda toute son attention. Nate posta le sapin devant la fenêtre pendant que Fiona le suivait des yeux.

— Mets-le plus sur la droite. Là, oui… c'est parfait !

Il se retourna. Le regard de Fiona brillait d'une joie enfantine.

— Viens ! Tu vas constater par toi-même que l'emplacement est idéal ! s'exclama-t-elle, lui faisant signe.

Il obtempéra.

— Alors ? N'est-ce pas magnifique ? reprit-elle ensuite.

L'odeur de sapin, vivifiante, emplissait déjà la pièce. Et par sa seule présence, même nu, l'arbre apportait déjà au lieu une note festive.

— Prête à le décorer ? demanda Nate, un demi-sourire aux lèvres.

— Encore faudrait-il avoir des décorations, déclara Fiona, sourcils froncés. Peut-être pourrait-on appeler Hannah pour savoir si elle en a quelque part.

— Regarde plutôt dans mes sacs de courses…

— Oh !

Elle leva vers lui des yeux voilés de larmes.

— Je ne savais pas ce que tu aimais, reprit-il, alors j'ai pris un assortiment.

— C'est trop gentil, merci…, murmura-t-elle.

Et elle posa une main sur son bras pour lui exprimer sa reconnaissance.

La chaleur de sa paume le pénétra, et son délicat parfum d'agrumes titilla ses sens.

— Je te laisse œuvrer, lança-t-il d'une voix qu'il ne reconnut pas. Moi, pendant ce temps, je vais commander des pizzas.

Fiona battit des mains.

— Super ! Une quatre-saisons pour moi, s'il te plaît.

Nate se replia dans la cuisine. Il avait remarqué que le réfrigérateur de Hannah était couvert de magnets publicitaires avec les adresses et coordonnées de restaurants pourvus d'un service de livraison à domicile. Il choisit une pizzeria au hasard, et, une fois qu'il eut passé commande, chercha des boissons dans le réfrigérateur.

Il s'apprêtait à rejoindre Fiona quand son téléphone sonna.

— Gallagher, j'écoute.

— Elle est bien installée ? demanda Owen sans s'embarrasser de préliminaires.

Nate lança un regard dans le salon. Avec l'impatience d'un enfant le matin de Noël, Fiona fouillait dans ses achats, dont elle tirait, émerveillée, boules et guirlandes.

— Je crois, oui, se borna-t-il à répondre. Et toi ? Tu as trouvé quelque chose concernant cet avocat ?

— Rien. Nous sommes dans une impasse, du moins pour le moment.

— Peut-être pas, déclara Nate en avisant soudain les documents de Ben Carter, que Fiona avait déposés sur le plan de travail. Ce matin, le gérant de l'épicerie a demandé à Fiona de l'aider à porter divers papiers jusqu'à sa voiture. Mais comme il a été dans l'intervalle violemment pris à partie par un quidam — peut-être le fameux Joey —, Fiona a déposé les documents dans sa propre voiture avant de quitter précipitamment les lieux. Elle ne s'est souvenue de leur existence qu'une fois arrivée chez Hannah.

— Tu crois que c'est pour les récupérer qu'on se serait introduit chez elle aujourd'hui ?

— J'ai tiré les mêmes conclusions. Ça n'est pas exclu. La coïncidence est troublante, non ?

— Alors, que vous ont appris ces documents ?

— Nous n'avons pas encore eu le temps de les passer en revue.

— Sans blague ?! s'exclama Owen.

Il semblait sincèrement surpris.

— Cela ne te ressemble pas de tergiverser alors que tu as des indices à portée de main, et peut-être une piste !

— C'est juste. Mais j'ai pensé que Fiona avait eu son compte d'émotions pour aujourd'hui.

Un silence suivit, qui dura si longtemps que Nate s'étonna.

— Owen ? Tu es toujours là ?

— Oui, oui. Je réfléchissais.

— Je ne savais pas que mes derniers mots méritaient une attention et une réflexion aussi soutenues.

Owen s'esclaffa.

— Entre nous, je suis content que, pour une fois, tu fasses une pause.

— Une pause ?

— Eh bien, oui. Tu travailles si dur, la plupart du temps. Alors je suis ravi que tu profites un peu de la vie.

— Comme tu y vas ! répliqua Nate en riant.

Il embrassa du regard la cuisine gaie et colorée, qui correspondait si bien à la personnalité de Hannah. Lumineuse et pétulante, la jeune femme avait accompli le miracle de rendre Owen heureux.

— J'envie ton bonheur, tu sais, avoua-t-il à son équipier.

— J'ai de la chance, c'est vrai, déclara Owen.

Nate lorgna du côté du salon. *Peut-être que moi aussi j'en ai, après tout...*, se dit-il.

— Bon, je te recontacte demain, dès que nous aurons

parcouru les papiers de Ben Carter. Du moins, si nous y trouvons des indices intéressants.

Nate raccrocha et rempocha son portable. Et, avant de revenir au salon, il s'autorisa à observer Fiona à son insu.

Elle avait commencé à suspendre les décorations, et reculait de quelques pas à chaque objet posé pour juger de l'effet produit. Ce faisant, elle se penchait vers Slinky pour lui prodiguer une caresse. Le chat semblait la regarder avec adoration.

Devant cette scène intime, Nate se sentit soudain ému, et saisi par des pensées étranges. Une femme aussi sensible et aimante ferait certainement la joie d'un homme, et de leurs enfants…

Nate fut étonné par le fil de ses pensées. Concrètement, en effet, il n'avait encore jamais songé à fonder une famille. Lorsqu'il se projetait dans l'avenir, il pensait essentiellement à Molly. Et jamais l'une de ses ex-petites amies ne lui avait donné le désir de se marier, ni de devenir père.

— Nate ? Ça va ?

Fiona posait sur lui un regard interrogatif. Se sentant pris en faute, il lui sourit et s'approcha.

— Ça va. La pizza est en route, et j'ai les boissons.

Il lui tendit l'une des canettes de soda.

— Slinky s'est déjà habitué aux lieux, ajouta-t-il, désireux de se cantonner à des sujets sans risque. Il a l'air beaucoup plus calme.

— Comme tous les chats, il déteste être transporté dans un panier. Alors je te laisse imaginer ce qu'il a dû ressentir dans un sac fermé…

Comme s'il avait compris qu'on parlait de lui, Slinky s'étira, puis Nate le vit venir à lui et le toiser de ses énigmatiques prunelles vertes. Que dirait ce splendide matou s'il était doué de la parole ?

— Comment se passe la décoration des sapins, chez vous ? demanda soudain Fiona.

Aussitôt, Nate se remémora les Noëls de son enfance. Il songea à son excitation lorsque son père descendait du grenier la caisse avec les boules et guirlandes. Lui et Molly les disposaient au hasard sur les branches, sans se soucier de l'harmonie des formes et des couleurs. Le résultat était plutôt inégal et assez étrange, mais c'était leur œuvre, et ils en étaient très fiers.

— Quand j'étais petite, on commençait par le bas pour finir par la cime, continua Fiona.

— Molly et moi, on mettait tout au petit bonheur, mais mes parents nous félicitaient toujours. Notre arbre ne ressemblait pas à ceux que l'on voit dans les magazines de déco !

— Ce n'est pas le plus important ! L'essentiel, c'est le plaisir que l'on prend à le décorer…

Fiona lui tendit une guirlande.

— Tu m'aides ?

— Attends, je vais mettre un CD pour qu'on soit encore plus dans l'ambiance.

Il lui fallut un petit moment pour trouver des chants de Noël et ensuite comprendre comment fonctionnait la chaîne stéréo de Hannah. Lorsque les mélodies bien connues se répandirent dans l'appartement, une douce nostalgie l'envahit.

Fiona se mit à fredonner tandis qu'elle disposait les guirlandes lumineuses. Elle était si belle, si sereine, qu'il en eut le souffle coupé.

Soudain, l'appartement de Hannah lui semblait être une oasis, un havre de paix loin des réalités. Loin des circonstances dramatiques qui avaient provoqué leur rencontre, et cette soirée.

— Nate ? Tu viens ? demanda Fiona avec une expression ardente sur les traits.

Il sourit malgré lui, heureux comme jamais il ne l'avait été. Et pour la première fois depuis longtemps, il décida de ne profiter que du moment présent et non de se projeter, comme à son habitude, vers l'avenir.

— J'arrive !

Ils avaient presque terminé de décorer l'arbre quand les pizzas furent livrées. Elles étaient encore tièdes, croustillantes et succulentes. Les meilleures qu'elle ait jamais mangées ! songea Fiona. Sans doute était-ce dû à l'ambiance de Noël et, surtout, à la présence de Nate. Il avait vraiment le pouvoir de chasser ses idées noires et de la rendre heureuse. Plus elle le côtoyait, plus elle l'appréciait. Et plus elle avait envie de le connaître.

Nate devait lui aussi apprécier sa compagnie, sinon il n'aurait pas passé un samedi soir avec elle ! se persuada-t-elle.

Une fois leur festin terminé, Fiona ramena les assiettes à la cuisine et chargea le lave-vaisselle en songeant combien la vie était pleine d'imprévus. Ce matin, elle avait fui sa maison, terrifiée, et maintenant elle était en sécurité, apaisée et heureuse. Tout cela en l'espace de quelques heures et, ce miracle, elle le devait à cet homme merveilleux, attentionné et séduisant.

En revenant vers le salon, elle le vit assis sur le canapé, en train de caresser Slinky et de lui parler à voix basse. Le chat semblait l'écouter d'une oreille attentive. Fiona sourit, songeant qu'elle voyait là un aspect de la personnalité de Nate que sans doute peu de gens connaissaient. Certainement pas ses collègues policiers, en tout cas…

Nate leva alors les yeux et croisa son regard.

— On termine de décorer l'arbre, ou tu es trop fatiguée ? dit-il aussitôt.

Comme elle aimait l'étonnante complicité qui s'était établie entre eux, surtout au cours de ces dernières heures.

— Tu plaisantes ? s'exclama-t-elle. Maintenant que j'ai mangé, je redouble de vigueur ! Toi, en revanche, j'ai l'impression que tu ne te ferais pas prier pour rester sur ce canapé à somnoler avec Slinky.

— Cela me tente assez…, déclara-t-il avec une moue charmante. Mais je préfère que nous finissions.

Ainsi firent-ils. Tout en bavardant, Fiona de nouveau se reprocha d'être restée seule trop longtemps. Les amitiés et leur complicité lui avaient vraiment manqué, reconnaissait-elle en son for intérieur. Mais entre sa thèse, l'obligation de gagner sa vie et les soins à sa mère malade, elle n'avait guère eu le temps de se consacrer à sa vie sociale. Et ce soir, la présence de Nate soulignait cruellement ce fait.

Que se passerait-il quand sa vie reviendrait à la normale ? s'interrogea-t-elle avec inquiétude. Renouer avec les amis qu'elle s'était faits, au lycée, et qui vivaient encore à Houston ? C'était malaisé, elle les avait perdus de vue depuis déjà une dizaine d'années. Se faire de nouveaux amis ? Depuis qu'elle était en thèse, elle n'avait presque plus de cours et ne rencontrait guère d'étudiants. Les autres thésards avaient par ailleurs déjà leur vie et leurs amitiés, parfois une famille. Elle espérait donc revoir Nate… Mais, une fois l'énigme policière résolue, il reprendrait certainement sa vie, et l'oublierait.

Cette pensée l'assombrit, elle la refoula. Si cette soirée devait être la seule qu'elle passerait jamais avec lui, elle voulait en profiter au maximum.

Au même instant, le téléphone de Nate sonna. Fiona sentit son cœur s'emballer. Owen ? Peut-être son équipier avait-il des informations de première importance à lui communiquer sur l'intrusion de ce matin ? Nate sortit son portable, consulta l'écran, puis le rempocha immédiatement.

— Tu ne décroches pas ? s'étonna-t-elle.

— Non. C'est ma mère.

— Ah… Et tu ne veux pas lui parler ?

— Non. Pas maintenant.

Fiona resta sans voix. L'attitude soudain cassante de

Nate la désarçonnait. Nate avait-il plus en commun avec son père qu'elle ne l'aurait cru ?

— Fiona ? Que se passe-t-il ? Tu es bien sombre, tout à coup ?

— C'est juste que…

Elle n'acheva pas.

— C'est juste que quoi ? insista-t-il.

— Eh bien… je ne comprends pas pourquoi tu refuses de parler à ta mère. Elle a peut-être des nouvelles importantes à te communiquer ?

— Non.

— Mais… comment peux-tu en être aussi sûr ?

— Parce que je sais déjà ce qu'elle va me dire : que je suis ingrat, que je ne passe pas assez de temps avec ma famille.

Nate semblait contrarié, mais Fiona comprit qu'il était surtout blessé.

— Tu lui manques, et elle l'exprime maladroitement.

— Possible.

— Vous n'en avez jamais parlé à cœur ouvert ?

Il soupira.

— Ecoute, Fiona, ne pouvons-nous pas discuter d'autre chose ? Nous passons un moment agréable, et je ne veux pas le gâcher.

— Moi, je donnerais tout pour avoir une famille, ne put-elle s'empêcher de s'écrier. Tu as de la chance d'avoir une mère qui t'aime, qui s'occupe de toi et veut te voir. C'est triste que vous ne parveniez pas à communiquer.

Nate resta cette fois silencieux, et elle sentit la tension monter entre eux. Elle se mordit la lèvre. Avait-elle eu tort d'insister ? se demanda-t-elle, le cœur serré. Avait-elle dépassé les bornes et ainsi gâché une amitié naissante ? Aussi, au bout d'un silence pesant, décida-t-elle de changer de sujet.

— Tu ne trouves pas que l'on commence à fêter Noël de plus en plus tôt ? A peine Thanksgiving est passé que l'on entend déjà des chants de Noël.

Nate ne répondit pas. Fiona se sentit encore plus mal à l'aise. Avait-elle définitivement terni l'ambiance de cette belle soirée ?

— Noël se prépare toujours à la suite d'Halloween, répondit-il distraitement.

— Pauvre Thanksgiving, tu sais que c'est ma fête préférée ?

— Ah ? Les gens préfèrent souvent Noël à cause des cadeaux !

Nate semblait se dégeler, et Fiona sourit.

— Thanksgiving, c'est le jour où on peut se lâcher côté nourriture et reprendre une troisième part de tarte à la citrouille sans que personne n'y trouve rien à redire !

— C'est une façon de voir Thanksgiving !

— C'est parce que tu n'as probablement jamais eu à faire attention à ton poids, dit-elle d'un ton désabusé en admirant la taille élancée de Nate et sa carrure d'athlète.

Il lui lança un regard pénétrant.

— Oh là là, je préfère ne pas entrer dans ce débat, je n'ai pas envie de m'attirer des ennuis…

— Pourquoi ? Que veux-tu dire ?

Un éclair de malice pétilla dans ses yeux.

— Si je te suis là-dessus, je vais passer pour un type narcissique qui passe trop de temps dans une salle de sport à se regarder sous toutes les coutures. Et si je ne partage pas tes arguments, tu ne me croiras pas parce que, en tant qu'homme, je n'ai pas à subir le même genre de pression auquel vous, les femmes, vous exposez en matière de poids ou de mensurations idéales. C'est pourquoi je préfère m'en tenir à la neutralité la plus totale.

Elle s'esclaffa.

— Apparemment, tu as percé les mystères du cerveau féminin.

— Oh ! Vraiment ?

Il semblait si plein d'espoir que Fiona ne put s'empêcher de rire à nouveau de bon cœur.

— Et si on revenait à notre arbre ? Plutôt, à sa cime.

Et elle lui tendit une étoile.

— Non, à toi l'honneur, Fiona ! C'est ton premier arbre depuis si longtemps.

Elle acquiesça et se hissa sur la pointe des pieds pour atteindre le sommet, mais en vain. Il lui manquait quelques centimètres…

— Tu permets ? entendit-elle Nate lui demander dans un souffle.

Mais, sans attendre sa réponse, il la prit par la taille et la souleva.

Fiona, troublée, mit plus de temps que nécessaire pour fixer l'étoile. C'était extraordinaire de sentir leurs corps pressés, et le souffle tiède de Nate sur sa nuque. Jamais elle n'avait ressenti un tel mélange de joie, d'impatience et, dans le même temps, d'étrange appréhension.

Lorsque l'étoile fut en place, Nate la déposa à terre, quoique sans hâte, et garda les bras autour de sa taille. Alors Fiona sentit son trouble grandir.

— Fiona…, murmura-t-il au même instant.

Une vague d'émotion la souleva, et un frisson courut le long de son échine. Incapable de dire quoi que ce soit, elle rejeta la tête en arrière, l'appuyant contre l'épaule de Nate.

Ce dernier lui fit alors faire volte-face, puis, de l'index, lui leva le menton pour la regarder au fond des yeux.

C'était tellement sensuel…, songea Fiona en proie à un désir subit. Depuis combien de temps ne s'était-elle pas trouvée dans les bras d'un homme aimant ? se demanda-t-elle. Même si elle se souvenait du plaisir qu'elle avait pu ressentir à de telles étreintes, même si elle désirait plus que tout celles de Nate, en même temps elle avait peur que ce dernier ne s'enhardisse. Cela faisait trop longtemps qu'elle n'avait pas eu de petit ami, sans compter qu'elle n'avait guère d'expérience avec les hommes.

Il allait l'embrasser, c'était sûr et certain. Et ensuite ? Où cela les mènerait-il ? Voudrait-il plus ? Elle l'espérait tout en le redoutant. Et si elle le décevait ?

Alors Fiona baissa la tête. L'anxiété lui soufflait de reculer et de tout de suite lui avouer son désarroi. Mais elle s'en découvrit incapable. L'attirance entre eux était magnétique, irrésistible, et le devint davantage lorsqu'elle vit naître un petit sourire sensuel sur les lèvres de Nate. Quant à ses incroyables yeux verts, ils étincelaient de désir. Sans qu'elle l'ait voulu, elle se retrouva soudain en train de lui caresser la joue.

— Oui, c'est bon…, susurra-t-il aussitôt.

Cet aveu lui donna un sentiment de puissance, et son assurance grandit. Peu après leurs bouches se trouvèrent.

C'était — enfin ! — le vrai baiser qu'elle attendait. Celui-ci fut d'autant plus ardent, passionné et impérieux qu'elle l'avait appelé de tous ses vœux… depuis le premier soir de sa rencontre avec Nate. Et Fiona comprit, avec une lucidité fulgurante que, désormais, tout était possible avec lui. A l'évidence, ils vivaient le début d'une aventure unique et exaltante.

Nate, le premier, s'écarta.

— Fiona…, murmura-t-il.

Il prit son visage en coupe.

— Il faut arrêter.

— Oui.

Elle avait répondu sans réfléchir, ne consentait-elle pas à tout ce qu'il demandait ? Mais quand elle eut saisi le sens, et la portée de ses propos, elle se ravisa.

— Mais pourquoi ?

C'était impossible, il ne voulait certainement pas en rester là !

Nate pressa son front contre le sien.

— Je ne veux pas qu'on aille trop vite, dit-il simplement, l'embrassant sur le front.

Il recula encore. Fiona frissonna. Déjà, la distance qu'il avait mise entre eux lui semblait insupportable.

— Ah… Je comprends.

Mais elle ne comprenait pas du tout.

D'après son expérience, par ailleurs fort limitée dans le domaine, les hommes ne se posaient jamais de tels problèmes. Au contraire. Ils obéissaient à leurs pulsions, aussi percevait-elle son rejet comme un affront.

Son visage dut refléter son dépit, car il s'expliqua rapidement.

— Tu m'attires, Fiona. Je te désire. Mais je ne veux pas qu'on brûle les étapes. Donnons-nous du temps, d'accord ?

— Je comprends, répéta-t-elle machinalement.

Il avait peut-être raison. Après tout, ils ne se connaissaient que depuis hier. D'un autre côté, Fiona n'avait rien contre l'idée de se donner à lui et d'obéir à l'impulsion du moment, même sachant qu'elle était de ces femmes incapables de légèreté.

Nate semblait soulagé. A l'évidence, il avait redouté qu'elle n'interprète mal sa réaction.

— Oui ! répondit-elle avec un élan de tendresse. Je crois que je le regretterais si tout de suite nous…

Elle s'empourpra et se tut. Ils restèrent silencieux. Par chance, Slinky fit diversion. Sautant du canapé, il s'approcha en miaulant.

— Il a besoin de quelque chose ? demanda Nate. Il a faim ?

— Non, c'est l'heure à laquelle je vais me coucher, habituellement. Slinky me le rappelle à sa façon.

— Je ne savais pas que les chats avaient une horloge dans la tête ?

— Le mien, si. Si tu restais passer la nuit, tu verrais : c'est également un vrai réveille-matin !

— Je crois que je vais rentrer, c'est mieux.

Fiona acquiesça à contrecœur. La pensée que Nate parte lui faisait froid dans le dos. Certes, elle savait qu'il lui faudrait prendre congé tôt ou tard, mais elle avait occulté cette réalité ; maintenant que le moment était venu, la peur monta en elle.

— Fiona ? Ça va ? demanda Nate, l'air soucieux.

— Juste un peu fatiguée.

C'était la vérité. La tension de cette journée mouvementée retombait et, maintenant, elle n'avait d'autre envie que de se laisser tomber dans un lit et de dormir. Oublier ce que la journée avait eu d'horrible pour n'en garder que les beaux moments.

— Mais j'ai bien l'impression que tu serais plus rassurée si je restais, non ? reprit-il spontanément.

Une immense gratitude l'envahit.

— Tu veux bien ? s'enquit-elle.

— Si tu en ressens le besoin, oui. Je dormirai sur le canapé. Slinky l'a déjà chauffé !

Fiona sourit.

— C'est une vraie bouillotte !

Et d'ajouter avant de quitter le salon :

— Merci, Nate. Bonne nuit.

Se brosser les dents et passer la chemise de nuit qu'elle avait achetée quelques heures plus tôt lui prirent quelques minutes. Et elle se retira dans sa chambre, en laissant la porte entrouverte. Cela permettrait à Slinky d'aller et venir, et d'avoir accès à sa litière surtout.

Quand elle se glissa sous la couette, un soupir d'aise lui échappa. Toute réticence à l'idée de dormir dans un lit qui n'était pas le sien l'avait abandonnée, et elle se sentit prête à basculer dans le sommeil, la pensée de Nate tout proche balayant ses peurs.

9

Nate se réveilla en sursaut, cherchant son souffle. Il comprit, avec un temps de retard, que Slinky était couché sur sa poitrine et le fixait de ses grands yeux phosphorescents. Voilà pourquoi il avait eu la sensation d'étouffer dans son sommeil !

Nate essaya de repousser le chat, mais ce dernier ne semblait pas disposer à changer de place.

— Tu es sacrément lourd, maugréa-t-il.

Une pensée s'insinua soudain dans son esprit comateux.

— Pourquoi es-tu là, et pas avec Fiona ?

Slinky dressa les oreilles en signe d'intérêt, mais il resta immobile. Résigné, Nate referma les yeux, déjà prêt à se rendormir. Il était un peu étonné que Slinky ait choisi de se coucher sur sa poitrine, mais la sensation était finalement assez agréable. De plus, le chat lui tenait chaud.

Nate se laissait de nouveau glisser dans le sommeil quand des gémissements provenant de la chambre à coucher l'alertèrent. Il se redressa brusquement.

Slinky, projeté à terre, fit entendre un miaulement réprobateur.

— Désolé, mon vieux, mais je crois que ta maîtresse ne va pas bien, dit Nate à voix basse.

Et il se précipita dans la chambre à coucher. Dans le clair de lune, il vit le visage en larmes de Fiona. Elle gémit de nouveau tandis qu'elle semblait se battre contre un assaillant invisible.

— Non ! Non ! cria-t-elle.

Nate s'approcha et s'assit sur le lit.

— Fiona ? dit-il d'une voix douce mais ferme. C'est un cauchemar. Réveille-toi.

Elle se figea et, soudain, se calma.

— Fiona ?

Elle battit des paupières et ouvrit grand les yeux.

— Nate ?

— Tout va bien. Je suis là.

Elle poussa un gros soupir et se jeta dans ses bras.

— J'ai eu tellement peur…, murmura-t-elle, enfouissant le visage au creux de son épaule. Il me pourchassait…

— C'est fini, la rassura Nate. Et puis de toute façon je suis là pour te protéger si jamais il revenait à la charge.

Elle frissonna et se pressa plus fort contre lui.

— Mais tu n'étais pas là…

— Pas dans ton rêve, mais je suis là, dans la réalité, et c'est ce qui compte.

Fiona s'écarta de lui. Nate recula lui aussi, à contrecœur.

— Tu vas pouvoir te rendormir ?

— Je l'espère.

Il l'embrassa sur le front.

— Je suis juste à côté, si tu as besoin.

— Merci.

Nate passait le seuil de la chambre quand Fiona le rappela.

— Oui ?

— Est-ce que… tu… pourrais rester… jusqu'à ce que je sois endormie ?

Il revint à son chevet.

— Si tu veux.

Nate s'allongea à ses côtés. Fiona, soupirant d'aise, se pelotonna tout contre lui.

— Merci…, murmura-t-elle, avant de fermer les yeux.

Nate, trop ému pour parler, se contenta de l'étreindre. Slinky ne tarda pas à sauter sur le lit et à s'installer à leurs côtés en ronronnant de contentement. Avec la jeune femme dans ses bras et le poids vibrant du chat, il avait l'impression d'être à la tête d'une petite famille à protéger.

Dans le silence ambiant — Slinky, assoupi, avait cessé son bruit de moteur —, Nate fut étonné de sentir le sommeil le gagner rapidement. En général, il n'arrivait pas à dormir quand il partageait sa couche. Mais, là, il se sentait détendu, comme s'il était à sa place.

C'était une sensation puissante et, surtout, la réalisation d'un rêve qu'il s'était longtemps interdit de faire.

Il avait en effet trop de responsabilités, actuellement. Entre un métier prenant et des ambitions personnelles, il n'y avait guère de place pour ses rêves — fonder une famille. Mais pourquoi ne pas profiter de cet intermède sentimental et tendre inattendu ?

Nate soupira profondément, trouvant un vrai apaisement dans l'odeur d'agrumes maintenant familière.

Que disait le dicton, au fait ? Qu'il valait mieux avoir aimé, et perdre, que de n'avoir jamais aimé et rien perdu… ? Ou, mieux valait la passion et le risque d'être malheureux qu'une vie sans grandes peines mais sans grandes joies non plus ? Peu importe, l'idée était la même.

Nate ne savait pas encore ce qu'il ressentait pour Fiona, mais il savait d'instinct que leur relation pouvait se muer en un véritable amour.

Demain est un autre jour…, se répéta-t-il. Pour le moment, il allait savourer le plaisir de la tenir dans ses bras jusqu'au bout de la nuit.

Joey faisait les cent pas en tirant nerveusement sur sa cigarette.

Rien ne s'était déroulé comme prévu. Il devait trouver un plan B.

Sal avait été furieux qu'il n'ait pas progressé.

« Tu as vingt-quatre heures… Si tu n'as pas récupéré ces photos demain, je ne donne pas cher de ta peau. »

Il frissonna au souvenir de ces mots qui s'étaient gravés dans son esprit et qu'il se répétait sans cesse depuis ces dernières heures. Il savait que son oncle le tenait en piètre estime, mais il avait toujours plus ou moins espéré qu'il se montrerait un peu plus clément envers un membre de sa propre famille.

Et s'il prenait la fuite maintenant, et recommençait de zéro, ailleurs ? Sal, obsédé par ses photos, l'oublierait peut-être ?

C'était tentant. Mais vain, hélas. Sal n'était pas homme à oublier. Il lancerait ses hommes à ses trousses, et le retrouverait sans difficulté. Non, la fuite n'était pas une solution, même temporaire ; le remède serait pire que le mal.

Joey tira une dernière fois sur sa cigarette et la jeta. Il écrasa le mégot avec délectation. Si seulement il avait pu également résoudre ses problèmes d'un coup de talon.

Il avait vraiment joué de malchance, ce matin. Pourtant, il avait organisé son intrusion à la perfection. Il avait redoublé d'attention et n'avait pas fait le moindre bruit. Comment aurait-il pu se douter que la meuf le repérerait dans ces conditions, et prendrait la fuite si vite ? Joey secoua la tête. Il aurait dû la poursuivre au lieu de tempêter sur le trottoir. Maintenant, elle lui avait échappé pour de bon.

Quoique… Il n'avait pas encore dit son dernier mot. S'il ne savait pas où la meuf avait trouvé refuge, il savait en revanche qu'elle reviendrait tôt ou tard chez elle. En effet, elle s'était sauvée sans rien prendre avec elle, il était donc peu probable qu'elle abandonne à jamais ses affaires. Voilà pourquoi il était revenu aux abords de la maison.

Au cours de la journée, la police était venue relever des indices. Joey ne s'en était pas inquiété, car il était certain de n'en avoir pas laissé. Il avait été prudent, il avait porté des gants. La police avait passé plusieurs heures dans la maison, et, une fois le champ libre, il avait été de retour.

A défaut de trouver les photos, il avait passé en revue les biens personnels de la meuf.

Elle avait quelques meubles anciens dont il pourrait tirer un bon prix. Un peu de matériel électronique. Quand il en aurait terminé avec sa mission, il reviendrait les lui voler. Autant qu'il tire quelques bénéfices de cette opération merdique.

Il avait quitté la maison sans verrouiller la porte de derrière.

Une fois qu'il aurait mangé un morceau, il reviendrait attendre le retour de l'habitante des lieux.

10

Lorsqu'elle se réveilla, Fiona garda un instant les yeux fermés, savourant ce moment de tranquillité. Elle avait bien chaud, elle se sentait apaisée. Elle se sentait même si bien que, pendant un petit moment, elle émit le vœu que le temps s'arrête. Enfin, elle ouvrit les yeux et sourit à la vue de Slinky en boule sur son ventre. C'était l'endroit qu'il préférait, et elle aimait le sentir là. Elle le caressa, et le chat s'étira avant de reprendre sa place avec un soupir de contentement.

Fiona s'étira à son tour, surprise de la décoration inhabituelle de la chambre, puis se figea en sentant bouger à ses côtés. Pendant un instant de panique, elle se demanda qui était là. Puis tout lui revint. L'intrusion chez elle. Sa fuite. Son emménagement provisoire dans un appartement qu'on lui avait gentiment prêté. Son cauchemar. Nate, à qui elle avait demandé de rester à ses côtés jusqu'à ce qu'elle s'endorme.

Se réveiller à ses côtés était un plaisir qu'elle aurait aimé pouvoir apprécier à sa juste mesure, mais elle était trop intimidée par cette intimité matinale inattendue.

Elle le dévisagea et, comme elle s'y attendait, le trouva absolument parfait. Avec son ombre de barbe et ses cheveux ébouriffés, il avait plus de charme que jamais.

Il ouvrit soudain les yeux et lui sourit.

— Bonjour… Bien dormi ?

— Oh… tu es réveillé ? murmura-t-elle, gênée.

— Tu m'as donc observé pour m'arracher au sommeil ? Tu as des pouvoirs de télépathie ?

Fiona se mit à rire.

— Tu as faim ? reprit-il. Je vais nous préparer un bon petit déjeuner dont tu me diras des nouvelles.

— Avec plaisir. Moi, je file sous la douche.

— Prends ton temps ! déclara Nate en se levant.

Slinky fit de même, comptant manifestement emboîter le pas à Nate.

Fiona les suivit des yeux, la joie au cœur. Nate semblait déjà faire partie de sa vie… Puis elle s'assombrit aussi vite. Une fois qu'ils reprendraient le cours de leur existence, la magie actuelle subsisterait-elle ?

Elle secoua la tête pour refouler ces pensées et se leva à son tour. Quand parviendrait-elle à profiter de l'instant présent ? Pourquoi ne pouvait-elle pas se laisser porter par les événements au lieu de toujours tout analyser et anticiper ?

Environ dix minutes plus tard, elle entra à son tour dans la cuisine. Slinky, sur la table, observait Nate qui s'affairait devant les plaques à induction.

— Le secret d'une omelette réussie, confiait-il au chat, c'est de ne pas la retourner trop vite, car les œufs ne sont pas encore bien cuits. En revanche, si tu attends trop longtemps, ils brûlent. C'est une affaire de timing.

Slinky miaula pour seule réponse. Nate hocha la tête.

— Toi, tu as ta nourriture pour chat, alors laisse-moi m'occuper de l'omelette.

Fiona pouffa. Nate fit immédiatement volte-face.

— Oh… Je ne t'avais pas entendue. Tu es là depuis longtemps ?

— Non, je viens d'arriver.

Nate reporta son attention sur sa poêle pendant qu'elle ouvrait le réfrigérateur et en sortait le jus d'orange. Avant de mettre le couvert, elle prit Slinky dans ses bras.

— Tu ne dois pas monter sur les tables…, lui dit-elle.

Le chat lui échappa et courut se jeter sur le canapé.

Une fois qu'elle eut passé l'éponge sur la toile cirée, Fiona disposa bols, assiettes et verres. Peu après, Nate servit son omelette à point avec des toasts grillés.

Fiona s'attabla avec un soupir d'aise.

— C'est délicieux ! s'exclama-t-elle au bout de la deuxième bouchée. Les oignons, les tomates et le fromage avec les œufs, c'est succulent. Tu es un fameux cuisinier.

Il sourit.

— Ma vraie spécialité, c'est le poulet au parmesan.

— J'ai hâte de goûter ça ! s'exclama-t-elle.

Elle rougit de son cri du cœur, d'autant que Nate ne renchérit pas. Certaine d'avoir commis une bévue, elle changea immédiatement de sujet.

— Quel est le programme, ce matin ?

— Nous allons examiner les documents de Ben Carter. J'espère qu'ils nous donneront la solution à l'énigme d'hier. C'est la seule explication que je vois à l'intrusion dont tu as été victime à ton domicile.

Fiona trouva soudain à l'omelette un goût de cendre.

— Je n'arrive pas à croire que Ben m'ait manipulée, murmura-t-elle, affligée.

— Certains individus sont prêts à tout pour sauver leur peau. C'est l'instinct de survie…

Nate s'adossa à sa chaise.

— Tu serais confondue par les situations que nous voyons, au poste, ajouta-t-il. Les criminels n'hésitent pas à tout avouer et à trahir les leurs lorsqu'on leur promet une sentence allégée.

— Je connais mal Ben et je ne le vois qu'à l'épicerie, mais nous nous entendons plutôt bien. J'imaginais qu'il était correct…

— Tu es trop confiante… Première erreur.

Fiona le dévisagea un instant.

— Toi, en revanche, tu sembles plutôt désillusionné.

Il haussa les épaules.

— N'oublie pas que, chaque jour, je côtoie la lie de l'humanité. Dans ces conditions, c'est difficile de rester optimiste.

— Mais tu aimes encore ton métier ?

— Oh oui ! Je sais que je ne vais pas changer le monde, mais je peux y contribuer. C'est déjà très gratifiant.

Nate sacrifiait donc sa famille à un métier qui tenait du sacerdoce, songea Fiona.

— Pourquoi ne vas-tu pas prendre ta douche pendant que je fais la vaisselle ? dit-elle en terminant son toast.

— Je peux t'aider, tu sais.

— Non, tu as préparé un excellent petit déjeuner, alors c'est le moins que je puisse faire !

Il la remercia d'un sourire. Restée seule, Fiona débarrassa la table, essayant de refouler le trouble suscité par les relations houleuses que Nate entretenait avec ses parents. Ce n'était pas ses affaires, mais elle aurait aimé comprendre pourquoi il s'investissait autant dans son travail. Il semblait adorer sa sœur, pourtant. Et avoir eu de bons contacts avec ses parents.

D'un autre côté, les histoires de famille étaient toujours très compliquées. La mère de Nate était peut-être possessive, aussi Nate avait-il besoin de maintenir ses distances ? Sa propre mère avait quant à elle été sa meilleure amie… mais les relations mère-fils étaient peut-être différentes ?

Tout en ruminant ces pensées, elle prit un torchon pour essuyer la vaisselle.

Toujours est-il que la distance que Nate entretenait avec ses parents l'attristait. Elle voulait aimer un homme qui accordait de l'importance à sa famille et voulait en fonder une. Elle ne voulait pas d'un homme qui consacrait tout son temps et son énergie à son métier, de surcroît dangereux.

— Ce n'est pas grave, de toute façon, monologua-t-elle. On n'en est pas encore là…

— On n'est pas encore où ? demanda Nate qui revenait, se frottant les cheveux avec une serviette.

Il sentait bon la savonnette et le shampoing. Fiona lui trouva l'air plus jeune, les cheveux mouillés.

— Nous sommes loin d'avoir trouvé pourquoi cet individu s'est introduit chez moi, hier, répondit-elle avec un temps de retard.

— Eh bien, mettons-nous-y, dit-il en montrant la pile des documents de Ben, sur le plan de travail.

Il les posa sur la table.

— Prête ?

— Prête.

Dans un premier temps, ils ne découvrirent que des factures et divers papiers administratifs sans intérêt. Puis Fiona avisa une enveloppe vierge et non cachetée. Elle l'ouvrit et y découvrit des photos en couleurs. L'air intéressé, Nate les regarda, lui aussi. Elles représentaient un homme et une femme qui semblaient très amoureux. Fiona ne les connaissait pas, d'ailleurs elle ne voyait pas pourquoi ç'aurait été le cas.

L'homme était plus âgé que sa compagne. Il avait les cheveux poivre et sel, et était doté d'un léger embonpoint. Mais c'était un fort bel homme, qui dégageait de l'assurance et du charisme. La femme, à l'évidence, en était très éprise. Elle le couvait d'un regard adorateur.

— Eh bien… que faut-il en penser ? demanda-t-elle à Nate, qui fourrageait d'une main dans ses cheveux.

Sa réponse fusa.

— Que ton patron exerce un chantage sur quelqu'un.

— Ah ? Et qu'est-ce qui te permet de tirer de telles conclusions ? s'écria-t-elle, étonnée.

— Pour commencer, ces photos ont été prises au téléobjectif. L'homme et la femme ne savent donc pas qu'ils sont photographiés. De plus, ces clichés les montrent s'embrassant et s'étreignant, on peut donc penser qu'ils sont très amoureux l'un de l'autre. Enfin, conclut Nate, l'homme porte une alliance, et pas sa compagne.

Fiona, en regardant de plus près les photos, constata qu'il avait raison.

— Quel esprit de déduction !

Il lui sourit.

— Je suis policier. J'ai l'habitude de repérer les détails.

— Bravo Sherlock Holmes ! Et ces deux personnes, tu les connais ?

Nate inclina la tête, pensif.

— Le visage de l'homme m'est familier, mais je n'arrive pas à me rappeler où je l'ai vu.

— Il a peut-être déjà eu affaire aux services de police, qui sait ?

— C'est possible, dit Nate, qui semblait distrait. Allons tout de suite au poste, nous y utiliserons le logiciel de reconnaissance faciale. S'il est connu des services de police, nous le retrouverons.

Nate recula.

— Et voilà, annonça-t-il à Fiona avec un soupir. Je ne sais pas dans combien de temps l'ordinateur trouvera, ou non, une correspondance. Inutile donc de rester à attendre devant l'écran.

— Pourtant, au cinéma ou à la télévision, les policiers retrouvent toujours la personne recherchée en quelques secondes.

Nate leva les yeux au ciel, comme s'il feignait d'être vexé.

— Eh oui, que veux-tu ! Désolé de te décevoir mais, dans la vraie vie, les policiers sont toujours moins bons !

— Et maintenant ?

— Nous allons passer chez toi pour que tu prennes des vêtements de rechange.

— OK ! J'en profiterai pour faire un inventaire de mes affaires et vérifier qu'on ne m'a rien volé.

— Une procédure indispensable après une intrusion…

En son for intérieur, Nate doutait que l'individu ait volé quoi que ce soit.

Ils s'apprêtaient à quitter le poste quand ils virent Owen attablé devant une tasse de café, dans la salle de repos.

— Bonjour ! s'exclama ce dernier en levant les yeux sur eux, sans cesser de remuer son café. Fiona, vous êtes bien installée chez Hannah ?

— Oh oui ! Je vous prie de la remercier encore de ma part, Owen. Elle a été si généreuse avec moi !

— Hannah est trop contente de pouvoir vous rendre service.

Le visage d'Owen s'adoucit, comme à chaque fois qu'il parlait de Hannah. Nate se demanda si lui-même avait cette expression-là lorsqu'il parlait de Fiona.

— Au fait, vous avez étudié les papiers du gérant de l'épicerie ? reprit Owen.

Nate lui répondit.

— Oui. Il n'y avait rien de particulier, sauf une enveloppe avec des photos. A mon avis, Ben Carter fait chanter le couple qui est dessus. Et l'homme sur ces photos me paraît familier, précisa-t-il.

— Tu les as scannées ?

— Oui. J'attends que le logiciel et la base de données nous livrent leurs conclusions.

— En attendant les résultats, vous voulez du café ? demanda Owen à Fiona.

Nate se sentit gêné. Il aurait déjà dû y penser.

— Non, je vous remercie, Owen. Pas de caféine pour le moment.

— On voit que vous ne travaillez pas dans la police : nous vivons de caféine, plaisanta Owen.

— Nous nous rendons maintenant chez Fiona, afin

de prendre quelques effets personnels, intervint Nate. Tu surveilles l'ordinateur, pendant ce temps ?

— D'accord. A plus tard.

Nate posa sa main sur la taille de Fiona, et ils sortirent. Il aimait ce contact dont il avait pris l'habitude. C'était un geste pour le moins banal mais qui l'émouvait.

Il revit l'instant où il avait reposé Fiona à terre, hier soir, après qu'il l'avait soulevée pour qu'elle puisse accrocher une étoile au faîte du sapin, et qu'il lui avait fait faire volte-face dans ses bras. Elle avait caressé son visage, à la fois intimidée et avide. Heureusement qu'elle ne s'était pas trop enhardie, songea Nate qui, de son côté, avait eu toutes les peines du monde à maîtriser sa libido. Il aurait suffi que Fiona soit à peine plus entreprenante, et de nouveau l'embrasse, pour qu'il perde toute volonté et cède à son désir de lui faire l'amour.

Mais il savait qu'il avait pris la décision qui s'imposait. En dehors du fait qu'elle se trouvait liée à une affaire dont il avait la charge, Fiona méritait mieux que cette fulgurance. Elle faisait partie de ces femmes avec lesquelles un homme s'engage pendant toute une vie, pour le meilleur et pour le pire. Mais, lui, était-il prêt à s'investir dans une relation amoureuse ? Il avait ses priorités : son emploi et sa sœur Molly. Y avait-il une place dans sa vie pour une femme, même aussi exceptionnelle que Fiona ? La réponse s'imposa. Non. Du moins, pas pour le moment.

Dans l'immédiat, il devait assurer la sécurité de Fiona jusqu'à ce qu'Owen et lui comprennent qui la menaçait et pourquoi.

La circulation étant inhabituellement fluide, ils arrivèrent vite chez elle. Sa maison lui parut d'autant plus sinistre qu'elle était entourée par le ruban jaune de la police technique et scientifique.

— Oh ! s'écria Fiona, surprise. On pourra tout de même entrer ?

— Oui, l'équipe de la police technique et scientifique en a terminé. On ne laisse le ruban jaune que pour décourager les voisins et les curieux.

— A propos de voisins…, reprit-elle, regardant la maison en face de la sienne.

Elle se tut. Il suivit son regard vers un muret de brique à demi démoli.

— Je dois adresser mes excuses à M. Huffnagel…, poursuivit-elle, contrite. J'ai détruit la boîte aux lettres et embouti le muret qui se trouvait derrière en faisant une marche arrière un peu rapide, hier.

— Je suis certain qu'il comprendra. Nous passerons chez lui quand tu auras terminé, et tu lui expliqueras tranquillement la situation.

Nate coupa le moteur. Ils remontaient l'allée qui conduisait à la maison quand son portable sonna. Il le sortit et consulta l'écran.

— C'est Owen. Vas-y, passe sous le ruban, je te rejoins tout de suite.

Fiona obtempéra, et Nate prit sa communication.

— Tu ne vas pas en croire tes oreilles ! s'exclama Owen, qui avait l'air hyper-excité.

Nate sentit l'adrénaline fuser dans ses veines.

— Parle ! Ne me fais pas languir !

— Big Sal ! reprit Owen.

Nate fouilla dans sa mémoire. Et soudain, il comprit.

— Bon sang ! Big Sal ! Le roi des paris truqués à Houston et sa région !

— Le seul et l'unique ! renchérit Owen.

Nate poussa un long sifflement.

— Du gros gibier ! Intéressant. Et la femme de la photo, elle te dit quelque chose ?

— Non, mais ce n'est pas son épouse, en tout cas. Et c'est là que cela devient passionnant ! Big Sal a la réputation de vouer une adoration à cette dernière, un vrai dragon au demeurant. Si elle tombe sur ces photos, imagine un peu sa réaction !

— Je me demande comment Ben Carter a pu se les procurer, reprit Nate. Crois-tu qu'il aura payé quelqu'un pour suivre Big Sal ? Ou peut-être les a-t-il volées ?

— Nous devons l'interroger. Je vais immédiatement le convoquer au poste. Dès ton retour, nous aurons une petite conversation avec lui.

— Très bien ! Alors à tout à l'heure.

Nate raccrocha et remonta la petite allée en hochant la tête avec un mélange de satisfaction et d'incrédulité. Ben Carter avait en sa possession les photos d'un des plus grands criminels de Houston et, selon toute vraisemblance, le faisait chanter — peut-être pour s'exonérer d'une dette qu'il avait contractée à son égard. Mais Big Sal avait des ressources dont le gérant de l'épicerie n'avait même pas idée. En bref, ce dernier avait signé son arrêt de mort.

Rien d'étonnant alors que le domicile de Fiona ait été visité. Ben Carter, sous la menace, avait dû avouer que c'était son employée qui avait à présent les photos en sa possession. Et Big Sal avait dû envoyer un sbire chez elle pour les récupérer.

Dans un sens, c'était plutôt une bonne nouvelle. Cela signifiait que Fiona n'avait rien à voir avec toute cette sombre histoire. Bientôt, elle serait donc hors de danger !

Il fronça aussitôt les sourcils. Mais, dès lors, leurs chemins se sépareraient…

— Fiona ? dit-il en entrant dans la maison. Nous avons une piste !

Pas de réponse. Il s'en étonna. Mais peut-être ne l'avait-elle pas entendu ?

— Fiona ?

Le silence persistant, Nate eut un mauvais pressentiment. Une fois dans le couloir, il se figea, saisi par une odeur douceâtre écœurante qu'il identifia vite.

Du chloroforme !

Il sortit aussitôt son arme.

— Fiona ?

Il s'approcha de sa chambre à coucher, dans l'espoir malgré tout qu'elle y serait.

Hélas ! La chambre était bel et bien déserte. Il vit, sur le lit, un sac grand ouvert où la jeune femme avait commencé à disposer des vêtements.

Il fouilla le reste de la maison par acquit de conscience mais il ne découvrit rien. Aucun signe de lutte non plus. Seule l'odeur de chloroforme indiquait qu'elle venait d'être enlevée.

Nate reconstitua sans mal les événements. Son agresseur devait déjà être dans la place à leur arrivée, et il lui avait suffi de s'approcher silencieusement par-derrière et de lui appliquer un tampon imbibé de chloroforme sous le nez avant qu'elle ne puisse crier et donner l'alarme.

Le problème, maintenant, c'était de retrouver sa trace.

Nate se précipita à l'extérieur et vérifia toutes les issues. Rien. Evidemment…

Puis il remarqua, sur sa droite, une servitude de passage. C'était un sentier herbu qui longeait la maison et celle de derrière, puis donnait sur une autre rue. L'agresseur de Fiona l'avait évidemment emprunté et avait rejoint son véhicule garé là.

Nate se maudit. Comment avait-il pu à ce point manquer de vigilance ? Il avait promis à Fiona d'assurer sa sécurité, mais il avait échoué. Dire qu'il parlait au téléphone à deux mètres d'elle pendant qu'on l'enlevait ! *Tu parles d'un policier !*

Il appela aussitôt Owen, mais il tremblait tant qu'il dut s'y reprendre à plusieurs fois pour composer le numéro.

— Fiona a été enlevée…, annonça-t-il sitôt que son équipier eut décroché.

Il entendit la panique dans sa voix.

— J'envoie tout de suite l'équipe cynophile ! déclara Owen sans poser de questions. Et toi, reviens au poste.

Sa réponse fusa.

— Impossible !

Il se sentait frustré et impuissant, mais il ressentait la nécessité d'agir. Revenir au poste, c'était d'emblée admettre sa défaite. C'était comme renoncer à retrouver Fiona.

— Tu n'as pas vu son agresseur, ni la direction qu'il a prise, objecta Owen posément. Dans ces conditions, sans le moindre indice, je ne vois pas ce que tu peux entreprendre.

Mais Nate ne pouvait s'y résoudre.

— Envoie des hommes chez Joey, s'écria-t-il.

— C'est ce petit malfrat qui aurait enlevé Fiona ?

— Possible, déclara Nate, qui essayait de réfléchir. Je ne veux rien laisser au hasard aussi longtemps que la sécurité de Fiona est en jeu !

— Et toi, où vas-tu ?

Nate se passa la main dans les cheveux.

— Rendre une petite visite à Big Sal !

11

Fiona ouvrit les yeux et le regretta aussitôt, car la luminosité, bien que faible, lui vrilla le crâne. Elle leva une main, qu'elle trouva bien lourde, pour la poser sur son visage.

Elle avait l'impression d'avoir du coton dans la bouche, et le simple fait de déglutir lui arracha un gémissement douloureux.

Manifestement, elle n'était pas chez elle. Pas plus que dans son lieu d'hébergement temporaire.

Elle regarda prudemment entre ses doigts disjoints. Elle était couchée sur un matelas qui sentait l'antimite. Puis elle discerna une moquette marronnasse, constellée de taches. Le matelas était sans doute aussi répugnant, songea-t-elle avec dégoût.

La lumière provenait d'une fenêtre en haut du mur. En dehors du fait qu'elle était difficilement accessible, l'ouverture était trop petite pour envisager de se sauver par là. De toute façon, elle était incapable d'effectuer le moindre mouvement. La tête lui tournait, et elle avait la nausée.

Fiona inspira profondément, à plusieurs reprises. Quand elle se sentit un peu mieux, elle essaya de reconstituer les événements. Elle se trouvait chez elle, dans sa chambre, et venait de choisir quelques vêtements de rechange quand elle avait entendu des pas, dans son dos. Elle avait pensé que c'était Nate, mais il n'avait pas répondu quand elle avait prononcé son nom. Ensuite…

Elle fronça les sourcils, s'efforçant de rassembler ses

pensées encore embrumées. Elle avait du mal à saisir les détails de son enlèvement, et à en former une image complète.

Une main s'était posée sur sa bouche et sur son nez. Une odeur épouvantable l'avait aussitôt saisie. Elle n'avait pu se débattre, car elle s'était presque aussitôt évanouie.

Combien de temps était-elle restée inconsciente ? Plusieurs jours ? Quelques heures ? La pensée d'avoir perdu le fil du temps la fit frémir d'horreur.

L'instinct de survie lui donna la force de se redresser et de se mettre à genoux. De nouveau, elle eut le vertige, mais elle serra les dents et, peu après, elle parvint à se mettre debout sur le matelas. Sentant ses jambes encore faibles, elle s'appuya au mur pour jeter un œil par la fenêtre.

Malheureusement, elle ne vit pas grand-chose. La vitre était abondamment encadrée de lierre, et le regard ne portait pas loin. Frustrée, Fiona se mordit la lèvre. Tant d'efforts pour rien…

Elle se laissa retomber sur le matelas, qui grinça. Il lui fallait réfléchir à un moyen de fuir. Elle fouilla dans ses poches, certaine toutefois qu'elle n'y trouverait pas son portable. Elle se rappelait en effet qu'elle l'avait posé sur son lit, dans sa chambre.

A l'heure actuelle, Nate devait avoir découvert qu'elle avait été enlevée, et était sûrement à sa recherche. C'était une pensée consolatrice, certes… Mais que ne pouvait-il dès maintenant ouvrir cette porte, se précipiter et la serrer dans ses bras, puis l'emmener loin de cet endroit horrible !

Fiona soupira. A quoi bon fantasmer ? Elle évoluait dans la réalité, et non dans un film d'aventures.

Au même instant, le silence fut rompu par un bruit de pas. Fiona prêta l'oreille. Quelqu'un venait. Elle jeta un regard éperdu autour d'elle. Hélas, inutile de chercher à se cacher. Il n'y avait que ce matelas dans cette pièce. Elle n'avait aucun moyen de se protéger de son ravisseur, dont elle avait tout lieu de croire qu'il n'était pas animé par des intentions pacifiques.

La peur fit battre son cœur avec une violence inouïe et jusque dans ses oreilles, au point qu'elle entendit à peine le cliquètement métallique de la clé dans la serrure. La porte s'ouvrit, et une haute silhouette surgit sur le seuil.

— Tu es réveillée. Très bien, commença l'homme, qui entra et referma la porte derrière lui.

— Qui êtes-vous ? demanda-t-elle d'une voix tremblante. Pourquoi m'avez-vous enlevée ?

L'homme repoussa la capuche de son sweat-shirt. Fiona aussitôt le reconnut et poussa un cri. C'était Joey, le malfrat qui avait braqué l'épicerie l'avant-veille. L'avait-il enlevée par représailles ? Parce qu'elle avait porté plainte contre lui ?

— Ben dit que tu as les photos. Il me les faut.

Fiona mit un temps à assimiler le sens de ces propos. Elle secoua la tête, ce qui exacerba sa migraine.

— Vous n'aviez qu'à me les demander et je vous les aurais données ! répondit-elle en se massant la tempe.

— Tu as fui avant que j'en aie eu le temps !

Ainsi, Joey et l'homme au bonnet à motifs ethniques étaient une seule et même personne ?

— Parce que vous vous êtes introduit dans ma maison, et que j'ai eu peur ! s'exclama Fiona, révoltée.

Il haussa les épaules et, aussitôt, grimaça. Fiona se souvint alors qu'il avait été blessé à l'épaule, deux jours plus tôt. Peut-être pourrait-elle utiliser cette faiblesse à son avantage ?

— Peu importe, reprit-il. File-moi ces photos, et je te laisse tranquille.

Fiona sentit ses forces l'abandonner.

— Je ne les ai pas, murmura-t-elle.

Allait-il remarquer qu'elle se contredisait ? Elle le dévisagea avec attention, essayant d'anticiper sa réaction.

Il fit un pas dans sa direction, l'air menaçant, mais s'arrêta soudain brusquement.

— Quoi ? Ben m'a menti ?

Que répondre ? Si elle prétendait que oui, cela lui permettrait peut-être de gagner du temps, de concocter un plan d'évasion. D'un autre côté, elle n'aimait pas l'idée de mettre délibérément en danger autrui, même Ben — qui, de toute évidence, n'avait pas eu les mêmes scrupules à son endroit…

Et si elle disait la vérité, tout simplement ? Que les photos étaient désormais entre les mains de la police. Elle craignait toutefois que son kidnappeur ne réagisse mal à cette révélation et qu'elle ne se trouve de ce fait en plus grand danger. Ce petit voyou lui semblait en effet désespéré et prêt à tout, conclut-elle en le dévisageant. Elle percevait, sous le sang-froid apparent, une instabilité émotionnelle dont elle ferait les frais si elle lui annonçait de but en blanc qu'il l'avait enlevée pour rien, et que la police serait tôt ou tard sur ses traces.

Ce fut son instinct de survie qui l'emporta.

— J'ignore ce que Ben a pu vous dire, murmura-t-elle. Mais la dernière fois que j'ai vu ces photos, Ben les emportait dans sa voiture. Elles sont sans doute chez lui.

Le malfrat l'observa, songeur.

— Pourquoi je te croirais ?

Fiona haussa les épaules, et tenta d'avoir l'air convaincant.

— Vous voyez bien que je n'ai pas ces photos sur moi, et puis, j'imagine que vous avez fouillé ma maison de fond en comble avant de m'enlever ?

Elle se sentait en colère contre cet individu qui avait délibérément violé son intimité, mais elle se contint.

— C'est Ben qui les a, insista-t-elle.

Il fronça les sourcils, et parut soudain troublé.

— Si vous voulez les retrouver, poursuivit-elle, laissez-moi et retournez voir Ben.

Elle essayait d'être persuasive sans se montrer trop impatiente. Ce Joey semblait imprévisible et rempli de contradictions. Il lui évoquait un enfant borné et têtu testant les limites d'un adulte.

Surtout, il était dangereux.

— Bonne idée.

Il étrécit le regard.

— Mais je te garde comme otage.

— Non !

— Ça évitera que tu me dénonces à la police. Comme l'autre fois !

Fiona secoua la tête avec fermeté.

— Je ne le ferai pas. Je ne veux qu'une chose : tout oublier.

— On ne me la fait pas ! Tu vas rester gentiment ici jusqu'à ce que j'aie les photos.

— Alors, qu'est-ce que vous attendez ? osa-t-elle. Le plus vite vous trouverez Ben et vos photos, le plus vite vous me libérerez, pas vrai ?

Un sourire flotta sur les lèvres de Joey, comme s'il connaissait un secret qu'il se refusait à révéler.

— C'est un fait.

Il s'approcha. Fiona recula mais se cogna au mur.

— Qu'est-ce que vous voulez ? demanda-t-elle d'une voix tendue.

— Je veux être certain que tu ne tenteras rien pendant mon absence.

Et, sortant une seringue de sa poche, il lui saisit le bras. Fiona se débattit.

— Ne me touchez pas ! lança-t-elle, épouvantée.

— Sinon ?

De son autre main, il lui agrippa la cheville et la fit basculer sur le matelas.

— Non ! Arrêtez ! hurla-t-elle.

Mais elle sentit au même moment l'aiguille se planter dans sa cuisse.

— Dors bien…, chantonna Joey.

Et il agita la main comme pour dire au revoir.

Terrorisée, Fiona s'efforça de garder les yeux ouverts, mais elle n'en eut bientôt plus la force ni la volonté.

Nate coupa le moteur et prit une grande inspiration pour s'efforcer au calme. Se ruer sur Big Sal en exigeant des réponses et des explications sur-le-champ serait contre-productif. Big Sal était un homme inflexible et roué qui ne perdait jamais son sang-froid. L'« homme d'affaires » se flattait de donner de lui l'image d'un gentleman, du moins en public, lui avait expliqué Carl, son informateur.

Il entra dans les bureaux de Big Sal, sobres et de bon goût, et remarqua une jolie brune à l'accueil. Le business de Big Sal avait toutes les apparences de l'honnêteté…

La réceptionniste leva les yeux vers lui avec un sourire courtois.

— Bonjour, monsieur. Que puis-je faire pour vous ?

— J'aimerais voir M. Salvatore.

— Votre nom, je vous prie.

— Nate Gallagher.

La jeune femme fronça les sourcils en consultant son ordinateur.

— Je suis désolée mais vous n'êtes pas inscrit dans l'agenda de M. Salvatore. Voulez-vous prendre rendez-vous ?

— Non, ce ne sera pas nécessaire.

Sur ces entrefaites, Nate lui montra son badge et contourna son bureau.

— Je suis certain qu'il trouvera du temps à m'accorder.

Mais la jeune femme bondit pour lui bloquer l'accès du bureau de Big Sal.

— Monsieur ! Vous ne pouvez pas entrer !

— Et moi, je vous conseille de vous écarter.

Et il ajouta pour faire bonne mesure :

— Tout de suite !

Elle ouvrit de grands yeux.

— Si je vous laisse entrer, je serai licenciée, murmura-t-elle d'une voix triste et douce.

La peur qui transparaissait dans ses yeux était réelle, et Nate eut pitié de la jeune employée. Seulement, la vie de Fiona était en jeu, et personne ne l'empêcherait de s'entretenir avec Big Sal.

— Je vous promets de lui dire que vous avez fait barrage.

Sur ces mots, il posa les mains sur ses épaules pour doucement l'écarter de son passage, ignorant son regard suppliant.

— Suivez-moi et faites-moi une scène, d'accord ? reprit Nate.

La jeune femme se mordilla la lèvre.

— D'accord. Merci.

— Allons-y !

Il avait en effet perdu assez de temps. Et, sans coup férir, il pénétra dans le saint des saints, suivi par la réceptionniste.

— Monsieur, non, vous ne pouvez pas ! s'exclama cette dernière d'une voix forte en lui saisissant le bras.

Big Sal, assis à son bureau, leva les yeux d'un air surpris.

— Que se passe-t-il, Josie ? s'enquit-il.

— J'ai essayé de l'arrêter, monsieur !

— C'est bon, Josie. Je m'en occupe.

Laissant échapper un soupir de soulagement, l'employée battit en retraite.

Nate referma la porte, puis s'approcha de Big Sal.

Ce dernier le jaugea. Nate l'imita. Ils s'évaluèrent ainsi pendant quelques instants. Big Sal rompit le premier le silence.

— A qui ai-je l'honneur ? demanda-t-il d'un air froid et altier.

Nate aurait aimé persister dans son silence et ainsi ajouter au malaise de son interlocuteur, mais il y renonça. Il n'avait pas de temps à perdre.

— Nate Gallagher. Police de Houston.

Si cette annonce troubla le roi des paris truqués, il n'en laissa rien paraître. Au contraire, il se renversa dans son fauteuil avec un grand sourire.

— Un officier de police..., dit-il d'un air déférent. Vous auriez dû le dire tout de suite.

Il lui montra l'une des chaises.

— Asseyez-vous, je vous prie.

Nate refoula son impatience croissante.

— Que puis-je faire pour vous ? reprit Big Sal.

— J'ai de bonnes raisons de croire que vous avez enlevé une jeune femme.

Big Sal leva un sourcil.

— C'est une accusation grave. Et pourquoi aurais-je fait cela ?

— Parce qu'elle était en possession de photos qui vous mettent en cause et que vous craignez qu'elles ne tombent entre de mauvaises mains.

Seul le gonflement de ses narines témoigna de la tension de Big Sal.

— Mais encore ?

Nate poursuivit :

— Fiona, la jeune femme que vous avez enlevée, travaille dans une petite épicerie tenue par un certain Ben Carter. Ce nom vous dit-il quelque chose ?

Nate marqua une pause. Big Sal restait de marbre.

— Je vous en prie, continuez, déclara-t-il.

— C'est tout d'abord ce Ben Carter qui détenait les photos que je viens de mentionner. Je suppose qu'il vous a emprunté de l'argent pour faire un pari sportif, pari qu'il a évidemment perdu. Et que donc, grâce à ces photos, il vous fait chanter pour ne pas s'acquitter de sa dette.

Un sourire étira les lèvres de Big Sal.

— Ce ne serait pas le premier.

— Ni le dernier, fit observer Nate. Peu m'importent vos petites magouilles mais, là, avec cet enlèvement, vous avez dépassé les bornes.

— Jamais je ne serais assez idiot pour faire une chose pareille !

Nate résista à la tentation de lever les yeux au ciel.

— Je vous en prie, ne me prenez pas pour un imbécile. Bien entendu, vous avez délégué cette mission à vos hommes. Mais le résultat est le même.

Big Sal étrécit le regard.

— Je vous répète que je n'ai enlevé personne ni donné d'instructions dans ce sens à mes collaborateurs.

Nate secoua la tête.

— J'aimerais vous croire. Mais essayez de voir la situation de mon point de vue. Tous les indices vous mettent en cause. Pour commencer, il y a eu une tentative de vol à main armée dans la petite épicerie de Ben Carter. Le lendemain, Carter, sur le point de recevoir une visite… inamicale, s'empresse de transmettre les photos compromettantes à son employée. Ensuite, il y a une intrusion au domicile de cette dernière. Et maintenant, cette jeune femme a disparu. Vous êtes intelligent, et je suis certain que vous comprenez mes inquiétudes.

Big Sal soupira.

— Je compatis. Mais je ne peux que vous le répéter : je n'ai rien à voir avec la disparition de cette personne.

Il se leva, sans doute pour lui signifier que l'entretien était terminé.

— Et maintenant, à moins que vous n'ayez un mandat de perquisition…

Il n'acheva pas, à dessein. Nate resta silencieux, et Big Sal sourit.

— C'est bien ce que je pensais… J'aimerais beaucoup

continuer cette conversation, mais j'ai un rendez-vous. Alors au revoir.

Nate se leva, conscient de ne pas pouvoir faire plus.

— On n'en a pas terminé ! maugréa-t-il. Au fait, au cas où vous ne l'auriez pas compris, ces photos, c'est la police qui les détient à présent.

Big Sal souriait toujours, mais son sourire n'atteignait pas son regard.

— Je suis un homme très occupé, et je suis certain que vous l'êtes aussi, dit-il, glacial. Je vous prie donc de ne plus m'importuner, à moins que vous n'ayez les preuves formelles des accusations que vous portez à mon endroit.

En partant, Nate laissa sa carte de visite à la réceptionniste, en lui enjoignant de lui signaler tout fait ou indice dont elle pourrait avoir connaissance concernant la disparition de Fiona.

Puis il reprit la route, frustré. Il avait éveillé la méfiance de Big Sal en lui montrant que la police l'avait à l'œil, mais il n'avait pas réussi à le désarçonner comme il l'avait espéré. Et certain qu'un indice, ou un détail, lui échappait, il avait du mal à contenir sa colère.

Et, surtout, l'absence de Fiona l'affectait avec une violence inouïe.

Après ces deux derniers jours, il avait l'impression de se réveiller d'un long sommeil. Les instants qu'il avait passés avec la jeune femme lui avaient fait prendre conscience du vide de sa vie. Entièrement dévoué à son travail, il ambitionnait une promotion interne, afin d'avoir un salaire décent pour subvenir aux besoins de sa sœur, le moment venu. Mais avait-il fait le bon choix ? Ne passait-il pas à côté de sa vie en ne pensant qu'à un avenir imprédictible ?

Pour la première fois depuis longtemps, ses parents lui manquaient. Il avait besoin de leur soutien, de s'entendre dire que tout irait bien. Il avait toujours répugné à leur décrire les terribles réalités de son métier, mais il pourrait recevoir leurs encouragements. Il en avait besoin… et son père avait toujours su trouver les mots, quand il avait des passages à vide.

Nate sortit son portable, mais il hésitait encore.

Il n'avait pas eu de vraie conversation avec ses parents depuis si longtemps… Il rempochait déjà son téléphone quand le visage de Fiona surgit devant ses yeux. Il avait vu son expression d'envie lorsqu'il lui avait parlé de sa mère. Il l'avait entendue regretter qu'il soit en froid avec ses parents.

Nate prit une grande inspiration et composa leur numéro.

Big Sal attendit que le policier ait quitté son bureau pour se renverser dans son fauteuil avec exaspération.

De nouveau son neveu avait prouvé son incompétence et sa stupidité, cette fois en mettant la police à ses trousses. Si ce flic disait vrai et que la rousse avait bien les photos, Joey ne pourrait jamais les récupérer. Certes, Sal avait des policiers acquis à sa cause et pourrait les obtenir par leur entremise, mais il n'en resterait pas moins que trop de personnes déjà les avaient vues.

Il appela Joey, contenant à grand-peine sa colère.

Joey répondit au bout de quelques sonneries.

— Oui ?

Il semblait hors d'haleine, comme s'il venait de courir.

— Qu'est-ce que tu as encore fait ? demanda Sal en essayant de ne pas hurler.

Il savait d'expérience que le calme impressionnait davantage.

— Que veux-tu dire ? s'enquit Joey. Je travaille à récupérer les photos, comme tu me l'as demandé. Tu m'as laissé un délai de vingt-quatre heures. Il me reste encore du temps !

Mais son neveu semblait terrifié. Sal s'en serait amusé si la situation ne s'était subitement aggravée.

— Je viens de recevoir la visite de la police ; je suis accusé d'avoir enlevé la femme qui travaille dans l'épicerie de Ben Carter. A ton avis, pourquoi la police me soupçonne-t-elle ?

— Ben m'avait dit qu'elle avait les photos ! répondit Joey.

— Non, elle ne les a pas, coupa Big Sal.

Un long silence suivit. Qui traduisait sans doute la surprise de Joey.

— C'est exactement ce qu'elle m'a dit. Mais, comment tu le sais ?

Sal serra les dents, regrettant que son neveu ne soit pas à proximité. L'étrangler de ses propres mains lui aurait fait du bien.

— Parce que c'est la police qui les a.

— Ah.

— C'est tout ce que tu trouves à dire ? reprit Sal d'un ton mordant.

— Qu'est-ce que tu veux que je te dise ? répondit son neveu, sur la défensive. Comment suis-je censé savoir que la police s'en est mêlée ?

— Conduis cette femme dans mon bureau, reprit Sal à bout de patience. C'est moi qui vais m'en occuper.

— Mais oncle Sal…

— Viens avec cette femme, et nous allons clore cette affaire, lâcha Big Sal posément.

— Tu n'es pas en colère ?

Sal leva les yeux au ciel, effaré par la puérilité et la bêtise de son neveu.

— Bien sûr que non, prétendit-il. Viens vite, je t'attends.

— A tout de suite !

Joey avait paru soulagé. Tant mieux. Il ne se doutait de rien.

Sal mit la main dans la poche de sa veste griffée, et caressa son arme. D'ordinaire, ce n'était pas lui qui réglait leur compte aux bons à rien mais, pour une fois, il ferait une exception. Après tout, mieux valait laver son linge sale en famille, non ? se dit-il, amusé par son trait d'esprit.

Plus important, cette affaire ne devait pas davantage s'ébruiter. Il réfléchit à une stratégie. Un sourire naquit sur ses lèvres. Dans un premier temps, il provoquerait son neveu pour le faire sortir de ses gonds. Ce dernier, colérique et instable, le menacerait et l'agresserait. Alors, il le supprimerait : un cas de légitime défense, non ? Et il arguerait qu'il en allait aussi de la sécurité de son otage. Puis il contacterait la police en lui annonçant que la jeune femme était libre, grâce à lui. L'otage de Joey, qui aurait été témoin de leur affrontement, accréditerait sa version. Il se réjouirait d'avoir œuvré pour la justice tout en se lamentant d'avoir si tragiquement perdu son neveu…

Son téléphone sonna. Perdu dans ses pensées, il prit la communication sans au préalable consulter l'écran.

— Oui ?

— Salvatore ? Que se passe-t-il ?

Isabella !

— Que veux-tu dire, *mi amor* ? demanda-t-il, s'efforçant d'avoir l'air naturel quoique surpris.

Peut-être l'appelait-elle pour une tout autre raison que celle qu'il avait précisément en tête ? Et aussi, pour lui donner un nouveau rendez-vous.

Du moins il l'espérait.

— Qu'est-ce que j'apprends ? Qu'il y a des photos de nous deux qui circulent ? Comment est-ce possible ? reprit-elle, l'air furieux, ce qui accentua la contrariété et les appréhensions de Sal.

— Du calme, Isabella. J'ai la situation en main.

— Me calmer ? Comment oses-tu ?

Il écarta son téléphone tandis qu'elle vitupérait en espagnol.

— Je suis désolé, Isabella. Mais ne t'inquiète pas. Je vais récupérer ces clichés, et en finir avec les personnes qui ont un lien avec ce regrettable incident.

— Je l'espère pour toi, reprit-elle d'une voix glacée au bout d'un silence pesant. Quoi qu'il en soit, je suis très déçue, nous allons devoir réévaluer nos relations sur la base de cette transgression.

Sal se mordit les lèvres pour éviter de geindre. Ce serait indigne de lui. Et cependant, il se savait innocent.

— Je comprends, dit-il, s'exhortant au calme. Mais fais-moi confiance, je gère le problème.

— On reste en contact, laissa-t-elle tomber avant de raccrocher.

C'était une promesse, et en même temps une menace. Sal qui n'était pourtant pas impressionnable sentit son cœur se décrocher.

Il soupira.

Il devait reconsidérer sa stratégie. De toute évidence, le cartel voulait du sang. Mais pas question que lui, Sal, se rende de lui-même à l'abattoir.

Pourquoi ne pas leur livrer Ben Carter et cette jeune femme ? L'essentiel, après tout, était que le syndicat du crime ait des coupables à châtier. Peut-être que le cartel s'en satisferait et se désintéresserait de lui. Oui, ça pourrait fonctionner, se dit Sal. Il pourrait peut-être même en tirer avantage…

Bien sûr, c'était sans doute la fin de son association avec le cartel, mais il était prêt à y renoncer s'il gardait la vie sauve.

Et puis, qui sait ? Dans quelques années, la situation se décanterait, et il aurait l'occasion de prouver qu'il était toujours digne de confiance.

Il haussa les épaules. D'ici là, il devait limiter la casse et, surtout, sauver sa peau.

12

— Réveille-toi !

Fiona gémit, et protesta.

— Vite !

De nouveau, des coups sur ses jambes. Fiona ouvrit les yeux avec difficulté, luttant contre l'engourdissement qui la paralysait. Elle entrevit une forme qu'elle s'efforça de mieux discerner.

— Il faut y aller ! reprit la voix, autoritaire.

Fiona secoua la tête, cherchant à comprendre.

Aller où ? Quelle heure était-il ? Où était-elle ?

— Vite ! Je n'ai pas de temps à perdre !

La voix était furieuse. Fiona se redressa, mais ses membres étaient plus lourds que du plomb.

Elle sentit tout à coup une sensation de froid sur le visage, ce qui lui fit pousser un cri. Elle comprit, avec un temps de retard, que l'on venait de lui jeter de l'eau froide à la figure. Un filet glacé dégoulinait dans son cou et son dos, et Fiona ne put contenir un violent frisson.

Réveillée cette fois, elle se souvint que Joey l'avait enlevée et séquestrée, et l'avait de nouveau droguée et anesthésiée.

— Il faut y aller, répéta ce dernier.

— Où ? Pourquoi ?

Elle avait la voix rauque. Elle humecta ses lèvres trop sèches, essayant de happer quelques gouttes d'eau qui coulaient sur son visage.

— Tu as menti ! hurla Joey.

— Non, je…

— La ferme !

La saisissant par le bras, il la tira rudement pour l'obliger à se lever.

Fiona, aussitôt prise de vertiges, chancela.

— Où m'emmenez-vous ?

— Chez Big Sal.

Qui ? Mais Fiona ne se donna pas la peine de lui poser la question à haute voix. Elle avait bien assez de difficulté à se concentrer pour rester debout.

Joey la conduisit dans le couloir avec impatience, s'arrêtant à chaque pas, parce qu'elle ne cessait de perdre son équilibre.

— Je sais que tu fais semblant !

Mais Fiona ne feignait pas… Elle aurait même préféré se déplacer seule, mais elle restait sous l'influence de la substance que le voyou lui avait injectée, et était obligée de s'appuyer sur lui en dépit de sa répugnance.

Il ouvrit sa portière de voiture et la jeta sur la banquette arrière sans ménagement. Fiona tenta de se redresser. Une fois qu'elle y fut parvenue, elle appuya la tête contre la vitre de portière et essaya de garder les yeux ouverts pendant le trajet, dans l'espoir de se repérer. Joey traversa un quartier inconnu puis une zone pavillonnaire de la banlieue de Houston. Fiona ne reconnaissait toujours rien.

Sa vision était par instants trouble à cause de larmes qu'elle ne se donnait pas la peine d'essuyer, et qui tombaient sur son chemisier.

Quelles étaient ses options pour échapper à son ravisseur ? Pour commencer, elle n'était pas armée. De plus, elle était trop groggy pour se défendre. Et Joey était plus grand et aussi plus fort.

Mais il est blessé. Cette pensée lui traversa de nouveau l'esprit comme l'éclair, et lui redonna espoir. Si elle le frappait à l'épaule, peut-être qu'il n'aurait pas la force de riposter.

Et ensuite ? Fiona fronça les sourcils, cherchant une idée.

Joey s'arrêta au même instant. Peu après, il ouvrit la portière arrière et la fit sortir de la voiture, de nouveau sans ménagement. Fiona se rendit compte qu'elle ne vacillait presque plus, mais elle feignit d'être encore trop groggy afin de tromper la vigilance de Joey. Elle devait mettre toutes les chances de son côté, et le surprendre restait la meilleure solution.

Joey la conduisit vers un immeuble assez cossu. Fiona inspecta les lieux subrepticement. Elle repéra une station-service et un centre commercial. Peut-être pourrait-il s'y réfugier si elle parvenait à prendre la fuite.

Joey la fit entrer dans les locaux et la dirigea vers un bureau. La jeune femme qui se trouvait à l'accueil poussa un petit cri à leur vue, et se leva d'un bond pour leur bloquer le passage.

— Monsieur, vous ne pouvez pas…

— Mon oncle m'attend, la coupa-t-il.

Fiona vit le regard de la réceptionniste s'agrandir en se posant sur elle.

— Je vous en prie, aidez-moi, lui murmura-t-elle.

— Toi, la ferme ! lui intima Joey, la secouant avec violence.

Puis il reporta son attention vers l'employée.

— Laissez-moi entrer !

— Je doute que…, commença cette dernière.

Alors Joey sortit de sa poche un couteau qu'il ouvrit d'un bref mouvement du poignet. La réceptionniste, livide, s'écarta aussitôt.

Fiona sentit quant à elle son cœur battre avec violence, mais elle fit un gros effort pour contrôler sa terreur.

— Et ne vous avisez pas d'appeler la police ! reprit Joey.

Sur ces mots, il sectionna le cordon du téléphone.

— Si vous n'êtes pas là quand je sortirai de ce bureau, je vous jure que je vous retrouverai ! ajouta-t-il.

La jeune femme, épouvantée, se laissa retomber sur son siège, et Fiona eut un élan de sympathie à son égard. Ce fut bref, car Joey posa la pointe de son couteau sur sa gorge et la poussa vers la porte.

Le bureau où ils entrèrent était spacieux et meublé avec goût. Un homme de haute taille se tenait derrière une élégante table. Fiona eut un choc en le reconnaissant : c'était l'homme sur les photos !

— Qu'est-ce que c'est que ces manières, Joey ? s'exclama ce dernier à leur vue.

Joey, manifestement déconcerté par cette entrée en matière, sursauta, et Fiona sentit la pointe de son couteau lui piquer le cou. Elle poussa un cri de douleur et de protestation.

— Oncle Sal…, commença Joey.

— Cette fois, tu dépasses les bornes ! le coupa le dénommé Sal, qui se leva et s'approcha d'eux.

Joey recula, et Fiona, toujours sous son joug, suivit le mouvement. Sal s'avança jusqu'à les acculer au mur. Il ne paraissait guère intimidé par l'arme brandie par le jeune malfrat. Et, par la seule force de son regard méprisant, neutralisa ce dernier.

Fiona, soulagée d'échapper à son tortionnaire, s'éloigna de lui le plus possible. Qui que soit ce Sal, il semblait plus raisonnable que son neveu.

Ce dernier retourna s'installer à son bureau et, d'un geste, lui intima l'ordre de s'asseoir en face de lui. Fiona, bien qu'à demi rassurée, constata alors que le téléphone se trouvait à portée de sa main. Si l'oncle et le neveu se mettaient à échanger leurs arguments, peut-être pourrait-elle en profiter pour appeler la police subrepticement, espéra-t-elle.

— Je savais que je ne pouvais pas te faire confiance, commença Sal. Tu n'es qu'un imbécile. Un raté. Tu l'as toujours été, et tu le resteras. J'ai voulu te donner une dernière chance de faire tes preuves, mais tu as échoué. La mission était pourtant simple !

Le regard fixé sur les deux hommes, Fiona se rapprocha sensiblement du téléphone. Sal se tenait un peu de côté, mais pas Joey. Elle devait être prudente.

— C'est faux ! s'exclama Joey, furieux. Je n'ai peut-être pas les photos, mais j'ai mieux ! Je l'ai, elle.

Et de la pointe de son couteau, il la désigna. Fiona se figea. Par chance, Sal ne se tourna pas vers elle.

— Explique-toi, demanda Sal, sarcastique.

Mais il n'attendit pas sa réponse.

— Je vais être très clair, reprit-il. Tes actes ont attiré l'attention de la police sur ma personne, donc sur mes opérations. Comme je te l'ai déjà dit, un policier est venu à mon bureau, il y a environ une heure. Il m'a demandé où était cette femme, et pourquoi elle avait été enlevée. C'est le genre d'erreur que nous ne pouvons pas nous permettre de commettre. Et si tu avais un peu de plomb dans la tête, tu l'aurais compris depuis déjà longtemps !

— Mais c'est elle, la clé de nos problèmes ! protesta Joey. Grâce à elle, nous pourrons récupérer les photos.

Fiona continua d'avancer sa main. Elle retint un cri de victoire comme elle effleurait le combiné.

— Non ! coupa Sal. Tu as écouté ce que je t'ai dit ? C'est la police qui les a. Ton otage ne nous sert à rien !

Retenant son souffle, Fiona souleva le combiné, espérant que ni Sal ni Joey, concentrés sur leur dispute, n'entendraient la tonalité.

— Mais si ! insista Joey. On va l'utiliser pour les récupérer ! On va l'échanger contre les photos.

Sal secoua la tête.

— Exercer un chantage sur la police ? Le policier qui est venu n'était pas des nôtres.

Les doigts tremblants, Fiona composa le 911. Elle n'osait évidemment pas prendre le combiné et le presser contre son oreille, mais elle espérait que l'opérateur entendrait les éclats de voix, devinerait la situation et contacterait la police.

Une voix s'éleva à l'autre bout du fil :

— 911, quelle est votre urgence ?

Fiona prit la parole d'une voix forte, pour se faire entendre de l'opérateur.

— Je vous en supplie, laissez-moi !

C'était risqué d'interrompre les deux hommes. Attirer leur attention sur elle pouvait en effet réduire à zéro ses tentatives.

— Si vous me libérez, je ne dirai rien ! articula-t-elle. J'oublierai tout !

Les deux hommes la dévisagèrent avec la même incrédulité. Puis Sal remarqua que le combiné avait été décroché. Son expression changea.

— Vous allez le regretter ! grommela-t-il à son adresse en raccrochant précipitamment.

Fiona, terrorisée, se renversa dans sa chaise. Elle redoutait Joey parce qu'il était instable, mais désormais elle était épouvantée par la froideur implacable de son oncle.

— Je vous en prie…, murmura-t-elle, la voix tremblante. Ne me faites pas de mal. Laissez-moi.

Sal la gifla avec une telle violence qu'elle vit des taches lumineuses danser devant ses yeux tandis qu'un goût de sang remplissait sa bouche.

— Bon, et maintenant, oncle Sal ? reprit Joey d'une voix craintive.

Sal secoua la tête.

— Toi, tu ne bouges plus ! C'est moi qui vais régler le problème. Et tout de suite.

Il sortit une arme de sa poche, Fiona le vit avec horreur la braquer sur son neveu.

— J'avais espéré qu'un autre que moi se chargerait de cette basse besogne, mais tu ne me laisses pas le choix.

Et sur ces paroles glaçantes, il tira.

Joey, touché en plein cœur, vacilla. Il écarquilla les yeux avec une expression d'horreur et de douleur. Sal tira de nouveau, et le jeune homme tomba.

Epouvantée, Fiona se mordit le poing pour ne pas hurler. Joey lui répugnait, mais elle ne désirait pas sa mort pour autant.

Son forfait commis, Sal reporta son attention sur elle. Il était calme et pas le moins du monde impressionné d'avoir tué un homme de sang-froid. Il lui adressa un regard implacable, et Fiona sentit sa dernière heure venue.

— Finissons-en, dit-il, l'obligeant à se lever.

— Vous allez aussi me tuer ?

Il lui adressa un sourire glacé.

— Je ne sais pas encore.

Nate dévisageait Ben Carter, refoulant son désir de le frapper. Ce dernier mentait avec aplomb, et de plus avec un sourire suffisant qui le mettait hors de lui.

— Nous avons les photos en notre possession, reprit Nate. Nous savons désormais que vous êtes un maître chanteur.

Ben Carter hocha la tête avec obstination.

— Cela n'aurait jamais dû prendre de telles proportions.

— Il y a toujours des imprévus, surtout quand on provoque un criminel de l'envergure de Big Sal, déclara Owen. Vous avez commis une erreur. Laissez-nous vous aider à présent.

Ben soupira, et soudain se voûta. Puis il posa le front sur la table.

— Je suis effectivement dans de sales draps, lâcha-t-il à mi-voix.

La patience de Nate était à bout.

— Ça m'est égal, mon vieux. Moi, je n'ai pas envie de vous aider, seulement de retrouver Fiona Sanders.

— Je ne sais pas où elle est… Pourquoi vous obstinez-vous à me le demander ? reprit Ben, l'air las.

— Parce que je ne vous crois pas ! Vous avez le mobile et vous avez eu tout le temps d'agir, répliqua Nate, comptant sur ses doigts. Je récapitule : vous avez confié ces photos à Fiona, et vous voulez les récupérer, voilà pour le mobile. Vous n'étiez pas à l'épicerie aujourd'hui, car vous êtes allé fouiller sa maison pour les trouver. Elle vous a surpris, vous avez paniqué, vous l'avez enlevée.

— C'est ridicule !

Ben Carter semblait toutefois sincèrement troublé par ces affirmations.

— Maintenant que vous n'avez plus les photos, vous ne pouvez plus faire chanter Big Sal, continua Nate, implacable.

Ben opina de la tête, et Nate se sentit satisfait. L'homme n'allait plus tarder à craquer.

— Vous faisiez confiance à Fiona, n'est-ce pas ? intervint Owen avec plus de calme.

— C'est vrai, et elle n'avait pas le droit de fouiller dans mes papiers ! renchérit le gérant de l'épicerie.

Nate se contint, conscient qu'un nouvel éclat de sa part ruinerait leurs chances de progresser dans cette affaire. Il jeta un regard dans la direction d'Owen, soulagé que celui-ci ait pris le relais. Owen était en effet réputé pour ses talents d'interrogateur dans tout le département de police. Il parviendrait à arracher des aveux à Ben Carter.

Il recula, afin de faire comprendre à son équipier qu'il lui laissait la main. Qu'il mène l'interrogatoire comme il l'entendait pourvu que leur suspect avoue où il séquestrait Fiona.

Il ne cessait de penser à la jeune femme, seule et terrifiée. Il n'arrivait pas à croire qu'il ait manqué à sa promesse de la protéger.

Elle était courageuse, elle le lui avait prouvé à maintes

reprises au cours des deux derniers jours, mais que pourrait-elle tenter contre son ravisseur ? Il s'en voulait de ne pas être auprès d'elle alors qu'elle avait tant besoin de lui. Du moins, si elle était toujours vivante…

Cette pensée terrible l'assombrit et lui serra le cœur, mais il la refoula aussitôt. Fiona était toujours en vie ! Il le fallait. Il voulait continuer d'espérer.

« Elle a l'air exceptionnelle, lui avait dit son père tantôt. Nous avons hâte de faire sa connaissance ! »

Nate se répétait sans cesse ces paroles rassurantes, comme un mantra. Quand il avait contacté ses parents, il avait d'abord redouté d'entendre leurs reproches et des récriminations. Mais rien de tel ne s'était produit. Pour la première fois depuis longtemps, sa mère avait paru ravie de l'entendre. Molly avait, quant à elle, été folle de joie. Son enthousiasme avait même été si contagieux que Nate avait souri et même ri, en dépit de son inquiétude pour Fiona.

En se confiant à ses parents, Nate avait compris combien Fiona était dans le vrai : il avait de la chance d'avoir une famille unie et aimante. Et cette chance, il voulait la partager avec la femme qu'il aimait. Oui, il l'aimait, s'avoua-t-il, frappé par cette soudaine révélation. Une fois qu'il l'aurait retrouvée, il la présenterait à ses parents. Elle les conquerrait !

Mais encore fallait-il qu'elle veuille toujours de lui, après ces derniers événements.

Peut-être refuserait-elle de le revoir ? Car c'était sa faute si elle avait été enlevée.

La sonnerie de son portable l'arracha à ses pensées. Owen lui jeta un regard rapide, et Nate quitta la pièce. Il referma doucement derrière lui et constata, par la vitre sans tain, qu'Owen réussissait à recapter l'attention de Ben Carter un instant distraite par la sonnerie et son départ.

Il prit la communication.

— Gallagher, j'écoute, dit-il sans les lâcher du regard.

Une voix de femme terrorisée s'éleva. Ce n'était qu'un chuchotement, mais il ne reconnut pas la voix de Fiona. Hélas…

— A l'aide, je vous en supplie…

— Je vous entends mal. Pouvez-vous parler plus fort ?

— Je ne peux pas. Je vous en supplie, venez vite.

— Qui est à l'appareil ?

— La réceptionniste du bureau de M. Salvatore. Vous êtes venu plus tôt dans la journée.

— Que se passe-t-il ?

— Un homme est arrivé en traînant de force une jeune femme. Il a sectionné le cordon du téléphone fixe et m'a menacée d'un couteau. Maintenant, il est dans le bureau et se dispute avec M. Salvatore.

Deux coups de feu ponctuèrent ses mots.

— Oh mon Dieu…, s'exclama-t-elle d'une voix à peine audible.

— J'arrive ! s'exclama Nate. Vous, sortez de l'immeuble si possible. Dans le cas contraire, cachez-vous et attendez l'arrivée de la police.

— Faites vite…, murmura-t-elle.

Manifestement, elle pleurait.

— Cachez-vous ! répéta-t-il. Raccrochez et appelez le 911.

— Oui. Tout de suite…, conclut-elle dans un souffle.

Nate raccrocha et gagna sa voiture en courant. Il sortit du parking dans un crissement de pneus. Conduisant d'une main, il composa, de l'autre, le numéro d'Owen.

Quand ce dernier eut décroché, il lui relata les derniers événements.

— Je te rejoins ! s'exclama Owen. Ne tente rien seul !

— Je ne peux pas te le promettre !

D'habitude, Nate n'était pas aussi agité, mais l'adrénaline

courait dans ses veines. Il était prêt à risquer le tout pour le tout pour sauver Fiona.

Il rempocha son téléphone et reporta son attention sur la route.

— J'arrive, mon cœur, murmura-t-il. Tiens bon, surtout.

13

— Pourquoi ne me laissez-vous pas partir ? demanda pour la énième fois Fiona.

De son arme, Sal la poussa rudement dans le parking et elle faillit perdre l'équilibre.

— Vous êtes ma monnaie d'échange, daigna enfin expliquer son nouveau ravisseur en la dirigeant vers une Mercedes noire.

Au même instant, la sirène d'une voiture de police retentit au loin. Fiona sentit que Sal resserrait son emprise sur son bras et qu'il accélérait le pas ; il était évidemment pressé de prendre la fuite avant l'arrivée des forces de l'ordre.

Alors c'est maintenant ou jamais ! songea-t-elle.

Si jamais elle montait dans le véhicule de Sal, c'en serait fini d'elle. Il n'avait pas hésité à tuer son neveu, il n'hésiterait pas à la tuer non plus. Elle refusait de mourir des mains d'un criminel. Du moins, pas sans s'être battue au préalable.

Faisant mine de trébucher, elle se jeta au sol. Le gravier lui égratigna la paume des mains, mais la douleur occasionnée fut infime comparée à celle que lui infligea Sal en lui donnant un coup violent dans les côtes.

Le souffle coupé, Fiona se mit en boule pour se protéger tandis que Sal, penché sur elle, l'invectivait. Saisie par la douleur et l'effroi, elle ne comprit pas ses propos.

Pour finir, il tira sur son T-shirt pour la forcer à se relever, mais Fiona résista de toutes ses forces, l'observant à travers ses paupières mi-closes. Comme il ne pouvait la relever d'une main, Sal n'allait pas tarder à ranger son arme, espéra-t-elle.

Et en effet, il la rempocha pour être libre de ses gestes. Fiona retint son souffle. Si elle essayait de s'emparer de son arme trop tôt, Sal anticiperait son mouvement. D'un autre côté, si elle attendait trop longtemps, elle manquerait l'occasion.

Restant immobile, elle fit mine de ne plus offrir aucune résistance.

Sal approcha son visage du sien.

— Ne me pousse pas à bout, murmura-t-il en la secouant.

Alors, prestement, Fiona glissa la main dans la poche de son veston et saisit l'arme qui s'y trouvait.

Elle en pressa ensuite le canon contre sa poitrine.

— Laissez-moi, maintenant ! martela-t-elle.

Sal ouvrit de grands yeux, l'air sidéré. Si elle n'avait eu d'autres chats à fouetter, Fiona se serait attardée à le dévisager tant il paraissait comique avec sa bouche béante. Elle sentit qu'il desserrait la pression de ses mains et en profita pour reculer, l'arme toujours braquée sur lui. La pensée de tirer lui faisait horreur, mais elle devait continuer à bluffer.

La sirène se rapprochait. Fiona gardait son attention braquée sur Sal. Sur le visage du criminel, l'incrédulité avait cédé la place à un air rusé, et elle comprit qu'il cherchait un moyen de se réapproprier son arme ou du moins de regagner l'avantage.

— Partez… La police arrive, lui dit-elle alors.

Il hocha la tête, mais ne bougea pas.

— J'imagine que vous pensez avoir gagné ? demanda-t-il, l'air étonnamment résigné, soudain.

— Il ne s'agit pas de gagner. Je veux juste qu'on me laisse tranquille, repartit-elle.

C'était la vérité, elle était lasse d'être une victime. Elle voulait retrouver sa vie.

Sa normalité.

Sal secoua la tête. Un sourire froid surgit sur ses lèvres.

— C'est trop tard pour vous aussi, lâcha-t-il. Vous êtes mouillée jusqu'au cou. Vous ne fuirez jamais assez loin !

— Mais enfin, pourquoi ? s'exclama-t-elle. Ce n'était que des photos ! Pourquoi ne pouvez-vous les oublier et me laisser en paix ? Je n'ai rien demandé. Ce n'est pas moi qui les ai prises. Je ne suis pas responsable !

— Vous ne comprenez toujours pas, hein ?

Du coin de l'œil, Fiona vit une voiture de police entrer sur le parking et se garer.

Reportant les yeux sur Sal, elle le vit soudain courir dans la direction opposée, pour regagner ses bureaux.

Il a vraiment complètement perdu la tête, se dit-elle au souvenir de ses étranges paroles en le voyant entrer dans l'immeuble.

Fiona posa l'arme sur le sol alors que le policier approchait.

— Il est parti par là, lui annonça-t-elle. Moi, je vais bien.

Le policier, la gratifiant d'un signe de tête, s'élança à la poursuite de Sal. Sur ces entrefaites, une autre voiture de patrouille arriva sur le parking. Les gyrophares jetaient des lueurs si intenses que Fiona détourna les yeux. Soudain à bout de force, elle se laissa tomber à terre. Sa réserve d'adrénaline épuisée, elle était rattrapée par l'horreur de tout ce qu'elle avait eu à subir dernièrement. La douleur dans ses côtes se rappela à elle plus violemment, et les larmes lui montèrent aux yeux.

Elle aurait dû se réjouir d'être enfin libre, mais elle se sentait amère et mal à l'aise. Les dernières paroles de Sal la laissaient en effet perplexe. Elle se les répéta pour leur donner un sens.

« Vous ne comprenez toujours pas, hein ? »

Comprendre quoi ? Il voulait récupérer ses photos, elle ne les avait pas, elle ne s'y était même jamais intéressée. Où était le problème ?

Quelqu'un s'agenouilla devant elle et lui parla. Mais Fiona

était trop accaparée par ses pensées et recroquevillée sur sa douleur pour y prêter attention. Elle secoua la tête d'un air absent, comme pour se débarrasser d'un moucheron gênant. Elle s'obstinait toujours à chercher un sens aux insinuations de Sal.

De nouveau, on lui adressa la parole, cette fois avec une plus grande insistance. Puis on posa une main sur son épaule. D'instinct, Fiona recula. Ce mouvement provoqua une terrible douleur dans ses côtes.

La voix de Nate lui parvint enfin.

— Il t'a blessée ?

Son visage inquiet et tendu apparut dans son champ de vision.

Elle le dévisagea, soulagée. Et, pour la première fois depuis ces dernières heures, se détendit un peu.

Mais comment l'avait-il retrouvée ?

Elle se rendit compte qu'elle lui avait posé la question en entendant sa réponse.

— C'est grâce à la réceptionniste de Sal : elle m'a contacté. C'est une longue histoire.

Il fut interrompu par un échange de coups de feu.

Nate se mit à plat ventre et la recouvrit de tout son corps. Sous la pression, Fiona sentit la douleur dans ses côtes se raviver, et gémit. Il s'écarta pour la soulager de son poids et elle respira mieux.

Au bout d'un moment, la voix du policier qui avait suivi Sal s'éleva :

— Vous pouvez venir, il n'y a plus aucun risque.

Nate se releva.

— Nous devons te conduire à l'hôpital, dit-il, l'observant avec inquiétude.

Incapable de parler, Fiona acquiesça d'un signe de tête.

Nate l'aida à se relever. Lorsqu'elle vit l'arme de Sal sur le gravier, Fiona se figea, effleurée par une terrible pensée. Elle l'avait touchée, donc l'empreinte de ses doigts s'y trouvait. On la soupçonnerait d'avoir tué Joey. Cette pensée lui donna la nausée et lui arracha un frisson d'horreur.

— Sal a tué Joey..., balbutia-t-elle, en montrant l'arme.

Nate opina, et fit signe à un policier de la ramasser.

— Tu me raconteras ce qui s'est passé une fois que tu auras été soignée.

Il voulut l'entraîner, mais Fiona résista. Elle devait lui relater les événements maintenant, avant qu'ils ne quittent la scène de crime et que des détails cruciaux ne lui échappent.

— Tu ne comprends pas, Nate : j'ai touché cette arme ! Je l'ai prise à Sal, je l'ai menacé, et c'est pourquoi il a fui. Mes empreintes sont dessus, mais je te jure que ce n'est pas moi qui ai tué Joey !

La panique lui fit crier ces derniers mots, et, consciente de son agitation, elle s'efforça de se maîtriser. Mais la pensée d'aller en prison pour un crime qu'elle n'avait pas commis l'obsédait.

— Je sais que tu n'as tué personne, dit-il doucement, lui replaçant une mèche derrière l'oreille. L'enquête prouvera que c'est Sal. Ne t'inquiète pas.

Il passa son bras autour de ses épaules, et ils se dirigèrent ainsi enlacés vers l'ambulance.

— Pour le moment, je veux que les médecins t'examinent, conclut Nate.

Fiona, à moitié tranquillisée, opina. Les dernières paroles de Sal continuaient de résonner à ses oreilles, mais elle ne réussissait plus à se concentrer dessus. Elle souffrait trop et s'en remettait entièrement à Nate. Par sa seule présence, il réussissait à l'apaiser et à la faire se sentir en sécurité, et elle lui en fut infiniment reconnaissante après les horribles moments que lui avaient fait vivre ses tortionnaires.

Elle leva les yeux subrepticement sur Nate et remarqua ses traits tirés.

— Tu n'as pas l'air non plus au mieux de ta forme, murmura-t-elle.

Il lui sourit.

— Maintenant que je t'ai retrouvée, je vais bien, dit-il doucement.

Une joie timide la traversa, mais déjà ils arrivaient à l'ambulance, où les urgentistes la prirent en charge. L'un des policiers s'approcha peu après de Nate et lui glissa quelques mots à l'oreille. Nate fronça aussitôt les sourcils et se rembrunit.

Qu'avait-il appris ? se demanda Fiona, cherchant à lire sur son visage. Mais il resta de marbre, et ne la lâcha pas des yeux tout le temps que les urgentistes procédèrent aux premiers examens. Elle leur montra ses côtes, où Sal l'avait frappée, et remarqua que Nate serrait les poings.

— Il vaut mieux passer des radios, conclut l'un des urgentistes. Il y a d'autres blessés ? demanda-t-il ensuite à Nate.

— Non.

L'urgentiste leva un sourcil.

— Ah bon ? J'ai pourtant cru entendre un échange de coups de feu.

— Effectivement, expliqua Nate d'un ton neutre. Mais il n'y a plus rien à faire. Le suspect s'est suicidé.

Qui ? Sal ? Fiona se pétrifia. Comment allait-elle comprendre ses étranges insinuations, désormais ? Elle avait espéré que l'arrestation et l'interrogatoire de ce dernier les lui expliqueraient. Mais maintenant qu'il était mort, elle n'avait plus aucun moyen de savoir.

En définitive était-ce si important ? Elle était saine et sauve, alors à quoi bon s'inquiéter d'une remarque sibylline ? Et cependant, elle restait tourmentée. Son instinct lui soufflait que, conformément aux prédictions de Sal, ce n'était pas fini.

Nate remarqua sa détresse et sa perplexité. Il s'approcha et serra sa main.

— Que se passe-t-il, Fiona ? Tu souffres ?

Fiona secoua la tête.

— Non, ce n'est pas ça… Je ne comprends pas pourquoi Sal a mis fin à ses jours…

Nate haussa les épaules.

— En vérité, cela ne m'intéresse pas. Tout ce qui m'importe, c'est que tu sois saine et sauve.

— Mais, tout de même, tu ne trouves pas que c'est bizarre ? insista-t-elle, le retenant tandis que les médecins faisaient rouler son brancard dans l'ambulance.

Nate les suivit, monta aussi et s'assit à ses côtés.

— Peut-être redoutait-il la prison ? Il a décidé qu'il ne pourrait pas le supporter.

L'explication de Nate était sensée, mais elle ne correspondait pas à l'impression qu'elle s'était faite de Sal.

— Non. Ce n'était pas le genre d'homme à avoir peur ! insista-t-elle. De plus, je suis prête à parier qu'il avait le meilleur avocat de Houston.

— Que se passe-t-il, Fiona ? s'enquit Nate. Il a dit quelque chose d'inquiétant ?

— Oui… Avant de prendre la fuite, il m'a annoncé que moi aussi j'étais mouillée jusqu'au cou, que je ne fuirais jamais assez loin ! C'est inquiétant, non ?

Il fronça les sourcils, pensif.

— Il aura voulu te faire peur.

Fiona secoua la tête.

— Pourquoi ? A quoi bon ? Ça n'a pas de sens !

Un cahot de l'ambulance l'interrompit et lui arracha une grimace de douleur.

Nate lui serra la main et se pencha sur elle, anxieux.

— Nous en parlerons une fois que tu auras passé des radios, d'accord ?

Elle acquiesça d'un signe de tête, émue de sa sollicitude.

Autrefois, seule sa mère s'inquiétait pour elle et même si, à l'époque, Fiona songeait que ses craintes étaient irrationnelles, avec le recul, elle les interprétait comme l'expression la plus pure de l'amour maternel. Mais depuis la mort de sa mère plus personne ne s'inquiétait pour elle… Et de nouveau, elle se dit qu'elle était seule depuis trop longtemps. Ces derniers jours avec Nate lui avaient bel et bien fait découvrir l'ampleur de sa solitude. Elle voulait être étreinte, embrassée et aimée. Elle voulait que l'on s'inquiète pour elle.

Il leva sa main et la baisa ardemment.

— On est presque arrivés, murmura-t-il.

Mais Nate était-il prêt à s'engager ? A l'aimer ? A fonder une famille ? Elle était amoureuse de lui, mais elle ne pourrait s'investir avec un homme qui ne partageait pas ses rêves.

Même si Nate incarnait l'homme de ses rêves.

— Vous avez de la chance, cela aurait pu être pire, confia le médecin en brandissant la radio devant ses yeux. Vous avez deux côtes froissées et nombre d'hématomes dans la zone contusionnée.

— Combien de temps avant la guérison ? interrogea Nate.

— Environ six semaines.

Le médecin se tourna de nouveau vers elle.

— Je vais vous prescrire des médicaments contre la douleur. Et j'aimerais que vous toussiez ou respiriez profondément aussi souvent que possible.

Face à sa surprise, il ajouta :

— Une respiration restreinte peut entraîner des complications, comme la pneumonie. Je termine la rédaction de mon rapport, et je vous envoie une infirmière avec une poche de glace et des analgésiques. Ensuite, vous pourrez rentrer chez vous.

Lorsqu'ils furent seuls, Nate s'assit à son chevet. Tête baissée, l'air abattu et tendu, il fixa ses mains.

— Tout va bien ? lui demanda-t-elle, intriguée par son abattement.

Il releva la tête. Son regard lui sembla plus profond et plus vert que jamais.

— Je te demande pardon…, murmura-t-il. Cela n'aurait jamais dû arriver… J'aurais dû être plus vigilant.

Il lui serra la main.

— C'est ma faute…

— Nate, je t'en supplie… Ne t'accable pas de reproches. Tu ne pouvais pas savoir que Joey m'attendait chez moi. Et puis, si tu avais été présent, la situation aurait sans doute dégénéré…

— Mais, moi présent, il ne t'aurait pas enlevée !

— Peut-être. Ou peut-être pas… Mais il aurait pu te blesser, ou te tuer. C'est impossible de le savoir !

Elle hocha la tête.

— Ce qui est fait est fait, Nate. Il faut l'accepter, et passer à autre chose… Telle est mon intention, en tous les cas.

Elle n'avait d'autre choix, si elle voulait continuer à vivre. Elle ne pouvait s'appesantir sur le passé, sur le traumatisme et les épreuves. Elle devait se ressaisir, finir sa thèse et penser à sa carrière. Rien n'était plus motivant et énergisant que de songer à l'avenir.

Nate lui sourit.

— C'est précisément ce que m'a dit mon père !

Fiona, étonnée, leva les sourcils.

— Tu lui as parlé ?

Hier soir, Nate refusait de parler à sa mère. Qu'est-ce qui l'avait décidé à sauter le pas ?

Nate soupira.

— J'ai appelé mes parents… J'étais mort d'inquiétude à ton sujet. Je ne savais plus vers qui me tourner.

Fiona déglutit pour déloger la grosse boule qui, tout à coup, obstruait sa gorge.

— Tu leur as parlé longtemps ?

— Assez, oui… J'avais vraiment besoin de les entendre. Bizarre, non ?

— Non, pas du tout, ça me semble plutôt normal au

contraire, dit-elle doucement. Je suis si heureuse que tu aies renoué avec eux.

Nate haussa les épaules.

— Ma mère est encore fâchée que j'aie manqué Thanksgiving, mais elle a été ravie que j'appelle. Mon père semble avoir compris mes raisons, après que je les lui ai expliquées.

— C'est un bon début. Ta mère finira aussi par les comprendre.

— Peut-être, oui.

Il leva sur elle un regard vulnérable et touchant.

— Tu aimerais faire leur connaissance ? reprit-il au bout d'un instant.

— Tu veux que je rencontre tes parents ? demanda-t-elle, le souffle court.

C'était une preuve de réelle affection et de confiance, d'autant que Nate entretenait avec ces derniers des rapports complexes. Et en lui faisant cette proposition, il leur reconnaissait une place dans sa vie. Et il lui reconnaissait une place dans la sienne…

Une histoire s'ébauchait-elle entre eux ? Elle n'osait encore y croire, mais elle était prête à partager quelque chose avec lui.

— Oui, Fiona. Tu vas adorer ma sœur. Et mes parents aussi. Ils feront de leur mieux pour que tu sois la bienvenue.

Il la dévisagea pendant un moment, puis il ajouta doucement :

— Je sais que tu te sens seule depuis la mort de ta mère.

Ces derniers mots la frappèrent.

Elle s'était certes ouverte à lui, mais il avait su l'écouter et la regarder, et l'attention était une qualité rare. Tous deux avaient également vite dépassé l'étape des banalités pour avoir d'emblée des relations authentiques. Enfin, ils avaient passé presque tout leur temps ensemble au cours de ces deux derniers jours.

Ils devaient en remercier les circonstances. Sans l'agression dans l'épicerie, ils n'auraient toujours pas fait connaissance. *Décidément, à quelque chose malheur est bon*, médita Fiona.

— Je serai ravie de faire la connaissance de tes parents et de ta sœur, dit-elle enfin.

Il sourit, l'air soulagé.

— Parfait. Une fois que cette enquête sera bouclée, j'organise cette première rencontre. Tu pourras me protéger de ma mère : elle n'osera pas m'étrangler en ta présence !

Peu après, une infirmière entra avec des papiers administratifs, des analgésiques et une poche de glace. Nate se leva.

— Je vais appeler Owen. Une fois que nous aurons pris ta déposition, cette histoire appartiendra au passé, et nous irons de l'avant. Ensemble. D'accord ?

Elle sourit, le cœur battant de joie à ce programme séduisant.

Fiona répondit distraitement aux questions de l'infirmière, tout émue qu'elle était par les derniers mots de Nate.

« Nous irons de l'avant. Ensemble. »

14

Ayant laissé sa voiture dans le parking des bureaux de Sal, Nate avait demandé à Owen de passer les prendre à l'hôpital.

A son arrivée, Owen l'aida à installer Fiona, encore très pâle et qui se déplaçait avec précaution, dans sa voiture. Ensuite, il adressa un regard perplexe à son équipier, en lui faisant comprendre qu'il souhaitait un aparté avec lui.

— Je ne suis pas encore au courant de tous les détails, lui confia Nate à voix basse. J'ai demandé à Fiona d'attendre d'être au poste avant de nous en faire le récit, afin qu'elle n'ait pas à se répéter cent fois.

— J'ai bien peur qu'elle n'y soit obligée. C'est la procédure quand on est témoin dans une affaire.

— Je sais bien, mais en l'occurrence son ravisseur est mort. Big Sal aussi. L'enquête conclura évidemment qu'elle n'a pas tué Joey et Sal, mais je voulais lui donner une chance de se ressaisir avant d'aborder la phase purement administrative de l'enquête.

— En d'autres termes, tu veux la protéger ? résuma Owen, l'air amusé.

— C'est bien le moins que je puisse faire puisqu'elle a été enlevée sous mes yeux à cause de mon manque de vigilance ! s'exclama Nate avec feu.

Il rougit. Fiona ne lui avait adressé aucun reproche, mais lui mettrait longtemps à oublier son sentiment d'échec quand il avait découvert qu'elle avait été enlevée presque à sa barbe !

— Du calme, Nate ! Je n'avais pas l'intention de t'accuser. Je sais ce qu'on ressent quand la femme de sa vie est en danger. Il n'y a rien de pire.

Nate soupira pour seule réponse.

— On y va ! conclut Owen en lui donnant une tape amicale dans le dos. Le plus tôt on en aura terminé, le plus vite Fiona reprendra le cours d'une vie normale.

Dix minutes plus tard, tous les trois s'installaient dans la salle d'interrogatoire du poste de police.

— Tu veux boire quelque chose ? demanda Nate une fois Fiona assise. Café ? Eau ? Soda ?

Elle hocha la tête avec un petit sourire.

— Non, merci. J'aimerais seulement en finir au plus vite… Il me tarde aussi de retrouver Slinky.

Nate hocha la tête en signe d'acquiescement. Il avait le cœur serré à l'idée de devoir entendre, de la bouche de la femme qu'il aimait, le récit de son enlèvement et de sa séquestration. De *ses* séquestrations, corrigea-t-il.

Il prit donc place, tendu, mais réussit à masquer ses émotions. Avec les épreuves que Fiona venait de subir, il ne voulait pas qu'elle se rende compte de son affliction et se sente obligée de le réconforter. Ç'aurait été un comble !

Ce fut principalement Owen qui posa les questions, ce dont Nate lui fut reconnaissant, car il aurait été incapable de le faire. De plus, il craignait que ses sentiments pour Fiona ne le rendent partial.

De toute façon, Owen était le champion des interrogatoires. Il était précis, sans jamais être intrusif, et Fiona ne s'embrouilla pas dans son récit des événements.

Elle venait de leur relater le dialogue houleux entre Joey et Sal quand on frappa. Le capitaine entra, suivi de deux hommes en costume anthracite et chemise blanche.

Des agents du FBI, à l'évidence. Nate échangea un regard surpris avec Owen.

— Nous avons un problème, commença le capitaine Rogers d'une voix basse et contrariée.

— Que se passe-t-il ? demanda Nate, se levant.

Le capitaine Rogers adressa un sourire d'excuse à Fiona.

— Désolé de cette interruption, mademoiselle Sanders.

Elle leva un regard déconcerté vers les nouveaux venus.

— Je vous en prie…

— Je vous présente l'agent Golightly, de la Sécurité intérieure, et l'agent Harmon, des stups, reprit-il, montrant les deux hommes tour à tour.

— C'est l'inverse, le corrigea l'un des deux. Je suis Harmon et lui, c'est Golightly.

Ce dernier prit la parole.

— Un policier de votre unité a chargé des photos dans un logiciel de reconnaissance faciale. L'un des individus sur les photos est connu de nos services : il est associé aux activités de La Muerte, l'un des plus importants et dangereux cartels de la drogue au Mexique.

Nate échangea un nouveau regard avec Owen. Quoi ? Big Sal était connu pour régner sur l'empire des paris truqués. Il aurait en plus passé un marché avec un cartel ?

— Cela n'explique pas la raison de votre présence ici, reprit Nate.

L'agent lui adressa un mince sourire.

— Nous sommes envoyés par le FBI, et nous devons interroger toutes les personnes liées de près ou de loin à cette affaire.

— Malheureusement, expliqua Nate, nous ne sommes pas nombreux à être au courant. Big Sal est mort. Quant à l'homme qui, dès le début, avait ces photos en sa possession…

— Il est mort aussi, conclut le capitaine Rogers.

Fiona poussa un cri de surprise. Nate posa une main rassurante sur son épaule.

— Quoi ? s'exclama Owen, incrédule. Comment est-ce possible ? J'ai quitté Ben Carter il y a moins d'une heure.

Le capitaine, très gêné, marmonna du bout des lèvres :

— On lui a donné un sandwich, et il est mort.

— Empoisonné ? demanda Nate, sceptique.

— L'autopsie nous le dira.

C'était pour le moins étrange.

Sal s'était suicidé sans raison apparente, Carter avait vraisemblablement été assassiné — dans les locaux mêmes de la police —, et maintenant, le FBI s'en mêlait.

Les deux agents ne parurent pas surpris d'apprendre qu'un autre témoin lié à l'affaire avait lui aussi trouvé la mort dans des circonstances mystérieuses.

— Ce n'est que le début…, insinua l'un d'eux.

— Le début de quoi ? demanda Nate, qui ressentait une antipathie spontanée envers ces deux individus arrogants qui parlaient par énigmes.

Ces derniers ne daignèrent pas répondre, et Nate sentit sa colère monter. Et s'il en croyait l'attitude hostile d'Owen, celui-ci se contenait aussi. Le moment était venu de reprendre le contrôle de la situation et de prouver aux hommes du FBI qu'ils ne faisaient pas la loi dans leur poste de police.

— Qui vous a mis sur la piste ? reprit-il. Big Sal régnait sur le monde des paris truqués, à Houston, mais il n'avait pas de liens connus avec le monde de la drogue.

Les deux agents échangèrent un regard, mais restèrent silencieux.

— Tu penses ce que je pense ? intervint Owen au même instant.

— Ils ne sont pas là pour Big Sal, repartit Nate.

— Exact : ils sont là à cause de la femme sur la photo.

— Car elle est le lien entre Big Sal et le cartel, enchaîna Nate.

Il observa les deux agents du FBI avec attention, et constata que ces derniers mots les avaient contrariés.

Owen l'avait lui aussi remarqué.

— Dites-nous ce que vous savez, reprit Owen, ainsi nous pourrons collaborer.

L'un des agents tourna les yeux dans la direction du capitaine Rogers, espérant sans doute qu'il joue de son autorité hiérarchique pour arbitrer le débat. Mais celui-ci resta de marbre. Les deux agents se consultèrent cette fois du regard, et semblèrent tomber d'accord.

L'un d'eux haussa les épaules.

— Très bien. Nous allons vous dire ce que nous savons.

Puis il tourna les yeux vers Fiona.

— Mais pas devant elle.

— Je ne suis pas d'accord ! protesta Nate. Quoi qu'il se passe, Fiona est concernée au premier chef. Elle a donc le droit de savoir.

Fiona lui sourit avec gratitude.

L'un des agents reporta son attention vers le capitaine Rogers. Celui-ci se tendit, mais acquiesça d'un signe de tête. Nate lui adressa un sourire reconnaissant, soulagé du soutien de son supérieur.

— Je vous en prie, messieurs, nous vous écoutons, déclara ce dernier.

— La femme de la photo s'appelle Isabella Cologne, commença un des agents à contrecœur. C'est la fille de Cesar Cologne, lequel gère les opérations de La Muerte au Mexique.

Et il se tut.

— Oui, et alors ? demanda Nate. Pourquoi faire tout un drame pour la fille d'un baron de la drogue ?

— Isabella Cologne n'est pas seulement sa fille, poursuivit l'un des agents. Elle est aussi l'un des membres les plus actifs du cartel. Elle recrute pour le compte de l'organisation.

— En clair ? intervint Owen.

— Elle identifie des alliés potentiels, leur propose de collaborer et de soutenir les intérêts de son père avec des contreparties intéressantes. Et elle emploie tous les arguments possibles…, dit-il, accentuant ces derniers mots.

— C'est-à-dire en usant de ses charmes, traduisit Nate. Un des plus vieux trucs du monde… Mais qui fonctionnait toujours.

Golightly acquiesça d'un signe de tête.

— Nous avons des raisons de penser que Big Sal avait récemment négocié avec Isabella Cologne, et accepté d'utiliser ses propres connexions et ressources afin de blanchir l'argent du cartel. En échange d'une influence accrue sur le monde des paris, cela va sans dire.

Owen siffIota doucement.

— Pas mal.

— Dans ces conditions, pourquoi Big Sal s'est-il suicidé ? intervint Fiona.

Cible de l'attention générale, elle rougit, toussota et reprit d'une voix cette fois plus forte :

— Si Big Sal avait conclu un arrangement aussi intéressant avec ce cartel, quelle raison avait-il de mettre fin à ses jours ? Cela n'a pas de sens…

— Pour ne pas avoir à répondre de l'existence de ces photos devant le syndicat du crime, déclara l'agent d'un ton sec. Celles-ci mettent en effet en évidence le lien de Sal avec Isabella Cologne, donc avec le cartel. L'organisation exige de ses membres une discrétion absolue.

Nate comprit avec horreur le sens de ces derniers mots. Il serra l'épaule de Fiona qui, surprise, sursauta.

— Si je comprends bien, dit-il, toutes les personnes ayant vu ces photos sont les cibles du cartel ?

— Oui. Je le crains, répondit Golightly…

Ce dernier continua à l'adresse de Fiona.

— Votre protection doit donc être assurée. En clair, je vous propose d'intégrer un programme de protection des témoins.

Fiona pâlit.

— Mais pourquoi ? Personne ne sait que j'ai vu ces photos.

Golightly secoua la tête, manifestement en désaccord avec elle.

— Fiona Sanders a raison, renchérit Nate. Elle n'a rien à voir avec ces photos. Ni avec les activités du cartel ou le monde du crime ! Dans ces conditions, pourquoi aurait-elle besoin de participer à un programme de protection des témoins ?

— C'est une question de temps avant qu'elle devienne une cible, objecta Golightly. L'identité de toutes les personnes ayant vu ces clichés sera bientôt connue, et le cartel les supprimera.

— Cela n'a pas de sens ! s'exclama Nate, cette fois confondu. Isabella Cologne prospecte et cherche des associés qui acceptent de s'allier à son père. Elle a sans doute déjà reçu des refus et échoué sans que personne ne perde la vie. De plus, du fait de la mort de Joey, de Big Sal et de Carter, il n'y aura pas de procès pour cette affaire. Fiona Sanders n'aura donc pas à témoigner devant la justice.

— De toute façon, je ne représente pas une menace ! renchérit cette dernière. Je ne vois pas en quoi je peux affecter ces individus et leurs activités. Pourquoi se focaliser sur moi ?

Golightly lui adressa un regard de compassion.

— Vous connaissez mal le milieu, madame. Ces individus sont indifférents aux considérations que vous émettez. Ils préfèrent éliminer toute menace potentielle. La vie n'a aucune valeur, à leurs yeux.

Nate vit Fiona lever les yeux vers lui, dans une prière muette.

Il y lut la peur. C'était trop injuste… Fiona était une victime dans cette affaire, plongée dans ce cauchemar du seul fait de l'inconséquence de son employeur. Ah, celui-là ! S'il avait pu l'étrangler de ses propres mains !

Des plans s'échafaudaient à toute allure dans son esprit pour épargner à Fiona une nouvelle épreuve. Et pour s'en épargner une à lui aussi. Maintenant qu'il l'avait retrouvée et qu'il s'était avoué qu'il l'aimait, il n'était pas question qu'on la lui enlève à jamais — même si c'était pour sa sécurité !

— Quelles sont les options ? demanda-t-il néanmoins. Pour nous tous ?

Golightly fronça les sourcils.

— Pour vous tous ? Que voulez-vous dire ?

— Parce que nous avons tous vu ces photos, ici. Du moins, le capitaine Rogers ici présent et mon collègue Owen Randall. Donc nous serions aussi la cible du cartel.

— Je ne suis autorisé à assurer la protection que d'une seule personne, déclara Golightly. Il va falloir que j'en réfère à mes supérieurs.

— Pourquoi ne pas le faire dès maintenant ? répondit Nate d'un ton qui indiquait clairement qu'il ne s'agissait pas d'une suggestion. Parce que, si c'est en mon pouvoir, Fiona Sanders n'ira nulle part toute seule.

Golightly lui lança un regard noir mais, sortant son portable, quitta la pièce.

Nate attendit que la porte se soit refermée derrière lui pour reprendre la parole :

— Je ne sais pas comment vous pouvez travailler avec cet individu ! dit-il sans détour à l'agent Harmon.

Ce dernier haussa les épaules.

— Je le connais mal. C'est la première fois que je le vois.

Sur ces entrefaites, Fiona se leva.

— Où sont les toilettes, s'il vous plaît ?

— Au bout du couloir, porte de droite, l'informa le capitaine Rogers.

Nate la retint.

— Tu veux que je t'accompagne ? murmura-t-il.

— Merci, mais ça ira. Un peu de solitude ne me fera pas de mal pour digérer tout cela…

— Prends ton temps… Nous ne bougeons pas d'ici.

Elle lui adressa un sourire reconnaissant, et sortit.

Nate se retourna vers Owen, qui s'était approché.

— Je me trompe ou je suis le seul à trouver la situation étrange ? demanda-t-il à voix basse.

— J'allais te poser la même question, figure-toi.

Abandonnant dans son coin l'agent Harmon qui, de toute façon, était concentré sur l'écran de son smartphone, le capitaine Rogers les rejoignit.

— Je n'aime pas ce qui se passe. J'ai un mauvais pressentiment, dit-il à son tour.

— C'est presque trop parfait, fit observer Nate. Les agents du FBI ont réponse à tout. Et cela ne coïncide pas avec ce que nous savons.

Owen opina.

— On nous dit que ce cartel mexicain serait sur le point d'intervenir sur notre territoire, pourtant nos informateurs ne nous ont encore rien signalé… Et on n'a pas enregistré de recrudescence s'agissant des crimes dont sont coutumiers ces cartels.

— A moins que celui-ci ne fasse volontairement profil bas pour ne pas attirer l'attention sur ses agissements, intervint le capitaine Rogers.

Nate haussa les épaules.

— Oui, c'est possible, dit-il. Ce qui m'étonne, c'est leur rapidité de réaction : j'ai mis la main sur ces photos ce matin, et ce soir, le cartel envisagerait de supprimer toutes les personnes qui les ont eues entre les mains ?

— Il n'y a qu'une explication : le cartel a sans doute infiltré la police de Houston, conclut Owen à voix basse. D'où la mort suspecte de Ben Carter. Que savez-vous de ces deux types du FBI, capitaine ?

Ce dernier secoua la tête.

— Pas grand-chose. J'ai contacté leur supérieur, au FBI, qui m'a confirmé leur venue. Mais je n'en sais pas davantage.

— Alors à nous de fouiller, proposa Nate.

— Voyons d'abord ce que va nous dire Golightly. Ensuite on avisera, déclara le capitaine.

Nate modérait difficilement son impatience. Il était soulagé toutefois de ne pas être le seul à trouver la situation étrange. Il avait au début pensé que la présence de Fiona altérait son jugement, mais le fait que le capitaine et Owen pensent comme lui validait ses soupçons et l'incitait à redoubler de méfiance.

Bientôt, ils en auraient le cœur net.

Fiona s'aspergea le visage d'eau froide, et s'efforça d'analyser la situation, mais la peur l'en empêchait.

Elle prit une grande inspiration et ferma les yeux. Après quelques minutes, son cœur battit moins fort, et plus calmement.

« C'est trop tard pour vous aussi. Vous êtes mouillée jusqu'au cou. » « Vous ne comprenez toujours pas ? »

Elle frémit, soudain. Les dernières paroles de Sal prenaient un sens à la lumière des révélations de Golightly. Le magnat des paris truqués avait eu conscience du danger qui le guettait, sinon il ne serait pas suicidé. Ainsi, il avait voulu la prévenir et non lui faire peur comme elle l'avait subodoré ?

Si elle n'avait pas réussi à se libérer, que se serait-il passé ? Sal l'aurait-il remise entre les mains du cartel, qui l'aurait utilisée comme monnaie d'échange pour récupérer des photographies déjà entre les mains de la police ? Cette pensée la fit trembler de plus belle. Big Sal aurait pu prétendre qu'elle était l'auteur de ces clichés pour s'exonérer. Joey était mort, et ne pouvait le contredire. Ben Carter, aussi. Elle n'aurait été qu'un pion…

— Heureusement, j'ai réussi à me libérer…, murmura-t-elle, mais sans pour autant se sentir en sécurité.

Si l'agent du FBI disait vrai, elle restait en effet une cible de choix. Et elle avait assez lu la presse pour savoir que les cartels mexicains n'étaient pas réputés pour leur mansuétude. Mais quelles étaient les chances que ses membres la retrouvent ? Houston comptait en effet deux millions d'habitants !

C'était impossible.

L'agent du FBI semblait pourtant s'inquiéter pour sa sécurité, pour sa vie, au point de lui proposer d'intégrer un programme de protection des témoins. Fiona s'y refusait. Si elle acceptait cette proposition, elle serait obligée de déménager et d'abandonner son passé, et sa vie.

Quelques semaines plus tôt, elle y aurait peut-être été indifférente, car elle vivait seule, n'avait pas d'amis et ne se consacrait qu'à sa thèse. Sans doute aurait-elle accepté d'être transférée dans une autre université pour poursuivre ses travaux de recherche. Mais maintenant que Nate était entré dans son existence, elle ne voulait pas quitter Houston. Après de si nombreuses années de solitude, elle voulait recommencer à vivre et à aimer, et était même impatiente de voir ce que l'avenir leur promettait.

Fiona se tapota le visage avec des feuilles d'essuie-mains. Elle était peut-être irrationnelle, mais elle préférait courir le risque de rencontrer les membres du cartel plutôt que se séparer de Nate.

Pourvu que Nate soit du même avis que moi ! Sinon, à quoi bon rester ici ?

Sa décision prise, Fiona décida de retourner dans la salle des interrogatoires.

Elle posait la main sur la poignée de la porte quand, au même moment, celle-ci se baissa. Quelqu'un entrait, et elle recula pour s'effacer mais se figea en voyant surgir l'un des agents du FBI. Golightly ?

— Mais… que faites-vous là ? bégaya-t-elle.

Avait-il pénétré par erreur dans les toilettes pour femmes ?

Ou l'y avait-il suivie pour mieux la convaincre d'adhérer au programme de protection des témoins ?

— Venez !

— Non.

Et elle secoua la tête avec fermeté.

— J'ai bien réfléchi, et je reste à Houston ! Je ne veux pas gâcher ma vie à cause d'un danger potentiel.

Elle passa devant lui, mais il lui saisit le bras et la retint.

— Non, lâcha-t-il.

Et, sur ces mots, il sortit une arme qu'il braqua sur elle. Surprise, elle le dévisagea et vit briller une lueur fanatique au fond de ses yeux. Un agent du FBI ? vraiment ?

— Avancez !

En dépit du danger, Fiona sentit la colère monter. Elle était lasse, furieuse qu'on lui dicte sa conduite sous la menace d'une arme. Puis, constatant que cet homme n'hésiterait pas à tirer, elle décida d'obéir.

Pour le moment.

— Qu'est-ce que vous voulez ? demanda-t-elle d'une voix forte, dans l'espoir qu'on l'entendrait.

Comme elle regrettait d'avoir décliné la proposition de Nate de l'accompagner aux toilettes.

— Nous allons faire une petite balade. Et si vous me causez le moindre ennui…

D'un coup dans le dos, il la pressa d'avancer.

— … j'en finirai avec votre petit ami !

Fiona, qui réfléchissait au moyen de se précipiter dans la salle des interrogatoires, se figea.

Nul doute que cet individu sans scrupules mettrait sa menace à exécution. Nate n'aurait aucune chance de riposter, et mourrait. Owen et le capitaine Rogers aussi. Et même si elle était absolument terrifiée et n'avait d'autre désir que d'avertir Nate de ce nouveau danger, elle ne voulait pas être la cause d'un drame supplémentaire.

— Je ne ferai rien…, murmura-t-elle d'une voix étranglée.

Pas ici, du moins.

Elle ne pouvait risquer la sécurité de Nate ni celle des autres policiers. Mieux valait suivre docilement ce triste sire, en évitant tout épanchement de sang.

Mais elle trouverait un moyen de fuir, plus tard.

Elle se le jura.

15

— Golightly est bien long pour passer un simple coup de téléphone à ses supérieurs, s'impatienta Nate.

— Ça ne fait que quelques minutes qu'il est sorti, répliqua Owen.

Certes, mais Nate avait de plus en plus de mal à se contenir parce que la sécurité de Fiona était en jeu et que la situation demeurait ambiguë et incompréhensible.

A cet instant, on frappa. La porte s'ouvrit sur un homme entre deux âges en costume sombre. Nate échangea un regard surpris avec Owen. Qui était cet individu ?

Le nouveau venu regarda tout autour de lui.

— Je suis désolé d'être en retard.

— Mais qui êtes-vous ? demanda Nate, pris d'un sombre pressentiment.

L'homme fronça les sourcils.

— Bill Golightly, de la Sécurité intérieure. Mon supérieur a dû vous avertir de ma visite, non ?

— Bill Golightly ? répéta Owen, sidéré.

— Oui.

L'agent sortit sa carte professionnelle de sa poche.

— Mais dans ce cas… qui est l'autre homme ? s'enquit le capitaine Rogers.

Nate comprit la situation en un clin d'œil. L'individu qui se faisait passer pour Golightly était un envoyé du cartel. Pour enlever les témoins gênants.

Face aux réticences de Fiona d'intégrer le prétendu

programme de protection des témoins, cet espion avait trouvé le prétexte d'un appel téléphonique pour quitter la pièce et fomenter un nouveau plan avec ses complices. *Aïe !* Il avait sans doute vu Fiona se rendre aux toilettes. L'y avait-il suivie ?

Nate se précipita dans le couloir, laissant ses collègues tirer la situation au clair avec le vrai Golightly. Il ne vit pas l'homme qui s'était fait passer pour ce dernier, et n'en fut pas surpris. Prenant une grande inspiration, il ouvrit la porte des toilettes pour femmes, puis regarda à l'intérieur. Personne. Il vérifia ensuite chaque cabine de W-C. Il fit de même dans les toilettes pour hommes. Rien non plus.

L'envoyé du cartel avait enlevé Fiona. Pour la conduire où ?

Dans le parking.

Telle était évidemment leur première destination : ensuite, l'individu la conduirait loin de Houston.

Nate sortit en courant des toilettes et croisa Owen dans le couloir.

— Le parking ! l'informa-t-il d'un ton bref.

Owen lui emboîta le pas. Ils ouvrirent les portes qui donnaient sur le parking avec une telle force qu'elles heurtèrent le mur avec un bruit de détonation. Et maintenant, comment procéder ? Le parking du poste de police était en effet immense, et le temps manquait pour passer chaque voiture en revue.

Par chance, la voix de Fiona, quoique lointaine et affaiblie, se fit entendre, et Nate faillit crier de soulagement.

— Lâchez-moi ! perçut-il très nettement.

Il lança un regard vers Owen qui acquiesça. Lui aussi, il avait entendu. Il n'avait donc pas rêvé.

Continue de parler, intima-t-il en silence à la jeune femme. Il s'avança prudemment, espérant avoir pris la bonne direction. C'était difficile d'en être sûr, car l'écho avait pu le tromper.

— Je ferai comme si je n'avais jamais vu ces photos, reprit-elle d'une voix plus forte.

Nate sut avec certitude qu'il se dirigeait vers la bonne direction. Son cœur battit plus fort alors que l'adrénaline fusait dans ses veines.

Il se rapprochait encore quand Owen posa sa main sur son bras. Il s'arrêta, et son équipier lui indiqua, avec des gestes, qu'ils devaient se séparer pour prendre l'individu en tenaille. Nate acquiesça, et se remit à avancer. Il percevait de mieux en mieux la voix de Fiona, et sut bientôt où elle se trouvait exactement. Il ne s'arrêterait que lorsqu'elle serait enfin en sécurité dans ses bras !

Là où était sa place.

— La ferme ! ordonna le faux Golightly.

Fiona poussa un gémissement étouffé. Nate se figea. L'avait-il frappée ?

— Inutile de me faire du mal, cela ne me fera pas marcher plus vite, lui lança-elle d'un air de défi aussitôt après.

Nate ne put cette fois s'empêcher de sourire, la reconnaissant bien là.

Courageuse. Telle était la femme qu'il aimait.

Il tremblait à l'idée de la perdre. Il n'avait même pas eu le temps de lui apprendre quels étaient ses sentiments pour elle…

— Plus vite ! reprit l'homme.

— Non !

Des bruits de lutte lui parvinrent. Fiona, à l'évidence, se débattait.

— Je ne monterai pas dans cette voiture !

— Vous n'avez pas le choix !

— Si ! déclara Fiona avec obstination. Si vous voulez me tuer, tuez-moi maintenant ! Ça m'est égal !

— Ce n'est pas l'endroit.

L'envoyé du cartel semblait déconcerté par l'aplomb de Fiona.

— Ne comptez pas sur moi pour vous faciliter la tâche ! riposta cette dernière, qui paraissait gagner en assurance malgré le danger.

Nate continuait de s'approcher à pas de loup, retenant son souffle comme son inquiétude grandissait. S'il admirait Fiona d'oser défier un criminel, il ne fallait pas non plus qu'elle le pousse à bout. Sinon, elle le paierait de sa vie.

Un bip imperceptible lui parvint. L'homme avait dû déverrouiller les portières d'une voiture à distance.

— Montez ! l'entendit-il vociférer.

— Non !

Un nouveau cri de douleur ponctua le refus d'obtempérer de Fiona. Cette fois Nate n'y tint plus. Il voulait agir sans plus tarder.

Sans vérifier quelle était la position d'Owen, il parcourut tête baissée les derniers mètres qui le séparaient de la jeune femme et de son ravisseur. Alors il vit avec horreur ce dernier lever le poing et frapper Fiona dans les côtes pour la faire entrer de force à l'arrière du véhicule.

Fiona poussa un cri aigu et s'effondra. Nate attendit une seconde de plus que son ravisseur ait refermé la portière et que Fiona soit hors d'atteinte lors d'un éventuel échange de coups de feu pour intervenir.

— Ne bougez plus ! s'écria-t-il en s'avançant, son arme braquée devant lui.

L'individu sursauta, surpris. Il se rua sur la portière conducteur, mais Owen surgit de la direction opposée, son arme également braquée sur l'homme.

— Plus un geste ! s'écria-t-il.

L'envoyé du cartel, immobile, les regarda tour à tour, comme s'il cherchait à évaluer qui, des deux policiers, représentait la plus grande menace pour lui.

Manifestement, son choix se porta sur lui, Nate, car il lui fit face.

— C’est terminé, lui dit alors Nate, s’efforçant de parler avec calme.

Il devait garder son sang-froid, pour l’arrêter et ensuite le déférer pour qu’il soit jugé. Cet individu était un criminel qui devait être remis à la justice.

En même temps, il le revoyait en train de rudoyer Fiona, et se contenait pour ne pas tirer sur lui sans sommation. Mais ce geste aurait des conséquences incalculables. Il serait en effet arrêté, et son rêve de vie commune avec Fiona serait irrémédiablement brisé.

En définitive, son expérience et son bon sens l’emportèrent sur le désir de vengeance.

— C’est moi qui décide ! répondit l’envoyé du cartel, qui semblait de plus en plus agité, donc imprévisible.

— Calmez-vous, tout ira bien si vous m’écoutez, reprit Nate, s’avançant avec prudence.

Son arme toujours braquée, il regardait l’homme dans le blanc des yeux.

Nate savait que, s’il y avait un échange de coups de feu, Owen le couvrirait. Mais l’homme était encore trop près de Fiona et pourrait se servir d’elle comme d’un bouclier. Tant qu’il subsisterait le moindre risque, il ne prendrait aucune initiative hasardeuse.

— Posez votre arme, nous allons parler.

Mais l’homme lui adressa un regard incrédule.

— Vous me prenez pour un imbécile ?

Nate secoua la tête.

— Comment vous appelez-vous ?

Pendant ce temps, Owen se rapprochait.

Nate décida de continuer à distraire le criminel, pour permettre à Owen de parvenir jusqu’à Fiona et la mettre en sécurité. Aussi concentra-t-il son attention sur l’homme, et non sur la progression d’Owen afin de ne pas trahir la manœuvre de ce dernier.

— Non, répondit l’homme en secouant fermement la tête.

— Non ?

— Je ne jouerai pas à votre petit jeu stupide.

Nate fronça les sourcils.

— Il n'est pas question de jouer. Je veux simplement vous aider.

L'homme laissa échapper un rire sans joie.

— Non. Vous voulez que je vous dise mon nom, pour donner un tour personnel à cette conversation. Ensuite, vous m'inciterez à parler de mes amis, de ma famille et de ma vie. De là, vous essaierez de me convaincre que, si je refuse de collaborer, je ne les reverrai jamais. Vous voulez seulement que je me rende afin que vous puissiez vous féliciter d'avoir accompli votre mission.

Nate cilla. L'individu était perspicace !

— Et surtout, conclut l'homme, vous cherchez à me distraire pour que je ne réalise pas que votre équipier est dans mon dos et se rapproche pour sauver l'otage.

Et à ces mots, il sortit une seconde arme et recula pour les avoir, lui et Owen, dans sa ligne de mire.

Nate se maudit. Et il put pratiquement entendre Owen grincer des dents.

L'envoyé du cartel sourit avec arrogance.

— Vous voyez, nous sommes dans une impasse, lâcha-t-il.

Nate adressa un signe imperceptible à son équipier.

— Je ne crois pas. Nous sommes deux, vous êtes seul. C'est donc nous qui avons l'avantage.

— Non.

L'homme continuait de sourire, mais il recula encore, signe qu'il n'en était pas aussi convaincu.

— Ma vie ne vaut rien, reprit-il. Et je préfère mourir sous vos balles que de subir la vengeance du cartel si j'échoue à remplir ma mission.

Il rit doucement. Nate frémit en avisant la lueur fanatique qui dansait dans ses yeux.

— Mon seul but, c'est de supprimer l'otage. Et vous ne m'en empêcherez pas.

Fiona bougeait le moins possible pour éviter d'avoir mal à ses côtes contusionnées, et aussi pour se concentrer sur ce qui se passait à l'extérieur.

Nate était là !

Elle avait entendu sa voix dès que son ravisseur avait claqué la portière de la voiture sur elle. Dès lors, elle n'avait eu d'autre désir que de la rouvrir pour se précipiter dans les bras de Nate. Cependant non seulement elle souffrait horriblement dès qu'elle faisait le moindre mouvement, mais surtout elle devait se montrer prudente.

Son ravisseur prit de nouveau la parole, et elle comprit, au ton de sa voix, plus ferme, qu'il croyait avoir l'avantage. Alors Fiona se leva doucement pour glisser un regard par la vitre de la portière. Son ravisseur lui tournait le dos, c'est Nate qui lui faisait face. Elle ne vit personne d'autre, mais si elle en croyait la posture de son ravisseur, qui braquait maintenant deux armes, il y avait quelqu'un, non loin. Un autre policier ?

Elle réfléchit à la marge de manœuvre qui était la sienne. Peut-être pourrait-elle, en ouvrant la portière, déséquilibrer ce faux agent du FBI, ce qui permettrait à Nate de prendre définitivement l'avantage. Encore faudrait-il que son ravisseur recule suffisamment pour que l'impact de la portière dans son dos soit le plus violent possible.

Fiona était tellement concentrée sur son plan qu'elle perdit un moment le fil des échanges entre Nate et son ravisseur. C'est alors que les mots « supprimer l'otage » parvinrent à sa conscience, et elle se sentit frémir de peur.

Elle s'était imaginé que la présence de Nate garantissait sa sécurité, et que la reddition de son ravisseur était imminente ; or ce dernier semblait résolu à aller jusqu'au bout, quelle qu'en soit l'issue pour lui.

La peur en elle céda soudain la place à la colère et lui fit oublier qu'elle avait mal. Elle refusait de mourir maintenant, à quelques pas de l'homme qu'elle aimait.

Non !

Fais-le reculer, exhorta-t-elle Nate en silence.

— Moi vivant, vous ne toucherez pas à un seul de ses cheveux ! reprit ce dernier d'une voix déterminée.

Emue, Fiona sourit malgré elle mais, aussitôt après, eut envie de pleurer. Ce n'était pas le moment ! Elle ne devait pas laisser sa chance passer.

— Vous agissez comme si vous aviez le choix, continua le faux agent avec arrogance.

Hélas, il ne reculait toujours pas…

— Rien ne m'empêche en effet de vous tirer dessus, riposta Nate.

Il avait parlé avec calme, mais Fiona perçut sa tension.

Non, Nate. Ne tire surtout pas ! le supplia-t-elle en pensée.

Son cœur se mit à battre avec violence. Le destin de son ravisseur lui était complètement indifférent, mais pas celui de Nate. S'il tirait de sang-froid, il ne se le pardonnerait jamais. Elle lui était bien sûr reconnaissante de vouloir faire passer sa sécurité avant tout, mais elle ne voulait pas qu'il se mette en faute à cause d'elle.

— Vous ne tirerez pas…, objecta l'homme, moqueur. Sinon, vous pourrez dire adieu à votre carrière dans la police. Vous le savez, je le sais.

Une autre voix s'éleva. Owen ?

— Vous menacez deux officiers de police de votre arme. Nous avons le doit de nous protéger mutuellement si nécessaire.

— Alors tirez ! Mais vous ne le ferez pas. Vous voulez me capturer vivant pour m'interroger. M'arracher des aveux sur mes liens et mes activités avec le cartel. Mais je ne vous dirai rien.

Après un silence, Nate reprit :

— Je n'en serais pas aussi sûr à votre place…

Fiona entendit un bruit étouffé, et se dit que Nate, peut-être, s'était approché. Quoi qu'il en soit, l'homme, par réflexe, recula. Enfin !

C'était le moment ou jamais !

Fiona ouvrit la portière de toutes ses forces, et le faux agent, heurté de plein fouet dans le dos, perdit l'équilibre. Mais elle n'eut pas le temps de savourer sa prouesse, car un échange de coups de feu s'ensuivit aussitôt.

16

Sous cet impact inattendu, le ravisseur de Fiona fut projeté en avant. Nate, bousculé à son tour par ce dernier, tomba lourdement sur le capot de la voiture d'à côté.

Un moment abasourdi, il comprit aussitôt ce qui s'était produit : Fiona avait attendu que le criminel soit dos à la portière pour la pousser contre lui et ainsi le déséquilibrer. Bien que stupéfié par son audace, il aurait préféré qu'elle patiente encore un peu.

Sa manœuvre avait en effet introduit une inconnue, un effet de surprise qui pouvait lui être fatal. Et ce qu'il craignait arriva.

Le ravisseur fit volte-face et braqua son arme sur Fiona.

— Non. Ne tirez pas ! hurla Nate de toute la force de ses poumons.

Pendant de trop longues secondes, l'homme ne parut pas l'entendre et, le visage décomposé par la colère, fixait Fiona sans que sa main tremble. Le temps parut se ralentir, s'étirer, tandis que Nate cherchait un moyen de le désarmer sans que la jeune femme ne coure de danger.

L'homme fit de nouveau volte-face, cette fois pour braquer son arme sur lui. A l'évidence, il se délectait de la situation, constata Nate qui banda ses muscles. Le criminel visa. Et tira. Nate, immobile, se raidit et ferma les yeux tandis que, simultanément, un deuxième coup de feu s'élevait derrière lui. C'était Owen qui ripostait.

Le silence retomba. Et Nate, tremblant, ouvrit lentement

les yeux, apparemment surpris de ne pas avoir été touché ; le ravisseur de Fiona l'avait été au bras, en revanche.

Ce dernier le regardait avec sidération. Eh oui, il n'était pas le seul à avoir l'esprit de sacrifice… S'il en avait eu le temps et l'envie, Nate lui aurait expliqué que lui aussi avait été prêt à mourir pour sa propre cause.

Une cause autrement plus honorable : pour que la femme de sa vie ne soit plus dans la ligne de mire d'un tueur.

Sans laisser à ce dernier le temps de se ressaisir, il se jeta sur lui et, avec l'aide d'Owen, le neutralisa sans mal.

Et quand il fut certain que tout danger était désormais écarté, il leva les yeux sur Fiona qui, pâle et le regard élargi, la chevelure en désordre, le fixait avec appréhension. Un hématome marquait sa tempe.

Mais elle était plus belle que jamais.

Il croisa son regard et y lut le reflet de son soulagement, et aussi autre chose d'indéfinissable… Il s'approcha, prêt à la serrer dans ses bras. Puis il se souvint de ses côtes blessées et contint son élan. Mais Fiona, sans s'en soucier, se jeta contre lui.

— J'ai vécu les pires minutes de ma vie, murmura-t-il dans ses cheveux.

— Moi aussi…

— Mais tu es là.

— Oui, je suis là.

Et jamais plus il ne la laisserait.

— Et maintenant ?

Nate se rembrunit. Déjà, la réalité les rattrapait. Il se retourna sur Owen, qui lui adressa un petit signe.

— Tu dois faire une nouvelle déposition, reprit Nate sans enthousiasme. Et de nouveau te faire examiner par un médecin.

— Oui, oui, d'accord. Mais après ?

Elle lui sourit, et leva vers lui un regard tellement chargé d'espoir qu'il ne put s'empêcher de sourire aussi.

— Après ? Tu seras libre de faire tout ce que tu voudras…

Une fois rentrée chez elle, Fiona poussa un long soupir. Elle était infiniment soulagée d'être de retour dans sa maison, enveloppée par des odeurs et des sensations familières. A peine Nate eut-il refermé la porte qu'il posa les mains sur ses épaules et l'attira à lui tendrement. Fiona renversa la tête en arrière contre son épaule, puisant du réconfort dans cette étreinte.

— Ça va mieux ? lui murmura-t-il à l'oreille.

— Beaucoup mieux.

Ils restèrent ainsi immobiles, goûtant le silence et la fin de cet horrible cauchemar. Fiona aurait pu demeurer ainsi pendant des heures, mais, soudain, un miaulement désespéré retentit.

Elle posa aussitôt le sac de sport qu'elle tenait toujours et l'ouvrit. Slinky en sortit, furieux. Mais ne tarda pas à s'apaiser, manifestement ravi de retrouver ses marques.

— C'est un petit chat très résilient ! commenta Nate en souriant.

— Petit ? Tu es sûr que nous parlons du même chat ?

— « Petit », pour moi, ça traduit un sentiment affectueux. Car je comprends pourquoi tu l'aimes tant, ce matou.

Fiona reposa sa tête sur l'épaule de Nate.

— Oui, c'est un merveilleux compagnon… Depuis ces dernières années, je n'ai eu que lui.

La gorge serrée, elle déglutit.

— Tu as été seule si longtemps, trop longtemps…, murmura Nate qui, en quelques mots, résumait sa vie.

Mais il n'y avait ni jugement ni pitié dans sa voix. Peut-être parce qu'il avait lui aussi souffert de la solitude, du moins de l'incompréhension de ses proches, se dit-elle.

Elle prit alors une grande inspiration.

— Nate ?

— Oui ?

— Je suis lasse d'être seule… Et j'ai… envie de toi. Maintenant.

Elle eut aussitôt l'impression que Nate retenait son souffle.

— Tu es sûre de toi ?

Sa voix rauque la fit frémir de désir.

— Oui, j'en suis sûre. Tu sais, tu m'as intéressé dès le début, quand tu venais à l'épicerie, et je n'ai eu de cesse alors de vouloir te connaître mieux.

Puis, d'un ton grave, elle ajouta :

— Et les événements de ces derniers jours m'ont fait comprendre qu'il faut vivre l'instant présent. Que la vie ne tient qu'à un fil. Alors, oui, je veux que tu me fasses l'amour. Maintenant.

A peine lui avait-elle fait cet aveu qu'elle sentit son cœur, et celui de Nate, battre la chamade. Elle se retourna pour lui faire face.

Ses yeux étaient d'un vert vibrant qui évoquait celui des feuillages au printemps. Elle y lut un mélange d'espoir et d'inquiétude.

— Mais… et tes côtes ? dit-il, les lui caressant avec précaution.

Elle haussa les épaules.

— Froissées, seulement.

Le médecin avait été surpris que les mauvais traitements que lui avait réservés son (troisième !) ravisseur n'aient pas aggravé son état, mais il lui avait recommandé du repos, et Nate avait promis qu'il y veillerait.

— Moi aussi, j'ai envie de toi, mais je ne veux pas risquer de te faire mal, chuchota-t-il.

Elle sentait en effet la preuve de son désir pulser contre son ventre. Et le fait qu'il fasse passer son bien-être avant son propre plaisir l'émut, et lui fit ressentir combien elle l'aimait.

Oui, elle l'aimait. Si, en elle, la voix de la raison s'étonnait qu'elle ait pu tomber amoureuse de Nate aussi vite, son cœur, lui, n'en était pas surpris.

Nate était dévoué et digne. Il avait le sens de l'humour et des responsabilités.

Et il était si beau !

Il incarnait la perfection…

Et « amour » était le mot le plus parfait pour décrire ce qu'elle ressentait.

Nate l'avait-il deviné ? Sans doute… Car son regard s'adoucit encore.

Fiona lui sourit, puis le vit déglutir.

Elle lui caressa le visage. Il ferma les yeux, comme pour mieux savourer cette caresse, et de nouveau, elle s'émerveilla du pouvoir qu'elle avait sur lui. Nate lui semblait invincible mais, devant elle et sous ses caresses, il devenait vulnérable.

Elle se pressa encore plus fort contre lui, et Nate l'enlaça.

La chaleur de son corps se communiquait au sien, et alimentait son désir croissant avec une telle intensité qu'elle vacilla.

Aussitôt, Nate rouvrit les yeux et sonda son regard, comme s'il redoutait d'y lire une hésitation. Mais elle lui sourit avec assurance.

Sans doute n'avait-il entendu que ce signal indicible de sa part car, dans un soupir, il prit ses lèvres.

Dès lors, il ne fut plus question de lenteur et de tergiversations, et il l'embrassa avec passion.

Nate avait-il conscience que ses baisers n'étaient qu'une longue et flamboyante déclaration d'amour ? Elle était galvanisée par l'intensité de ses sentiments et par la passion possessive qu'il lui témoignait… Nate, encore une fois, la surprenait. Découvrirait-elle jamais entièrement les profondeurs insondables de sa personne ? Peut-être pas, et c'était une pensée fort réjouissante !

L'étreignant de plus belle, elle lui rendit son baiser avec la même joie et la même ardeur. Elle percevait, dans cette intimité, les désirs et les émotions de son beau policier, et elle était certaine que Nate, de son côté, percevait les siens aussi intensément.

Fiona n'aurait su dire combien de temps leur baiser dura. Quelques minutes ? Plusieurs heures ?

Après avoir été seule si longtemps, après s'être uniquement consacrée à sa mère et à sa thèse, elle se réveillait littéralement.

C'était extraordinaire d'être assaillie, dépassée par tant d'émotions. Elle en perdait sa lucidité et ne fut bientôt plus qu'une flamme alimentant celle de Nate.

Elle n'avait qu'un seul désir : que jamais ce bonheur ne finisse.

17

Nate découvrait le vrai bonheur.

Il exultait parce qu'il serrait la femme de sa vie dans ses bras et que celle-ci lui rendait ses baisers avec une joie et une impatience émerveillées.

Il avait failli la perdre, et en perdre la raison.

Et pour la première fois de sa vie, il avait vraiment eu peur.

En tant qu'officier de police, il avait déjà fait face à des situations dangereuses, s'était trouvé mêlé à des fusillades, et, cependant, jamais comme aujourd'hui il n'avait pensé aux risques de son métier.

A présent, plus rien ne serait jamais comme avant.

Lui qui avait toujours compartimenté sa vie professionnelle et sa vie privée, se consacrant à la première au détriment de la seconde, comprenait qu'il avait commis une erreur.

Du moins, c'est Fiona qui lui en avait fait prendre conscience. Elle lui avait ouvert les yeux sur sa propre vie et ses choix, sans le juger… Et désormais amoureux, il mesurait enfin l'importance de penser à soi et à l'assouvissement de ses propres désirs.

Et cette découverte, ce cadeau inestimable, c'était à Fiona qu'il le devait.

Fiona était étonnante… Elle était belle, à l'extérieur comme à l'intérieur.

Et généreuse et altruiste. N'avait-elle pas consacré son temps et son énergie à sa mère malade ?

Il l'aimait pour tout cela. Et aussi pour sa délicatesse,

sa sensibilité. Mais il y avait le reste, ce qu'il connaissait déjà et ce qu'il découvrirait ensuite.

Il la serra avec encore plus d'élan, sans cesser de l'embrasser. Il sentait son cœur battre en harmonie avec le sien.

Bientôt, il ressentit l'impérieux besoin de sentir sa peau sous ses mains. Il voulait l'union absolue de leurs corps. Et savourer les sensations qui en découleraient.

Alors, il glissa une main sous son T-shirt.

Fiona s'écarta un peu, si bien qu'il vit ses joues empourprées et son regard étincelant. Elle commença à ôter son vêtement mais s'interrompit aussitôt.

— Tu peux m'aider, s'il te plaît ?

Elle souffrait, et Nate fut dégrisé. Sa réponse fusa.

— Ne devrait-on pas attendre que tu sois rétablie ?

Fiona fit une petite moue. Ses lèvres étaient rougies et gonflées par leurs baisers, remarqua-t-il.

— Non ! Qu'est-ce que tu attends ? Vais-je devoir découper mon T-shirt aux ciseaux ou vas-tu m'aider à le retirer ?

Et elle lui adressa un sourire séducteur.

— Ce serait dommage…, murmura-t-il en faisant glisser le T-shirt par-dessus sa tête avec d'infinies précautions.

La vue de sa peau blanche et si douce le figea. Fiona ne parut pas le remarquer, car elle le regardait par en dessous, avec une (fausse ?) timidité.

— Tu es magnifique…, lui dit-il enfin.

Fiona lui sourit du regard.

— A ton tour, maintenant !

Il ne se le fit pas dire deux fois, et le regard approbateur et admiratif de Fiona sur son torse nu lui fut plus doux qu'une caresse.

— Joli…

Elle leva la main mais hésita. Il la lui prit d'autorité.

— Je suis tout à toi, Fiona. Tu peux me toucher partout où tu le désires.

Il ressentit le plus vif plaisir lorsqu'elle fit glisser sa

main sur toute la surface de son torse. Puis s'aventura en direction de sa ceinture. Retenant son souffle, il décida de la laisser faire, malgré son impatience.

Mais quand elle posa la main sur son sexe gonflé, il gémit et recula d'instinct. Il ne voulait pas que les choses aillent trop vite.

Fiona leva alors vers lui un regard inquiet.

— Je ne suis pas sûr de tenir encore longtemps si tu continues comme ça, avoua-t-il d'une voix si rauque qu'il la reconnut à peine. Je te désire tellement.

Elle sourit.

— Moi aussi…, murmura-t-elle d'une voix sensuelle.

Et elle défit les boutons de sa braguette, si lentement qu'il ressentit de nouveau la nécessité de la mettre en garde contre l'urgence de son désir. Mais son esprit cessa bientôt de fonctionner.

Et il se laissa prendre par la main et conduire par Fiona dans sa chambre, où elle lui retira son jean. Il l'y aida. La température de la pièce était plus fraîche et contribua quelque peu à rafraîchir, mais non à apaiser, sa chair en feu.

Fiona se jeta avec un soupir de plaisir dans les bras qu'il lui tendait, et son élan les renversa sur le lit. Il roula jusqu'à se trouver au-dessus d'elle, attentif à ne pas peser de tout son poids afin d'épargner ses côtes froissées.

Les cheveux de Fiona se déployaient maintenant sur l'oreiller, formant un beau halo auburn. Leur odeur familière d'agrumes qu'il associait désormais à elle l'enveloppa. Fiona se souleva doucement sous lui, levant les hanches à sa rencontre, comme pour le prier en silence de la satisfaire au plus vite.

Il se redressa pour faire glisser lentement le long de ses jambes son pantalon. Et sa culotte. La peau de la jeune femme semblait briller dans la lumière douce et tamisée de la lampe de chevet.

Elle semble d'or et d'argent, se dit-il, émerveillé.

Et il prit tout son temps pour apprécier le paysage magnifique qu'elle lui offrait, pour n'en manquer aucune splendeur.

Mais, bientôt, le contempler ne lui suffit plus, et il se pencha pour caresser de ses mains et de sa langue les courbes et reliefs de son corps de sirène.

Il n'avait jamais anticipé l'instant où, pour la première fois, ils feraient l'amour, mais il voulait à présent pouvoir en graver les moindres détails dans sa mémoire.

A en croire ses gémissements et sa respiration saccadée, Fiona appréciait fort les attentions dont elle faisait l'objet, songea-t-il, ravi.

— Non, attends ! lança-t-elle tout à coup comme il s'apprêtait à venir en elle, ne pouvant plus longtemps ignorer l'urgence de son désir.

Nate recula aussitôt, refoulant sa déception. Elle ne voulait donc plus… ? Peut-être souffrait-elle plus qu'elle ne le lui avait avoué ?

La vue de ses nombreux hématomes dans la région des côtes lui arracha un soupir. Pas étonnant qu'elle veuille interrompre leurs ébats… Le seul fait de respirer devait déjà lui faire un mal de chien.

Mais, lorsque Fiona tendit le bras vers le tiroir de la table de nuit, il comprit qu'elle en retirait un préservatif. Son visage dut trahir son soulagement, car, quand elle le lui tendit, elle se mit à rire.

— Tu pensais que j'avais changé d'avis ? l'interrogea-t-elle.

Il haussa les épaules, se sentant rougir.

— Maintenant, Nate ! S'il te plaît.

Il obtempéra, trop pressé de lui plaire. Et elle poussa un soupir voluptueux de satisfaction comme il la reprenait dans ses bras.

Alors vint l'instant où ils s'aimèrent comme ils le désiraient tant. Et Nate eut le sentiment d'avoir trouvé son port d'attache.

*
* *

Un peu plus tard, quand ils se furent aimés de nouveau, avec encore plus de passion et un plaisir accru, il la serra dans ses bras et lui caressa les cheveux alors qu'elle se pelotonnait tout contre lui.

— Impossible de te lâcher…, lui confia-t-il.

Il entendit son sourire dans sa voix quand elle répondit.

— Ça me convient. Garde-moi dans tes bras aussi longtemps que tu le désires…

Dans le silence qui s'installait, Nate sentit peu à peu le tumulte de son corps et de son esprit s'apaiser. Et de merveilleux tableaux se gravèrent dans son cœur.

Le regard brillant de Fiona. Ses gémissements. Leurs corps nus s'épousant et s'unissant dans le plaisir ultime.

Il n'avait jamais rien connu d'aussi intense et d'aussi bon.

Et il rit, soudain frappé par une révélation.

— Qu'est-ce qu'il y a de si drôle ? demanda Fiona d'une voix somnolente.

Nate hésita, puis décida de se lancer.

— Je ne sais pas trop comment l'expliquer…, commença-t-il en lui mordillant sensuellement l'oreille. Alors, j'espère que tu ne vas pas te moquer. Voilà, on dit toujours « faire l'amour », et cette expression m'a toujours semblé étrange pour désigner l'acte sexuel. Mais, maintenant, ces mots m'enchantent. *Faire l'amour.*

Fiona se figea.

— Es-tu en train de me dire ce que je crois ? demanda-t-elle d'une petite voix.

Nate lui devait enfin la vérité sur ses sentiments. Il l'aimait, il voulait vivre avec elle. Alors pourquoi attendre de le lui dire ? Avait-il peur de sa réaction ?

— Oui, déclara-t-il simplement. Tu as bien compris, Fiona : je t'aime.

Alors elle se tourna dans ses bras et lui fit face. Elle avait les yeux brillants de larmes.

Nate fut horrifié. Contre toute attente, il n'avait réussi qu'à la faire pleurer.

— Fiona ! commença-t-il, cherchant les mots pour s'excuser. Je…

Elle secoua la tête et posa un doigt sur ses lèvres.

Puis elle sourit, et son expression en fut transfigurée.

— Tu ne peux imaginer ce que je ressens, Nate… C'est… merveilleux !

Elle n'était donc pas triste ni effrayée. Son inquiétude disparut aussitôt, et le soulagement l'enveloppa. Il n'avait rien gâché. Au contraire.

— Et juste pour t'informer…, reprit-elle en l'embrassant. Moi aussi je t'aime. A la folie.

Pendant un instant, galvanisé, il ne put que la contempler, sans mot dire.

C'était une chose de savoir qu'elle avait des sentiments pour lui, c'en était une autre de l'entendre les lui révéler. Sa déclaration, lorsqu'il l'eut assimilée, provoqua en lui un bouquet d'émotions intenses qui se succédèrent à la vitesse d'un feu d'artifice.

Il ressentait une joie pure, une immense fierté et du bonheur, de l'excitation, de l'effervescence. Toutes ces sensations convergeaient vers un sentiment auquel il donnait le nom d'amour mais qui était bien insuffisant, en vérité, à contenir et à traduire tout ce qu'il ressentait.

Au bout d'un moment, il se rendit compte que Fiona l'observait, perplexe.

— Nate ? Ça va ?

— Je n'ai jamais été aussi heureux de ma vie ! l'assura-t-il en l'attirant de nouveau à lui. J'ai tant de choses à te dire !

— Oh, Nate, murmura-t-elle en se blottissant contre lui. Pourquoi parler ? Alors que tout ce que nous avons à faire… c’est de faire l’amour… Continuer à le construire, à le rendre plus grand.

Et elle ponctua ses mots par une caresse qui le fit à la fois sourire et frémir.

— Cela me va…, dit-il avant de l’embrasser.

Epilogue

Une semaine plus tard

Nate coupa le moteur et tourna les yeux dans la direction de Fiona.

— Prête ?

Fiona se mordilla la lèvre.

— Tu es certain que ce n'est pas prématuré ? demanda-t-elle.

Il sourit, mais elle ne fut pas rassurée pour autant. Elle se sentait crispée, tendue.

— Tu regrettes ? l'interrogea Nate.

Elle secoua aussitôt la tête, de peur de lui répondre par l'affirmative.

— Mais je ne sais pas si c'est une bonne idée, reprit-elle après ce bref silence. Tu n'as pas vu ta famille depuis des mois, et tes parents et ta sœur vont vouloir passer du temps avec toi, et pas recevoir une jeune femme que tu viens de rencontrer.

Nate fronça les sourcils.

— Pour commencer, dit-il, tu n'es pas n'importe quelle jeune femme, tu es ma petite amie. Et je t'aime.

Il ponctua ces mots par un tendre baiser. Fiona sourit. Elle ne se lassait pas de l'entendre dire qu'il l'aimait.

— Et ensuite, mes parents sont fous de joie à l'idée de faire ta connaissance. Je leur ai tant parlé de toi.

— Mais c'est Noël… Une fête de famille, et je ne veux pas faire intrusion.

Il lui recoiffa une mèche de cheveux.

— Tu penses honnêtement que je t'aurais laissée seule le jour de Noël ? Jamais ! Que tu le veuilles ou non, tu fais désormais partie de ma famille. Donc tu participes aux fêtes de ma famille. Toi et moi, nous avons déjà nos propres traditions, et celle-là en est une de plus.

Il lui lança un clin d'œil concupiscent, et elle rit, puis rougit à la pensée de leurs rituels matinaux faits de sensualité et de passion.

Nate avait raison, mais c'était plus fort qu'elle, elle s'inquiétait. Et si sa mère allait la détester au premier regard ? Ou Molly ?

Alors Fiona surprit un mouvement à l'une des fenêtres de la maison devant laquelle Nate s'était garé. Leur arrivée avait été remarquée. Il était trop tard pour faire demi-tour.

La porte d'entrée s'ouvrit peu après, et une toute jeune femme sortit, l'air radieux. Elle courut dans leur direction, et tapa avec insistance sur la vitre de la portière conducteur.

Molly, sans aucun doute.

Nate lui adressa un petit signe, puis se tourna vers elle.

— On y va ? dit-il en l'embrassant sur la joue.

— Je te suis, murmura Fiona.

Nate descendit de sa voiture.

— Tu es venu ! s'exclama Molly en levant un visage rayonnant vers son frère. Je me suis levée tôt, maman et papa ont été grognons. Mais plus maintenant !

— Ravi de te l'entendre dire ! déclara Nate en la prenant dans ses bras. J'étais impatient de venir passer Noël avec toi.

Fiona referma sa portière. Alors Molly tourna les yeux vers elle.

— Bonjour, dit-elle sans détour, je m'appelle Molly.

Fiona sourit.

— Bonjour, Molly !

Fiona s'approcha timidement de Nate, qui passa son bras autour de ses épaules pour l'attirer à lui.

— Et moi, je m'appelle Fiona.

Molly la contempla, soudain fascinée.

— Comme la princesse Fiona de *Shrek* ?

Fiona rit et secoua la tête.

— Comme Fiona dans *Shrek*… J'aime beaucoup ce film. Et toi ?

Moly hocha la tête avec enthousiasme.

— C'est mon préféré. Fiona est verte, et c'est aussi ma couleur préférée.

— La mienne, également.

Molly prit la main de Nate et le tira.

— Vite, entrons. Maman a préparé une dinde aux marrons, et elle a dit qu'on devait attendre ton arrivée pour manger. J'ai faim.

Nate s'esclaffa.

— Laisse-moi une petite minute, d'accord ? Fiona et moi avons des paquets à porter à l'intérieur.

— Des cadeaux ? s'exclama Molly en battant des mains.

Et elle rentra dans la maison en courant et en appelant ses parents.

— Rassurée, Fiona ? lui demanda alors Nate.

— Molly est adorable…

— Plus que tu ne l'imagines.

Fiona, soudain, se sentit plus légère. Sa « belle-sœur » semblait l'apprécier. C'était un bon début.

— Prête à rencontrer mes parents, maintenant ?

— Oui, dit-elle, réunissant son courage.

Nate sourit.

— Ils vont t'adorer…

— J'espère…

Ouvrant le coffre, Nate en sortit des paquets enrubannés.

Ils avaient passé la semaine précédente à courir les magasins, une grande première pour Nate. Il avait projeté d'offrir des bons d'achat, comme à son habitude, mais Fiona l'en avait dissuadé et avait insisté pour qu'il achète de vrais cadeaux. Nate avait plaisanté, puis s'était rallié à sa décision. Ils avaient finalement passé un bon moment, malgré la cohue infernale dans les magasins.

Une activité qui l'avait aussi considérablement aidée à évacuer toutes les horreurs de ces derniers jours.

— On y va !

Il s'engagea dans l'allée.

Fiona le suivit, le cœur battant.

Personne ne remplacerait jamais ses propres parents, mais elle avait envie de se sentir de nouveau faisant partie d'une famille.

La porte s'ouvrit avant qu'ils aient atteint l'entrée, et les parents de Nate les accueillirent avec un sourire. Les yeux de sa mère étaient humides d'émotion. Sans un mot, elle prit le visage de Nate en coupe, puis l'embrassa avec force.

— Je suis si contente de te revoir !

— Moi aussi.

Son père lui donna une longue accolade.

Puis Fiona vit les parents de Nate se tourner vers elle.

— C'est donc vous, la petite amie de mon fils..., commença la mère de Nate.

Fiona acquiesça, et sourit.

— Ravie de vous rencontrer, murmura-t-elle.

Elle tendit la main, mais la mère de Nate la regarda d'un air troublé. Fiona sentit la panique l'envahir. Avait-elle commis une erreur ?

— Vous faites partie de la famille maintenant, Fiona, alors embrassez-moi !

Et elle la serra dans ses bras sans attendre sa réponse.

Puis ce fut le père de Nate qui l'embrassa.

Fiona ne se sentit plus de joie. Et cet accueil chaleureux eut raison de ses dernières craintes.

— Bienvenue à la maison, et joyeux Noël ! annonça la

mère de Nate, posant simultanément la main gauche sur son bras et la droite sur celui de Nate.

Noël !

A l'avenir, ce serait sa fête préférée, se dit Fiona, le cœur gonflé d'allégresse.

Retrouvez en novembre,
dans votre collection

La mariée sans mémoire, de Beverly Long - N°406

SÉRIE LE DÉFI DES HOLLISTER - TOME 2/4

« Puisque vous avez oublié votre nom, je vais vous appeler Stormy. Et je vais vous conduire à l'hôpital. » Paniquée, la jeune femme se débat pour tenter d'échapper à l'inconnu qui vient de la secourir. Certes, elle ignore comment elle s'est retrouvée sur cette route enneigée, blessée à la tête et vêtue d'une robe de mariée trempée, mais elle sait que si elle va à l'hôpital les hommes qui la recherchent la tueront. Visiblement touché par sa détresse, son ange gardien propose alors de l'accueillir chez lui, et Stormy, se laissant aller au réconfort de ses bras puissants, comprend qu'elle n'a pas d'autre choix que de lui confier sa vie...

Tentation interdite, de Cassie Miles

Troublé, Brady soutient le regard bleu de Sasha et tente de remettre de l'ordre dans ses idées. Pas question pour lui de succomber au charme de la jolie juriste, même si le désir qu'il lit dans ses yeux est sans ambiguïté. Car sa mission est de protéger celle dont la vie est menacée depuis qu'elle a été témoin d'un meurtre. Et il a parfaitement conscience qu'une fois cette affaire résolue Sasha, la citadine, retournera à Denver et les effacera vite de sa mémoire, lui, le policier farouche, et son chalet perdu dans les montagnes...

La marque du passé, de Cindi Myers - N°407

Alors qu'elle cherche des plantes dans un canyon du Colorado, Abby entend des coups de feu et voit un homme s'écrouler non loin d'elle. Paniquée, elle s'enfuit et va trouver les rangers qui surveillent le parc. Mais, tandis qu'elle raconte ce dont elle vient d'être témoin, un inconnu s'approche et lui murmure à l'oreille : « Bonjour, Abby, c'est moi qui vous ai ranimée quand vous étiez entre la vie et la mort en Afghanistan. » Troublée, Abby comprend alors que son passé vient de la rattraper et que cet homme sait sur elle des choses qu'elle ignore...

A l'épreuve de la vérité, de Paula Graves

Décidément, ma fille, tu n'es pas raisonnable. Consciente de l'erreur qu'elle est sans doute en train de commettre, Nicki écoute le récit de l'homme qu'elle vient de recueillir et qui errait sur la route, amaigri, blessé, perdu... Elle sait qui il est. Il s'appelle Dallas Cole, il est soupçonné de complicité avec une milice criminelle, et le FBI le recherche depuis des semaines. Pourtant, Nicki le croit lorsqu'il prétend avoir été piégé. Et, qu'importe le danger, elle va l'aider à traquer ses ennemis et à prouver son innocence...

BLACK ROSE

Retrouvez en novembre,
dans votre collection

A la recherche de son enfant, de Carla Cassidy - N°408

Des cheveux noirs de jais, des yeux aussi verts que le lagon auprès duquel il vit… Sous le regard de Daniel Carson, Olivia se trouble et songe à la nuit de passion qu'ils ont partagée cinq ans plus tôt. Réunis par le hasard pour élucider le crime qui, depuis deux ans, hante la petite ville de Lost Lagoon, tous deux savent que leur attirance mutuelle n'est pas morte. Pourtant, Olivia garde ses distances et consacre tout son amour à sa petite Lily. Lily dont elle ne sait comment avouer à Daniel qu'il est son père. Jusqu'au jour où, se sentant traqué, le suspect qu'ils sont sur le point d'arrêter tente un dernier coup d'éclat et kidnappe l'enfant…

La proie du mensonge, de Jennifer Morey

Humiliée, trompée, bafouée… Partagée entre colère et désespoir, Rachel sort du bureau où elle vient d'apprendre la trahison de l'homme dont elle est tombée amoureuse. Ainsi, depuis des mois, Lucas Curran la soupçonne du meurtre de sa sœur et a tissé autour d'elle une véritable toile d'araignée, la faisant embaucher dans la compagnie d'aviation de son beau-père avant de la séduire pour mieux la surveiller. Pourtant, Rachel sait que ce piège est vain, car elle n'est en rien coupable du crime dont Lucas l'accuse. Pire : depuis quatre ans elle reçoit des menaces téléphoniques, des manœuvres d'intimidation dont elle n'a jamais parlé, de peur des représailles…

La loi du danger, de Nora Roberts - N°409

Des flammes, s'élevant à plus de cinq mètres de haut… Pétrifiée, Nathalie Fletcher ne peut détacher le regard du terrible spectacle qui se joue devant elle : l'entrepôt où était stocké l'ensemble de sa nouvelle collection de prêt-à-porter est en train de partir en fumée, dévasté par un incendie. Accident… ou acte délibéré ? Ryan Piasecki, un ancien pompier chargé par la police d'enquêter sur l'affaire, semble en tout cas pencher pour la seconde hypothèse… Bouleversée par cette nouvelle, Nathalie sent pourtant son désarroi céder la place à une irrépressible fureur quand Piasecki lui laisse entendre qu'il soupçonne un membre de son entourage proche – et peut-être même *elle* – d'être coupable du sinistre…

L'île des mystères, de Gayle Wilson

Tout juste embauchée comme secrétaire chez Suzanne Gerrard, Caroline éprouve un étrange malaise en arrivant sur l'île des Saintes, où vit sa richissime patronne. Tout, ici, l'oppresse : les violents orages, la grande maison aux longs couloirs obscurs, l'ambiance délétère qui y règne… Surtout, Caroline est troublée par la présence de Julien, le frère de Suzanne. Julien, qui l'attire irrésistiblement, mais qui, sans qu'elle sache pourquoi, l'effraie. Comme si elle l'avait connu avant la terrible épreuve qui, six ans plus tôt, l'a privée de tout souvenir…

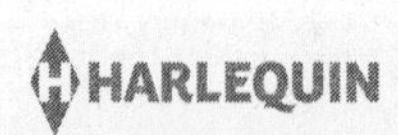

BLACK ROSE

Composé et édité par HarperCollins France.

Achevé d'imprimer en septembre 2016.

Barcelone

Dépôt légal : octobre 2016.

Pour limiter l'empreinte environnementale de ses livres, HarperCollins France s'engage à n'utiliser que du papier fabriqué à partir de bois provenant de forêts gérées durablement et de manière responsable.

Imprimé en Espagne.